힘이 붙는
수학 연산

중등 **2-2**

# 구성과 특징

## 대단원 도입

대단원별 학습 계획을 세워 자기주도학
습을 할 수 있도록 하였습니다.

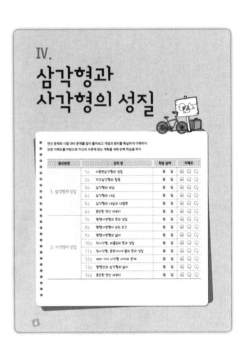

## 힘수 점검

### 연산을 다시 풀어보기

이전에 배운 내용 중에서 본 학습과 연
계된 연산 문제를 제공함으로써 본 학
습 내용을 쉽게 이해하고 수학의 흐름을
한눈에 볼 수 있도록 하였습니다.

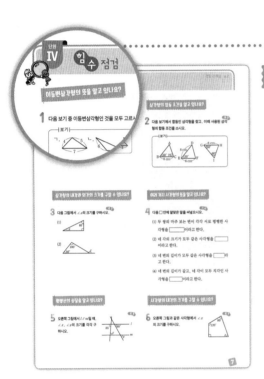

## 교과서 핵심 개념 이해

각 단원에서 교과서 핵심을 세분화하여
정리하였고 그 개념을 도식화, 도표화하
여 보다 쉽게 개념을 이해할 수 있도록
하였습니다.

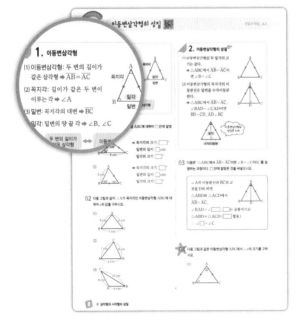

## 힘이 붙는 수학은

✚ 교과서 개념에서 나올 수 있는 연산 관련된 개념을 세분화해서 정리하여 공부할 수 있도록 하였습니다.

✚ 각 강마다 연산 문제를 2~4쪽씩 제공하여 많이 풀 수 있도록 하였고, 중단원마다 그 연산 문제를 반복할 수 있도록 하였습니다.

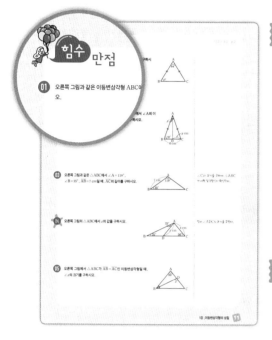

## 힘수 만점

### 연산을 적용한 문제 풀기

앞에서 배운 연산 문제를 이용하여 풀 수 있는 문제들로 구성하여 개념을 쉽게 익힐 수 있도록 하였습니다.

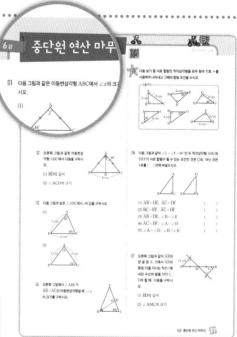

## 중단원 연산 마무리

중단원마다 앞에서 나왔던 연산 문제보다 난이도가 있는 문제들로 구성하여 내신 대비를 할 수 있도록 하였습니다.

## 정답과 해설

혼자서도 쉽게 이해할 수 있도록 자세하고 친절한 풀이를 제시하였습니다.

# 이 책의 차례

## Ⅳ 삼각형과 사각형의 성질

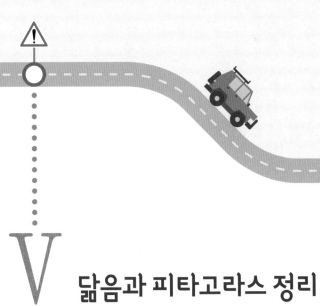

# V 닮음과 피타고라스 정리

# VI 확률과 그 기본 성질

# IV.
# 삼각형과 사각형의 성질

연산 문제와 시험 대비 문제를 많이 풀어보고 개념과 원리를 확실하게 이해하자.
또한 이해도를 바탕으로 자신의 수준에 맞는 계획을 세워 반복 학습을 하자.

| 중단원명 | | 강의 명 | 학습 날짜 | | 이해도 | | |
|---|---|---|---|---|---|---|---|
| 1. 삼각형의 성질 | 1강 | 이등변삼각형의 성질 | 월 일 | | ☺ | ☺ | ☹ |
| | 2강 | 직각삼각형의 합동 | 월 일 | | ☺ | ☺ | ☹ |
| | 3강 | 삼각형의 외심 | 월 일 | | ☺ | ☺ | ☹ |
| | 4강 | 삼각형의 내심 | 월 일 | | ☺ | ☺ | ☹ |
| | 5강 | 삼각형의 내심과 내접원 | 월 일 | | ☺ | ☺ | ☹ |
| | 6강 | 중단원 연산 마무리 | 월 일 | | ☺ | ☺ | ☹ |
| 2. 사각형의 성질 | 7강 | 평행사변형의 뜻과 성질 | 월 일 | | ☺ | ☺ | ☹ |
| | 8강 | 평행사변형이 되는 조건 | 월 일 | | ☺ | ☺ | ☹ |
| | 9강 | 평행사변형의 넓이 | 월 일 | | ☺ | ☺ | ☹ |
| | 10강 | 직사각형, 마름모의 뜻과 성질 | 월 일 | | ☺ | ☺ | ☹ |
| | 11강 | 정사각형, 등변사다리꼴의 뜻과 성질 | 월 일 | | ☺ | ☺ | ☹ |
| | 12강 | 여러 가지 사각형 사이의 관계 | 월 일 | | ☺ | ☺ | ☹ |
| | 13강 | 평행선과 삼각형의 넓이 | 월 일 | | ☺ | ☺ | ☹ |
| | 14강 | 중단원 연산 마무리 | 월 일 | | ☺ | ☺ | ☹ |

힘 수 점검

### 이등변삼각형의 뜻을 알고 있나요?

**1** 다음 보기 중 이등변삼각형인 것을 모두 고르시오. <sub>초등4</sub>

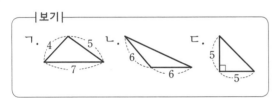

┤보기├

ㄱ. 4 5 / 7
ㄴ. 6 / 6
ㄷ. 5 / 5

### 삼각형의 합동 조건을 알고 있나요?

**2** 다음 보기에서 합동인 삼각형을 찾고, 이때 사용된 삼각형의 합동 조건을 쓰시오. <sub>중1</sub>

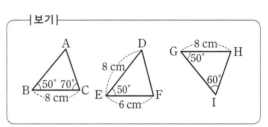

┤보기├

A / B 50° 70° C 8 cm
D / 8 cm / E 50° F 6 cm
G 8 cm H / 50° / 60° I

### 삼각형의 내각과 외각의 크기를 구할 수 있나요?

**3** 다음 그림에서 ∠$x$의 크기를 구하시오. <sub>중1</sub>

(1)

65° / $x$

(2)

100° / 50° / $x$

### 여러 가지 사각형의 뜻을 알고 있나요?

**4** 다음 □ 안에 알맞은 말을 써넣으시오. <sub>초4</sub>

(1) 두 쌍의 마주 보는 변이 각각 서로 평행한 사각형을 [         ]이라고 한다.

(2) 네 각의 크기가 모두 같은 사각형을 [         ]이라고 한다.

(3) 네 변의 길이가 모두 같은 사각형을 [         ]라고 한다.

(4) 네 변의 길이가 같고, 네 각이 모두 직각인 사각형을 [         ]이라고 한다.

### 평행선의 성질을 알고 있나요?

**5** 오른쪽 그림에서 $l /\!/ m$일 때, ∠$x$, ∠$y$의 크기를 각각 구하시오. <sub>중1</sub>

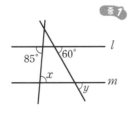

85° / 60° / $l$ / $x$ / $y$ / $m$

### 사각형의 내각의 크기를 구할 수 있나요?

**6** 오른쪽 그림과 같은 사각형에서 ∠$x$의 크기를 구하시오. <sub>중1</sub>

80° / 120° / $x$

# C 1강 ••• 이등변삼각형의 성질

## 1. 이등변삼각형

(1) 이등변삼각형: 두 변의 길이가 같은 삼각형 ➡ $\overline{AB}=\overline{AC}$

(2) 꼭지각: 길이가 같은 두 변이 이루는 각 ➡ ∠A

(3) 밑변: 꼭지각의 대변 ➡ $\overline{BC}$

(4) 밑각: 밑변의 양 끝 각 ➡ ∠B, ∠C

두 변의 길이가 같은 삼각형 ⟷ 이등변삼각형

---

**01** 다음 그림과 같은 이등변삼각형 ABC에 대하여 □ 안에 알맞은 수를 써넣으시오.

(1)

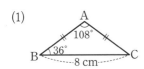

➡ 꼭지각의 크기: □°
밑변의 길이: □ cm
밑각의 크기: □°

(2)

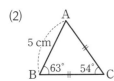

➡ 꼭지각의 크기: □°
밑변의 길이: □ cm
밑각의 크기: □°

---

**02** 다음 그림과 같이 ∠A가 꼭지각인 이등변삼각형 ABC에 대하여 $x$의 값을 구하시오.

(1)

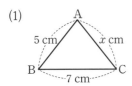

(2)

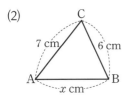

(3)

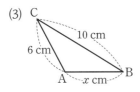

---

## 2. 이등변삼각형의 성질 **up⁺**

(1) 이등변삼각형의 두 밑각의 크기는 같다.
➡ △ABC에서 $\overline{AB}=\overline{AC}$이면 ∠B=∠C

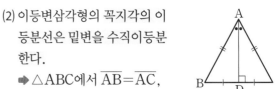

(2) 이등변삼각형의 꼭지각의 이등분선은 밑변을 수직이등분한다.
➡ △ABC에서 $\overline{AB}=\overline{AC}$, ∠BAD=∠CAD이면 $\overline{BD}=\overline{CD}$, $\overline{AD}\perp\overline{BC}$

같다
수직이등분

이등변삼각형의 성질은 2개!

---

**03** 다음은 '△ABC에서 $\overline{AB}=\overline{AC}$이면 ∠B=∠C이다.'를 설명하는 과정이다. □ 안에 알맞은 것을 써넣으시오.

∠A의 이등분선과 $\overline{BC}$의 교점을 D라 하면
△ABD와 △ACD에서
$\overline{AB}=\overline{AC}$,
∠BAD=∠□, □는 공통이므로
△ABD≡△ACD (□ 합동)
∴ ∠□=∠C

---

**04** 다음 그림과 같은 이등변삼각형 ABC에서 ∠$x$의 크기를 구하시오.

(1)

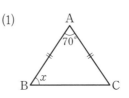

(2)

(3)
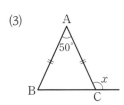

**05** 다음은 '$\overline{AB}=\overline{AC}$인 △ABC에서 꼭지각 A의 이등분선과 $\overline{BC}$의 교점을 D라 하면 $\overline{BD}=\overline{CD}$, $\overline{AD}\perp\overline{BC}$이다.'를 설명하는 과정이다. □ 안에 알맞은 것을 써넣으시오.

△ABD≡△ACD (SAS 합동)

이므로 $\overline{BD}=$ □ ,

∠ADB=∠ □

이때 ∠ADB+∠ADC=180°

이므로 ∠ADB=∠ADC= □ °

∴ $\overline{AD}\perp\overline{BC}$

**06** 다음 그림과 같은 이등변삼각형 ABC에서 $x$의 값을 구하시오.

(1)
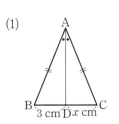

(2)
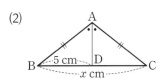

(3)
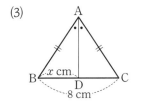

**07** 다음 그림과 같은 이등변삼각형 ABC에서 $x$, $y$의 값을 각각 구하시오.

(1)
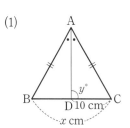

(2)
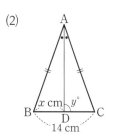

(3)
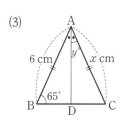

(4)
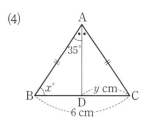

(5)
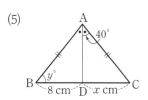

(6)
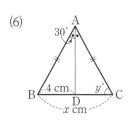

## 3. 이등변삼각형이 되는 조건

두 내각의 크기가 같은 삼각형은
이등변삼각형이다.

➡ △ABC에서 ∠B=∠C이면
$\overline{AB}=\overline{AC}$

| 이등변삼각형 | ⟷ | 삼각형의 두 밑각의 크기가 같은 삼각형 |

**08** 다음은 '△ABC에서 ∠B=∠C이면 $\overline{AB}=\overline{AC}$이다.'를 설명하는 과정이다. □ 안에 알맞은 것을 써넣으시오.

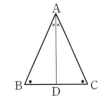

∠A의 이등분선과 $\overline{BC}$의 교점을 D라 하면 △ABD와
△ACD에서 $\overline{AD}$는 공통,
∠BAD=∠□,
삼각형의 세 내각의 크기의
합은 180°이고 ∠B=∠□이므로
∠ADB=∠□
△ABD≡△ACD (□ 합동)이므로
∴ $\overline{AB}=\overline{AC}$

**09** 다음 그림과 같은 삼각형 ABC에서 $x$의 값을 구하시오.

(1)
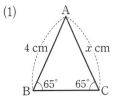

(2)
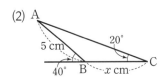

(3)
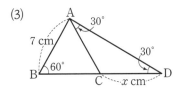

**10** 다음은 아래 그림과 같은 $\overline{AB}=\overline{AC}$인 이등변삼각형 ABC에서 ∠$x$의 크기를 구하는 과정이다. □ 안에 알맞은 것을 써넣으시오.

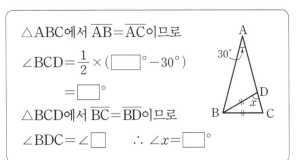

△ABC에서 $\overline{AB}=\overline{AC}$이므로
∠BCD=$\frac{1}{2}$×(□°−30°)
        =□°
△BCD에서 $\overline{BC}=\overline{BD}$이므로
∠BDC=∠□    ∴ ∠$x$=□°

**11** 오른쪽 그림과 같이 $\overline{AB}=\overline{AC}$인 이등변삼각형 ABC에서 ∠$x$, ∠$y$의 크기를 각각 구하시오.

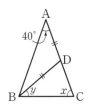

**12** 다음은 아래 그림과 같은 $\overline{AB}=\overline{AC}$인 이등변삼각형 ABC에서 ∠$x$의 크기를 구하는 과정이다. □ 안에 알맞은 것을 써넣으시오.

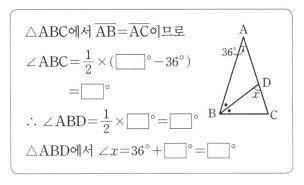

△ABC에서 $\overline{AB}=\overline{AC}$이므로
∠ABC=$\frac{1}{2}$×(□°−36°)
        =□°
∴ ∠ABD=$\frac{1}{2}$×□°=□°
△ABD에서 ∠$x$=36°+□°=□°

**13** 오른쪽 그림과 같이 $\overline{AB}=\overline{AC}$인 이등변삼각형 ABC에서 ∠$x$, ∠$y$의 크기를 각각 구하시오.

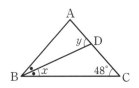

**01** 오른쪽 그림과 같은 이등변삼각형 ABC에서 ∠$x$의 크기를 구하시오.

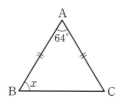

**02** 오른쪽 그림과 같이 $\overline{AB}=\overline{AC}$인 이등변삼각형 ABC에서 ∠A의 이등분선과 $\overline{BC}$의 교점을 D라고 할 때, $x$, $y$의 값을 각각 구하시오.

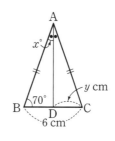

**03** 오른쪽 그림과 같은 △ABC에서 ∠A=110°, ∠B=35°, $\overline{AB}$=7 cm일 때, $\overline{AC}$의 길이를 구하시오.

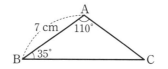

∠C의 크기를 구하여 △ABC가 어떤 삼각형인지 확인한다.

**04** 오른쪽 그림의 △ABC에서 $x$의 값을 구하시오.

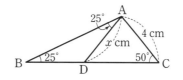

먼저 ∠ADC의 크기를 구한다.

**05** 오른쪽 그림에서 △ABC가 $\overline{AB}=\overline{AC}$인 이등변삼각형일 때, ∠$x$의 크기를 구하시오.

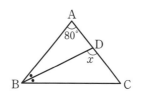

# 2강 ··· 직각삼각형의 합동

## 1. 직각삼각형의 합동 조건

두 직각삼각형은 다음 각 경우에 서로 합동이다.

(1) 빗변의 길이가 같고 한 예각의 크기가 같을 때:
$\angle C = \angle F = 90°$,
$\overline{AB} = \overline{DE}$,
$\angle B = \angle E$이면
$\triangle ABC \equiv \triangle DEF$ (RHA 합동)

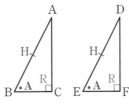

(2) 빗변의 길이가 같고 다른 한 변의 길이가 같을 때: $\angle C = \angle F = 90°$,
$\overline{AB} = \overline{DE}$,
$\overline{AC} = \overline{DF}$이면
$\triangle ABC \equiv \triangle DEF$ (RHS 합동)

> **참고** R: Right angle(직각), H: Hypotenuse(빗변), A: Angle(각), S: Side(변)

| 두 직각삼각형의 빗변의 길이가 같을 때 | 한 예각의 크기가 같다. → RHA 합동 |
|---|---|
| | 다른 한 변의 길이가 같다. → RHS 합동 |

**01** 다음은 '△ABC와 △DEF에서 ∠C=∠F=90°, $\overline{AB}=\overline{DE}$, ∠B=∠E이면 △ABC≡△DEF이다.'를 설명하는 과정이다. □ 안에 알맞은 것을 써넣으시오.

△ABC와 △DEF에서
$\overline{AB}=\overline{DE}$(빗변), ∠B=∠E,
∠A=90°-∠B=90°-∠□=∠□
∴ △ABC≡△DEF (□ 합동)

**02** 다음은 아래 그림과 같은 두 직각삼각형이 합동임을 보이는 과정이다. □ 안에 알맞은 것을 써넣으시오.

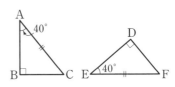

∠B=∠D=90°, $\overline{AC}=$□, ∠A=∠□
➡ △ABC≡△□ (□ 합동)

**03** 다음은 '△ABC와 △DEF에서 ∠C=∠F=90°, $\overline{AB}=\overline{DE}$, $\overline{AC}=\overline{DF}$이면 △ABC≡△DEF이다.'를 설명하는 과정이다. □ 안에 알맞은 것을 써넣으시오.

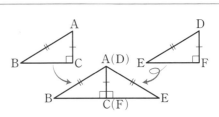

△ABC와 △DEF에서 $\overline{AC}$와 $\overline{DF}$를 겹치도록 놓으면 ∠ACB+∠ACE=180°이므로 △ABE는 $\overline{AB}=\overline{AE}$인 □삼각형이다.
따라서 ∠B=∠□이므로 ∠BAC=∠□
또 ∠C=∠F=90°, $\overline{AB}=\overline{DE}$ (빗변)이므로
△ABC≡△DEF (□ 합동)

**04** 다음은 아래 그림과 같은 두 직각삼각형이 합동임을 보이는 과정이다. □ 안에 알맞은 것을 써넣으시오.

∠C=∠E=90°, $\overline{AB}=$□, $\overline{BC}=$□
➡ △ABC≡△□ (□ 합동)

**05** 다음 보기에서 합동인 직각삼각형을 모두 찾아 기호 ≡를 사용하여 나타내고 그때의 합동 조건을 쓰시오.

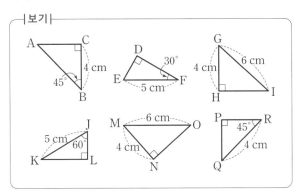

**06** 다음 그림과 같은 두 직각삼각형에서 $x$의 값을 구하시오.

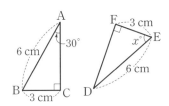

## 2. 직각삼각형의 합동 조건의 활용 Ⓤ⁺

(1) $\triangle ABC$가 $\overline{AB}=\overline{AC}$인 직각이등변삼각형일 때
$\triangle ADB \equiv \triangle CEA$
(RHA 합동)
➡ $\overline{AD}=\overline{CE}$, $\overline{DB}=\overline{EA}$

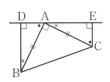

(2) $\triangle ABC$에서 $\angle BAD = \angle EAD$, $\overline{DE} \perp \overline{AC}$일 때
$\triangle ABD \equiv \triangle AED$ (RHA 합동)
➡ $\overline{AB}=\overline{AE}$, $\overline{BD}=\overline{ED}$, $\angle ADB = \angle ADE$

(3) $\triangle ABC$에서 $\overline{AB}=\overline{AE}$, $\overline{DE} \perp \overline{AC}$일 때
$\triangle ABD \equiv \triangle AED$ (RHS 합동)
➡ $\overline{BD}=\overline{ED}$, $\angle BAD = \angle EAD$, $\angle ADB = \angle ADE$

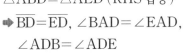

**07** 다음 그림에서 $x$의 값을 구하시오.

(1)
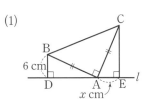

(2)
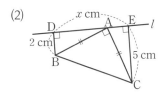

**08** 다음 그림에서 색칠한 부분의 넓이를 구하시오.

(1)
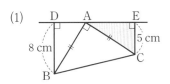

(2)
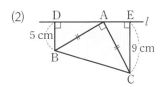

개념 Tip
(사다리꼴의 넓이)
$= \frac{1}{2} \times \{(\text{윗변의 길이}) + (\text{아랫변의 길이})\} \times (\text{높이})$

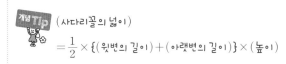

**09** 다음 그림에서 $x$, $y$의 값을 구하시오.

(1)
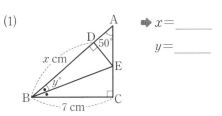
➡ $x = $ _____
$y = $ _____

(2)
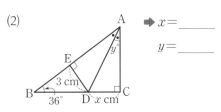
➡ $x = $ _____
$y = $ _____

**10** 다음 그림에서 $x$, $y$의 값을 각각 구하시오.

(1)
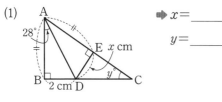

➡ $x =$ _____

$y =$ _____

(2)
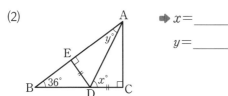

➡ $x =$ _____

$y =$ _____

**12** 다음 그림에서 $x$, $y$의 값을 각각 구하시오.

(1)
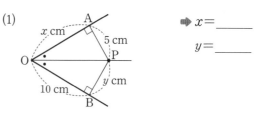

➡ $x =$ _____

$y =$ _____

(2)
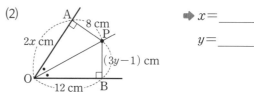

➡ $x =$ _____

$y =$ _____

---

### 3. 각의 이등분선의 성질

(1) 각의 이등분선 위의 한 점에서 그 각의 두 변에 이르는 거리는 같다.

➡ $\angle AOP = \angle BOP$이면
$\overline{PQ} = \overline{PR}$

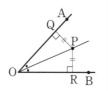

(2) 각을 이루는 두 변에서 같은 거리에 있는 점은 그 각의 이등분선 위에 있다.

➡ $\overline{PQ} = \overline{PR}$이면
$\angle AOP = \angle BOP$

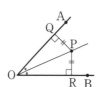

각의 이등분선 위의 점이다. ⬌  점이 각을 이루는 두 변에서 같은 거리에 있다.

**13** 다음은 아래 그림에서 '$\overline{PQ} = \overline{PR}$이면 $\angle AOP = \angle BOP$이다.'를 설명하는 과정이다. □ 안에 알맞은 것을 써넣으시오.

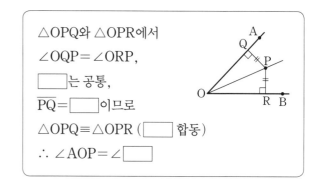

△OPQ와 △OPR에서

$\angle OQP = \angle ORP$,

□ 는 공통,

$\overline{PQ} =$ □ 이므로

△OPQ ≡ △OPR ( □ 합동)

∴ $\angle AOP = \angle$ □

**11** 다음은 아래 그림에서 '$\angle AOP = \angle BOP$이면 $\overline{PQ} = \overline{PR}$이다.'를 설명하는 과정이다. □ 안에 알맞은 것을 써넣으시오.

△OPQ와 △OPR에서

$\angle OQP = \angle ORP$,

□ 는 공통,

$\angle POQ = \angle$ □ 이므로

△OPQ ≡ △OPR ( □ 합동)

∴ □ $= \overline{PR}$

**14** 다음 그림에서 $\angle x$의 크기를 구하시오.

(1)
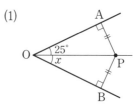

(2)
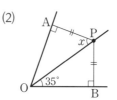

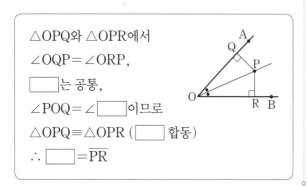

2강 _직각삼각형의 합동

**01** 오른쪽 그림과 같은 두 직각삼각형 ABC, DEF에서 $x$, $y$의 값을 각각 구하시오.

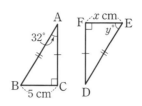

**02** 오른쪽 그림과 같이 △ABC에서 $\overline{AC}$의 중점을 M이라 하고, 점 M에서 두 변 AB, BC에 내린 수선의 발을 각각 D, E라고 하자. $\overline{MD}=\overline{ME}$이고 ∠C=28°일 때, ∠ABC의 크기를 구하시오.

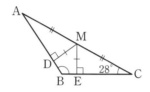

두 직각삼각형이 합동임을 이용하여 ∠A의 크기를 구한다.

**03** 오른쪽 그림과 같이 $\overline{AB}=\overline{AC}$인 직각이등변삼각형 ABC의 꼭짓점 B, C에서 꼭짓점 A를 지나는 직선 $l$에 내린 수선의 발을 각각 D, E라 하자. $\overline{DE}=14$ cm, $\overline{CE}=5$ cm일 때, $\overline{BD}$의 길이를 구하시오.

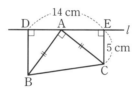

**04** 오른쪽 그림에서 $\overline{AB}\perp\overline{BD}$, $\overline{ED}\perp\overline{BD}$이고, ∠ACE=90°이다. $\overline{AC}=\overline{CE}$, $\overline{AB}=4$ cm, $\overline{DE}=3$ cm일 때, $\overline{BD}$의 길이를 구하시오.

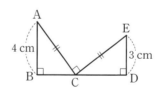

**05** 오른쪽 그림과 같이 ∠AOB의 이등분선 위의 한 점 P에서 두 변 OA, OB에 내린 수선의 발을 각각 C, D라 할 때, 사각형 CODP의 둘레의 길이를 구하시오.

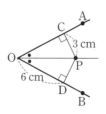

두 직각삼각형이 합동임을 이용하여 사각형 CODP의 둘레의 길이를 구한다.

# C 3강 ··· 삼각형의 외심

## 1. 삼각형의 외접원과 외심

(1) 삼각형의 외접원: △ABC의 세 꼭짓점이 모두 원 O 위에 있을 때, 원 O는 삼각형에 외접한다고 하고 원 O를 △ABC의 외접원이라 한다.

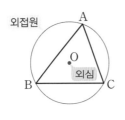

(2) 외심: 삼각형의 외접원의 중심 O

(3) 삼각형의 외심의 성질

① 삼각형의 세 변의 수직이등분선은 한 점(외심)에서 만난다.

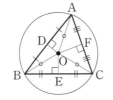

② 삼각형의 외심에서 세 꼭짓점에 이르는 거리는 같다.

➡ $\overline{OA}=\overline{OB}=\overline{OC}=$ (외접원의 반지름의 길이)

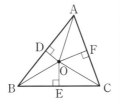

삼각형의 외심 → 외접원의 중심

삼각형의 외심 → 세 변의 수직이등분선의 교점

**01** 오른쪽 그림에서 점 O가 △ABC의 외심일 때, 다음 설명 중 옳은 것은 ○표, 옳지 않은 것은 ×표를 ( ) 안에 써넣으시오.

(1) $\overline{BD}=\overline{BE}$　　　　　( 　 )

(2) $\overline{AF}=\overline{CF}$　　　　　( 　 )

(3) $\overline{OA}=\overline{OB}=\overline{OC}$　　( 　 )

(4) $\overline{OD}=\overline{OE}=\overline{OF}$　　( 　 )

(5) $\angle OBD=\angle OBE$　　( 　 )

(6) $\angle OAF=\angle OCF$　　( 　 )

(7) $\triangle OBE \equiv \triangle OCE$　　( 　 )

**02** 다음 그림에서 점 O가 △ABC의 외심일 때, $x$의 값을 구하시오.

(1)
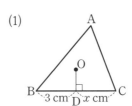

(2)
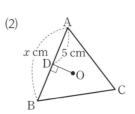

(3)
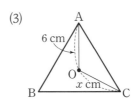

**03** 다음 그림에서 점 O가 △ABC의 외심일 때, $\angle x$의 크기를 구하시오.

(1)
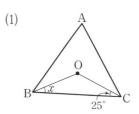

(2)
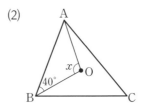

(3)
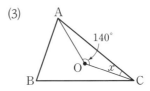

## 2. 삼각형의 외심의 위치

삼각형의 외심 O의 위치는 삼각형의 종류에 따라 다음과 같다.

| 예각삼각형 | 직각삼각형 | 둔각삼각형 |
|:---:|:---:|:---:|
| 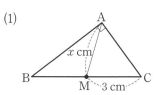 | | |
| 삼각형의 내부 | 빗변의 중점 | 삼각형의 외부 |

> (직각삼각형의 외접원의 반지름의 길이)
> $= \dfrac{1}{2} \times$(빗변의 길이)

**04** 다음 그림에서 점 M이 직각삼각형 ABC의 빗변의 중점일 때, $x$의 값을 구하시오.

(1)

(2)

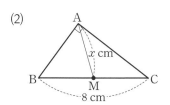

(3)

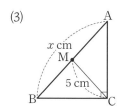

**05** 다음 그림에서 점 M이 직각삼각형 ABC의 빗변의 중점일 때, $\angle x$의 크기를 구하시오.

(1)

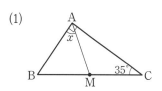

(2)

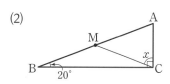

(3)

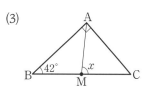

(4)

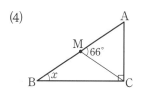

## 3. 삼각형의 외심의 활용 <sup>up+</sup>

점 O가 △ABC의 외심일 때

(1)

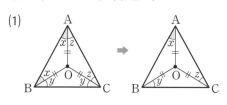

$2\angle x + 2\angle y + 2\angle z = 180°$

➡ $\angle x + \angle y + \angle z = 90°$

(2)

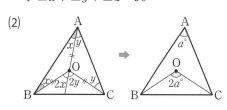

$\angle \text{BOC} = 2\angle x + 2\angle y = 2(\angle x + \angle y) = 2\angle \text{A}$

➡ $\angle \text{BOC} = 2\angle \text{A}$

**06** 다음 그림에서 점 O가 삼각형 ABC의 외심일 때, $\angle x$의 크기를 구하시오.

(1)

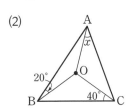

(2)

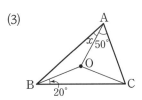

(3)

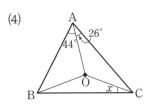

(4)

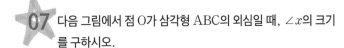

**07** 다음 그림에서 점 O가 삼각형 ABC의 외심일 때, $\angle x$의 크기를 구하시오.

(1)

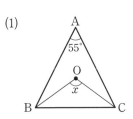

(2)

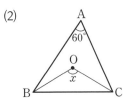

(3)

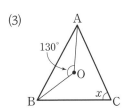

(4)

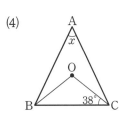

**08** 다음 그림에서 점 O가 삼각형 ABC의 외심일 때, $\angle x$, $\angle y$의 크기를 각각 구하시오.

(1)

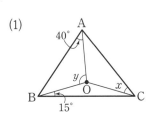

(2)

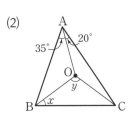

(3)

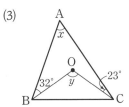

**쌤 Tip**

$\overline{OA}$를 그어서 $\angle x$의 크기를 구해봐.

(4)

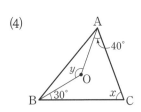

(5)

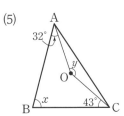

**01** 오른쪽 그림에서 점 O가 △ABC의 외심일 때, 다음 중 옳은 것을 모두 고르면? (정답 2개)

① $\overline{OM}=\overline{ON}$　　② $\overline{OA}=\overline{OB}=\overline{OC}$
③ $\overline{AM}=\overline{AL}$　　④ ∠OCL=∠OCN
⑤ △OAM≡△OBM

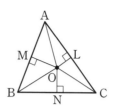

**02** 오른쪽 그림에서 점 O는 △ABC의 외심이고, 점 O에서 삼각형의 세 변에 내린 수선의 발을 각각 D, E, F라고 하자. $\overline{AD}=\overline{BE}=5$ cm, $\overline{AF}=6$ cm일 때, △ABC의 둘레의 길이를 구하시오.

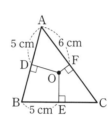

점 O가 △ABC의 외심임을 이 용하여 $\overline{DB}$, $\overline{EC}$, $\overline{CF}$와 각각 길 이가 같은 선분을 찾아본다.

**03** 오른쪽 그림에서 △ABC는 ∠A=90°인 직각삼각형이다. 점 O는 △ABC의 외심일 때, 외접원의 반지름의 길이를 구하 시오.

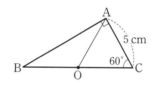

△ABC가 직각삼각형일 때, 외 심 O의 위치가 어디인지 생각해 본다.

**04** 다음 그림에서 점 O는 △ABC의 외심일 때, ∠$x$의 크기를 구하시오.

(1)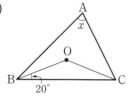

(2)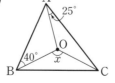

# C 4강 ... 삼각형의 내심

## 1. 원의 접선

(1) 접선: 원과 한 점에서 만나는 직선 ➡ 직선 $l$

(2) 접점: 원과 접선이 만나는 점 ➡ 점 T

(3) 접선의 성질: 원의 접선은 그 접점을 끝 점으로 하는 반지름에 수직이다. ➡ $\overline{OT} \perp l$

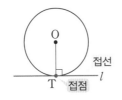

**01** 다음 그림과 같이 직선 $l$은 원 O의 접선이고 점 A는 접점일 때, ∠$x$의 크기를 구하시오.

(1)

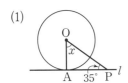

(2)

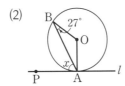

## 2. 삼각형의 내접원과 내심

(1) 삼각형의 내접원: △ABC의 세 변이 모두 원 I에 접할 때, 원 I를 △ABC의 내접원이라 한다.

(2) 내심: 삼각형의 내접원의 중심 I

(3) 삼각형의 내심의 성질

① 삼각형의 세 내각의 이등분선은 한 점(내심)에서 만난다.

② 삼각형의 내심에서 세 변에 이르는 거리는 같다. ➡ $\overline{ID}=\overline{IE}=\overline{IF}=$(내접원의 반지름의 길이)

```
삼각형의 내심 → 내접원의 중심
             → 세 내각의 이등분선의 교점
```

**02** 오른쪽 그림에서 점 I가 △ABC의 내심일 때, 다음 설명 중 옳은 것은 ○표, 옳지 않은 것은 ×표를 ( ) 안에 써넣으시오.

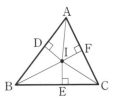

(1) ∠ADI=∠BEI      ( )

(2) $\overline{IA}=\overline{IB}=\overline{IC}$      ( )

(3) $\overline{ID}=\overline{IE}=\overline{IF}$      ( )

(4) ∠DBI=∠EBI      ( )

(5) ∠IAF=∠ICF      ( )

(6) △ICE≡△ICF      ( )

**03** 다음 그림에서 점 I가 △ABC의 내심일 때, $x$의 값을 구하시오.

(1)

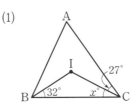

(2)

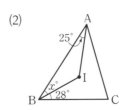

(3)

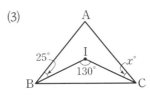

(4)

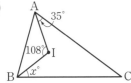

(5)

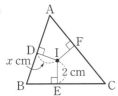

(6)

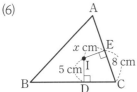

### 3. 삼각형의 내심의 활용 <sup>up+</sup>

점 I가 △ABC의 내심일 때

(1)

$2\angle x + 2\angle y + 2\angle z = 180°$

➡ $\angle x + \angle y + \angle z = 90°$

(2)

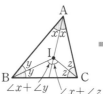 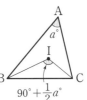

$\angle x + \angle y \quad \angle x + \angle z \qquad 90° + \frac{1}{2}a°$

$\angle BIC = (\angle x + \angle y) + (\angle x + \angle z)$

$\quad\quad\quad = (\angle x + \angle y + \angle z) + \angle x$

$\quad\quad\quad = 90° + \frac{1}{2}\angle A$

➡ $\angle BIC = 90° + \frac{1}{2}\angle A$

---

**04** 다음 그림에서 점 I가 △ABC의 내심일 때, □ 안에 알맞은 수를 써넣으시오.

(1)

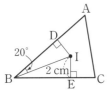

➡ $\overline{ID} = \square$ cm

$\angle IBE = \square$ °

(2)

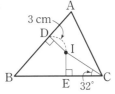

➡ $\overline{IE} = \square$ cm

$\angle ICA = \square$ °

---

**05** 다음 그림에서 점 I가 △ABC의 내심일 때, $\angle x$의 크기를 구하시오.

(1)

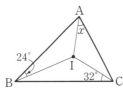

(2)

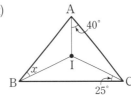

(3)

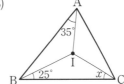

**06** 다음 그림에서 점 I가 △ABC의 내심일 때, ∠$x$의 크기를 구하시오.

(1)

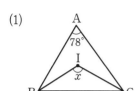

(2)

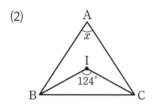

(3)

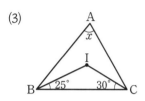

(4)

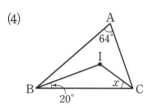

**07** 다음 그림에서 두 점 O, I가 각각 △ABC의 외심과 내심일 때, ∠$x$의 크기를 구하시오.

(1)

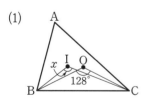

(2)

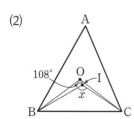

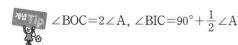
개념 Tip ∠BOC=2∠A, ∠BIC=90°+$\frac{1}{2}$∠A

**4. 삼각형의 내심과 평행선**

점 I가 △ABC의 내심이고 $\overline{DE} /\!/ \overline{BC}$일 때 △DBI는 $\overline{DI}=\overline{DB}$인 이등변삼각형, △EIC는 $\overline{EI}=\overline{EC}$인 이등변삼각형이므로

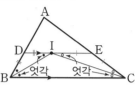

➡ (△ADE의 둘레의 길이) = $\overline{AD}+\overline{DE}+\overline{EA}$
 = $\overline{AD}+\overline{DI}+\overline{IE}+\overline{EA}$
 = $\overline{AD}+\overline{DB}+\overline{EC}+\overline{EA}$
 = $\overline{AB}+\overline{AC}$

**08** 다음 그림에서 점 I가 △ABC의 내심이고 $\overline{DE} /\!/ \overline{BC}$일 때, $x$의 값을 구하시오.

(1)

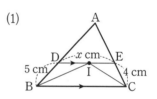

(2)

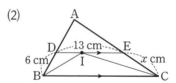

**09** 다음 그림에서 점 I가 △ABC의 내심이고 $\overline{DE} /\!/ \overline{BC}$일 때, △ADE의 둘레의 길이를 구하시오.

(1)

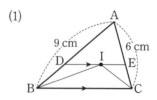

(2)

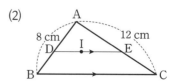

 **01** 오른쪽 그림에서 점 I는 △ABC의 내심이다. 다음 중 옳은 것을 모두 고르면? (정답 2개)

① ∠DBI＝∠EBI　　② $\overline{AF}=\overline{CF}$

③ $\overline{ID}=\overline{IE}=\overline{IF}$　　④ $\overline{IA}=\overline{IB}=\overline{IC}$

⑤ ∠IAF＝∠ICF

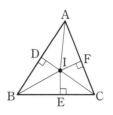

**02** 오른쪽 그림에서 점 I가 △ABC의 내심일 때, $x$, $y$의 값을 각각 구하시오.

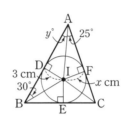

내심 I는 삼각형의 세 내각의 이등분선의 교점임을 이용한다.

**03** 오른쪽 그림에서 점 I는 △ABC의 내심이다. ∠ABI＝24°, ∠C＝76°일 때, ∠$x$의 크기를 구하시오.

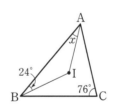

$\angle AIB=90°+\dfrac{1}{2}\angle C$

**04** 오른쪽 그림과 같이 △ABC의 내심 I를 지나고 변 BC에 평행한 직선이 $\overline{AB}$, $\overline{AC}$와 만나는 점을 각각 D, E라고 하자. $\overline{AB}=10\ cm$, $\overline{AC}=8\ cm$, $\overline{BC}=7\ cm$일 때, △ADE의 둘레의 길이를 구하시오.

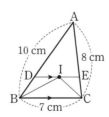

## 1. 내접원의 접선의 길이 up+

점 I가 삼각형 ABC의 내심
일 때

$\overline{AD}=\overline{AF}$, $\overline{BD}=\overline{BE}$,
$\overline{CE}=\overline{CF}$

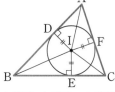

참고 △ADI≡△AFI, △BDI≡△BEI, △CEI≡△CFI

> 원 밖의 한 점에서 원에 그은
> 두 접선의 길이는 같다.

**01** 다음 그림에서 점 I는 △ABC의 내심이고, 세 점 D, E, F는
각각 내접원과 세 변의 접점일 때, $x$의 값을 구하시오.

(1)
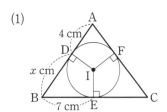

(2)
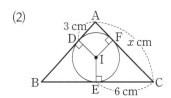

(3)
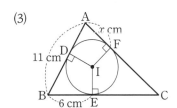

(4)
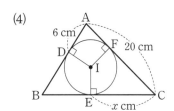

(5)
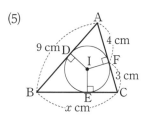

(6)
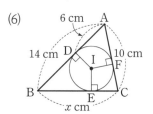

(7)
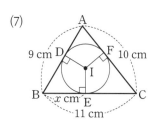

(8)
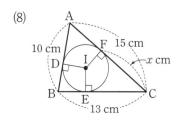

## 2. 삼각형의 넓이와 내접원의 반지름의 길이 up+

△ABC의 내접원의 반지름
의 길이를 $r$라고 하면

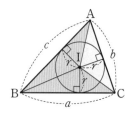

$△ABC$
$=△IBC+△IAC+△IAB$
$=\dfrac{1}{2}ar+\dfrac{1}{2}br+\dfrac{1}{2}cr$

$=\dfrac{1}{2}r\underline{(a+b+c)}$

→ △ABC의 둘레의 길이
→ 내접원의 반지름의 길이

**02** 다음 그림에서 점 I가 △ABC의 내심일 때, △ABC의 넓이를 구하시오.

(1)
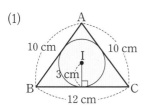

(2)
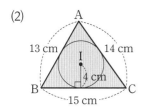

**03** 아래 그림에서 점 I는 △ABC의 내심일 때, 다음 □ 안에 알맞은 수를 써넣으시오.

(1)
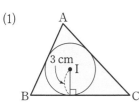

△ABC의 둘레의 길이가 48 cm일 때, △ABC의 넓이
➡ □ cm²

(2)
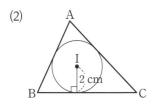

△ABC＝22 cm²일 때, △ABC의 둘레의 길이
➡ □ cm

(3)
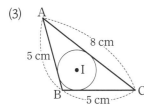

△ABC＝12 cm²일 때, 내접원 I의 반지름의 길이
➡ □ cm

(4)
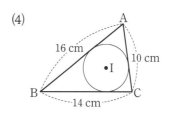

△ABC＝40 cm²일 때, 내접원 I의 반지름의 길이
➡ □ cm

**04** 다음 그림에서 점 I가 △ABC의 내심일 때, △ABC의 내접원의 반지름의 길이를 구하시오.

(1)
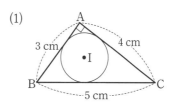

(2)
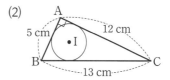

(3)
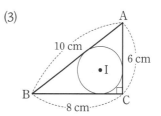

(4)
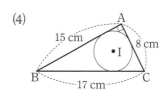

**01** 오른쪽 그림에서 점 I는 △ABC의 내심이고, 세 점 D, E, F는 각각 내접원과 세 변의 접점일 때, $\overline{BC}$의 길이를 구하시오.

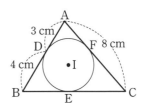

$\overline{AD}=\overline{AF}$, $\overline{BD}=\overline{BE}$, $\overline{CE}=\overline{CF}$임을 이용한다.

**02** 오른쪽 그림에서 점 I는 △ABC의 내심이고, 세 점 D, E, F는 내접원과 세 변의 접점일 때, $\overline{AD}$의 길이를 구하시오.

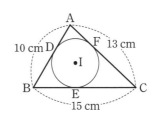

**03** 오른쪽 그림과 같이 ∠B=90°인 직각삼각형 ABC의 내접원 I의 반지름의 길이는 3 cm일 때, $\overline{AB}$의 길이를 구하시오.

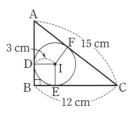

사각형 DBEI는 정사각형이므로 $\overline{ID}=\overline{IE}=\overline{BE}=\overline{BD}$임을 이용한다.

**04** 오른쪽 그림에서 점 I는 △ABC의 내심이다. △ABC의 둘레의 길이가 36 cm이고, 넓이가 60 cm²일 때, 내접원의 반지름의 길이를 구하시오.

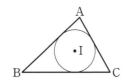

$$\triangle ABC = \frac{1}{2} \times (\text{내접원의 반지름의 길이}) \times (\overline{AB}+\overline{BC}+\overline{CA})$$

01 다음 그림과 같은 이등변삼각형 ABC에서 ∠x의 크기를 구하시오.

(1)
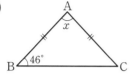

(2)
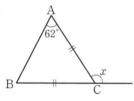

02 오른쪽 그림과 같은 이등변삼각형 ABC에서 다음을 구하시오.

(1) $\overline{BD}$의 길이

(2) ∠ACD의 크기

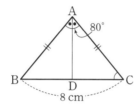

03 다음 그림과 같은 △ABC에서 x의 값을 구하시오.

(1)
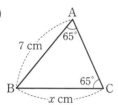

(2)
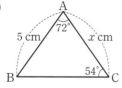

04 오른쪽 그림에서 △ABC가 $\overline{AB}=\overline{AC}$인 이등변삼각형일 때, ∠x의 크기를 구하시오.

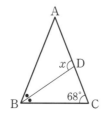

05 다음 보기 중 서로 합동인 직각삼각형을 모두 찾아 기호 ≡를 사용하여 나타내고 그때의 합동 조건을 쓰시오.

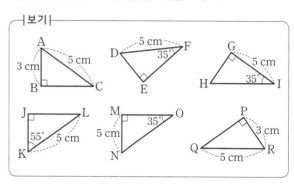

06 다음 그림과 같이 ∠C=∠F=90°인 두 직각삼각형 ABC와 DEF가 서로 합동이 될 수 있는 조건인 것은 ○표, 아닌 것은 ×표를 ( ) 안에 써넣으시오.

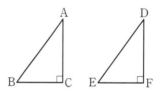

(1) $\overline{AB}=\overline{DE}$, $\overline{AC}=\overline{DF}$ ( )

(2) $\overline{BC}=\overline{EF}$, $\overline{AC}=\overline{DF}$ ( )

(3) $\overline{AB}=\overline{DE}$, ∠B=∠E ( )

(4) $\overline{AC}=\overline{DF}$, ∠A=∠D ( )

(5) ∠A=∠D, ∠B=∠E ( )

07 오른쪽 그림과 같이 $\overline{AB}$의 양 끝 점 A, B에서 $\overline{AB}$의 중점 M을 지나는 직선 $l$에 내린 수선의 발을 각각 C, D라 할 때, 다음을 구하시오.

(1) $\overline{BD}$의 길이

(2) ∠AMC의 크기

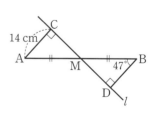

**08** 오른쪽 그림과 같이 ∠B=40°, ∠C=90°인 △ABC에서 $\overline{ED}=\overline{CD}$, ∠AED=90°일 때, ∠$x$의 크기를 구하기오.

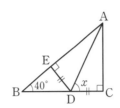

**09** 오른쪽 그림에서 점 O가 △ABC의 외심일 때, 다음 중 옳은 것은 ○표, 옳지 않은 것은 ×표를 ( ) 안에 써넣으시오.

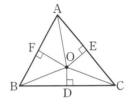

(1) $\overline{OD}=\overline{OE}$　　　　　　( 　 )

(2) $\overline{OA}=\overline{OB}=\overline{OC}$　　( 　 )

(3) ∠OBD=∠OCD　　( 　 )

(4) △AFO≡△AEO　　( 　 )

(5) △OAE≡△OCE　　( 　 )

**10** 다음 그림에서 점 O가 △ABC의 외심일 때, $x$, $y$의 값을 각각 구하시오.

(1)

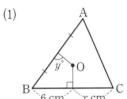

(2)

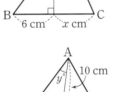
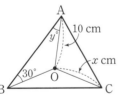

**11** 오른쪽 그림에서 점 O가 △ABC의 외심이고 ∠ABC=40°일 때, ∠OAC의 크기를 구하시오.

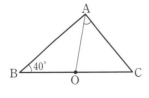

**12** 다음 그림에서 점 O가 △ABC의 외심일 때, ∠$x$의 크기를 구하시오.

(1)

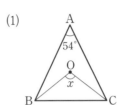

(2)

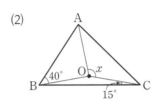

**13** 오른쪽 그림에서 점 I가 △ABC의 내심일 때, 다음 중 옳은 것은 ○표, 옳지 않은 것은 ×표를 ( ) 안에 써넣으시오.

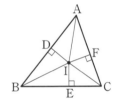

(1) $\overline{ID}=\overline{IE}=\overline{IF}$　　( 　 )

(2) $\overline{IA}=\overline{IB}=\overline{IC}$　　( 　 )

(3) ∠IBD=∠IBE　　( 　 )

(4) △ADI≡△BDI　　( 　 )

**14** 다음 그림에서 점 I가 △ABC의 내심일 때, ∠$x$의 크기를 구하시오.

(1)

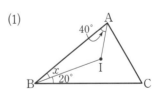

(2)

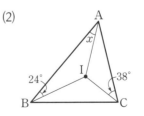

(3)
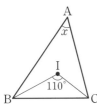

도전 100점

**15** 오른쪽 그림에서 점 I는
△ABC의 내심이고,
$\overline{BC} /\!/ \overline{DE}$일 때, △ADE의
둘레의 길이를 구하시오.
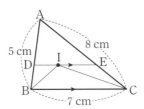

**19** 아래 그림과 같이 폭이 일정한 종이를 $\overline{AC}$를 접는 선으로 하여
접었더니 ∠CAD=65°, $\overline{BC}$=3 cm가 되었다. 다음을 구하
시오.
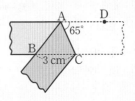

(1) ∠ABC의 크기

(2) $\overline{AB}$의 길이

**16** 오른쪽 그림에서 두 점 O, I가 각
각 △ABC의 외심과 내심일 때,
다음을 구하시오.
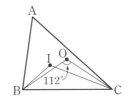

(1) ∠BAC의 크기

(2) ∠BIC의 크기

**20** 다음 그림에서 △ABC는 ∠A=90°이고 $\overline{AB}=\overline{AC}$인 직각
이등변삼각형이다. 꼭짓점 B, C에서 꼭짓점 A를 지나는 직선
$l$에 내린 수선의 발을 각각 D, E라 할 때, □DBCE의 넓이를
구하시오.
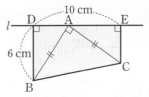

**17** 오른쪽 그림에서 점 I는
△ABC의 내심이고, 세 점 D,
E, F는 각각 내접원과 세 변의
접점일 때, $\overline{BC}$의 길이를 구하시
오.
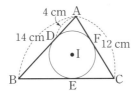

**21** 다음 그림에서 점 I는 ∠C=90°인 △ABC의 내심이고 세
점 D, E, F는 각각 내접원과 삼각형의 세 변의 접점이다.
△ABC의 넓이를 구하시오.
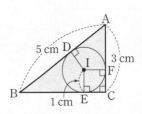

**18** 오른쪽 그림에서 점 I는 △ABC
의 내심이고, △ABC의 넓이가
72 cm²일 때, $\overline{AB}+\overline{BC}$의 길이
를 구하시오.
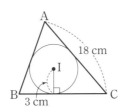

# 7강 ··· 평행사변형의 뜻과 성질

## 1. 평행사변형의 뜻

두 쌍의 대변이 각각 평행한 사각형

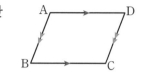

➡ □ABCD에서
$\overline{AB} \parallel \overline{DC}$, $\overline{AD} \parallel \overline{BC}$

**참고** ① 사각형 ABCD를 기호로 □ABCD와 같이 나타낸다.
② 서로 마주 보는 변을 대변, 서로 마주 보는 각을 대각이라 한다.

평행사변형 ⬌
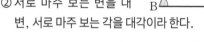

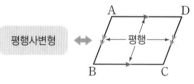

**01** 다음 그림과 같은 평행사변형 ABCD에서 $\angle x$, $\angle y$의 크기를 각각 구하시오.

(1)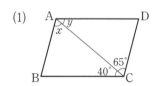
➡ $\angle x =$ _____
$\angle y =$ _____

(2)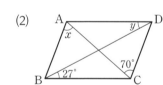
➡ $\angle x =$ _____
$\angle y =$ _____

(3)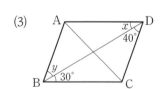
➡ $\angle x =$ _____
$\angle y =$ _____

(4)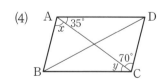
➡ $\angle x =$ _____
$\angle y =$ _____

**02** 다음 그림과 같은 평행사변형 ABCD에서 $\angle x$의 크기를 구하시오. (단, 점 O는 두 대각선의 교점이다.)

(1)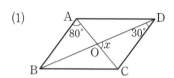

(2)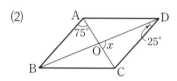

(3)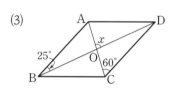

(4)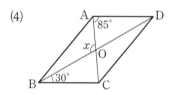

## 2. 평행사변형의 성질

평행사변형 ABCD에서

(1) 두 쌍의 대변의 길이는 각각 같다.

➡ $\overline{AB} = \overline{DC}$, $\overline{AD} = \overline{BC}$
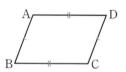

(2) 두 쌍의 대각의 크기가 각각 같다.

➡ $\angle A = \angle C$, $\angle B = \angle D$
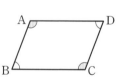

(3) 두 대각선은 서로 다른 것을 이등분한다.

➡ $\overline{OA} = \overline{OC}$, $\overline{OB} = \overline{OD}$
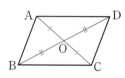

**03**  오른쪽 그림의 평행사변형 ABCD에서 점 O는 두 대각선의 교점일 때, 다음 중 옳은 것은 ○표, 옳지 않은 것은 ×표를 ( ) 안에 써넣으시오.

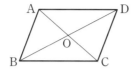

(1) $\overline{AD}=\overline{BC}$　　　　( 　 )

(2) $\overline{OA}=\overline{OB}$　　　　( 　 )

(3) $\angle DAB=\angle BCD$　　　( 　 )

(4) $\overline{OA}=\overline{OC}$　　　　( 　 )

(5) $\triangle OAB \equiv \triangle OCD$　　( 　 )

**04** 다음 그림과 같은 평행사변형 ABCD에서 $x$, $y$의 값을 각각 구하시오.

(1)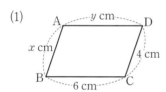

(2)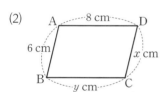

(3)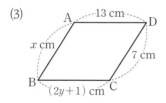

(4)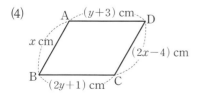

**05** 다음 그림과 같은 평행사변형 ABCD에서 $\angle x$, $\angle y$의 크기를 각각 구하시오.

(1) 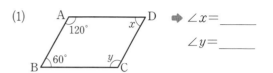　➡ $\angle x=$_____

　　$\angle y=$_____

(2) 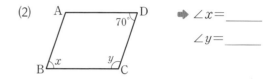　➡ $\angle x=$_____

　　$\angle y=$_____

 평행사변형에서 이웃하는 두 내각의 크기의 합은 $180°$이야.

(3) 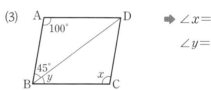　➡ $\angle x=$_____

　　$\angle y=$_____

(4) 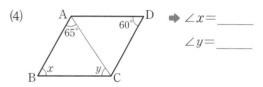　➡ $\angle x=$_____

　　$\angle y=$_____

**06** 다음 그림과 같은 평행사변형 ABCD에서 $x$, $y$의 값을 각각 구하시오. (단, 점 O는 두 대각선의 교점이다.)

(1)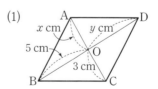

(2)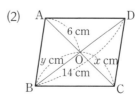

(3)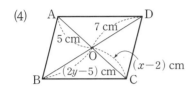

(4)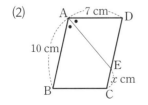

(3)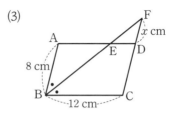

(4)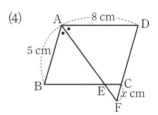

**07** 다음은 아래 그림과 같은 평행사변형 ABCD에서 $x$의 값을 구하는 과정이다. □ 안에 알맞은 것을 써넣으시오.

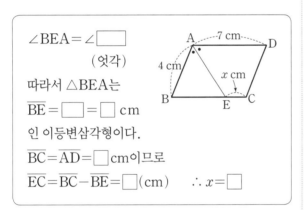

∠BEA = ∠□
　　　　 (엇각)

따라서 △BEA는

$\overline{BE}$ = □ = □ cm

인 이등변삼각형이다.

$\overline{BC}$ = $\overline{AD}$ = □ cm이므로

$\overline{EC}$ = $\overline{BC}$ − $\overline{BE}$ = □ (cm)　∴ $x$ = □

**09** 다음은 아래 그림과 같은 평행사변형 ABCD에서 ∠A : ∠B=1 : 2일 때, ∠$x$의 크기를 구하는 과정이다. □ 안에 알맞은 것을 써넣으시오.

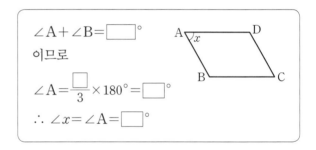

∠A + ∠B = □°

이므로

∠A = $\dfrac{□}{3}$ × 180° = □°

∴ ∠$x$ = ∠A = □°

**08** 다음 그림과 같은 평행사변형 ABCD에서 $x$의 값을 구하시오.

(1)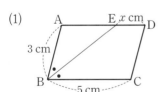

(2)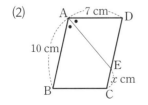

**10** 다음 그림과 같은 평행사변형 ABCD에서 ∠A : ∠B가 아래와 같을 때, ∠$x$의 크기를 구하시오.

(1) ∠A : ∠B=3 : 1

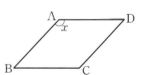

(2) ∠A : ∠B=3 : 2

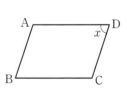

(3) ∠A : ∠B=4 : 5

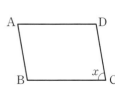

**01** 오른쪽 그림과 같은 평행사변형 ABCD에서 두 대각선의 교점을 O라 할 때, ∠AOD의 크기를 구하시오.

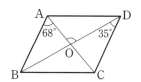

**02** 다음 그림과 같은 평행사변형 ABCD에서 $x$, $y$의 값을 각각 구하시오.

평행사변형의 성질을 이용한다.

(1)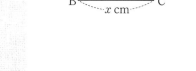

(2)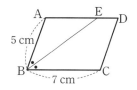

**03** 오른쪽 그림과 같은 평행사변형 ABCD에서 ∠B의 이등분선이 $\overline{AD}$와 만나는 점을 E라 할 때, $\overline{ED}$의 길이를 구하시오.

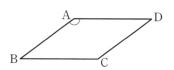

사각형 ABCD가 평행사변형임을 이용하여 △ABE가 이등변삼각형임을 보인다.

**04** 오른쪽 그림과 같은 평행사변형 ABCD에서 ∠A : ∠B = 4 : 1일 때, ∠A의 크기를 구하시오.

## 1. 평행사변형이 되는 조건 ᵘᵖ⁺

사각형이 다음 중 어느 한 조건을 만족시키면 평행사변형이 된다.

(1) 두 쌍의 대변이 각각 평행하다. (뜻)

➡ $\overline{AB} /\!/ \overline{DC}$, $\overline{AD} /\!/ \overline{BC}$

(2) 두 쌍의 대변의 길이가 각각 같다. (성질 ①)

➡ $\overline{AB} = \overline{DC}$, $\overline{AD} = \overline{BC}$

(3) 두 쌍의 대각의 크기가 각각 같다. (성질 ②)

➡ $\angle A = \angle C$, $\angle B = \angle D$

(4) 두 대각선이 서로를 이등분한다. (성질 ③)

➡ $\overline{OA} = \overline{OC}$, $\overline{OB} = \overline{OD}$

(5) 한 쌍의 대변이 평행하고, 그 길이가 같다.

➡ $\overline{AD} /\!/ \overline{BC}$, $\overline{AD} = \overline{BC}$

---

**01** 다음은 오른쪽 그림과 같은 사각형 ABCD가 평행사변형이 되는 조건이다. □ 안에 알맞은 것을 써넣으시오. (단, 점 O는 두 대각선의 교점이다.)

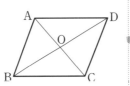

(1) $\overline{AB} /\!/ \boxed{\phantom{AA}}$, $\overline{AD} /\!/ \boxed{\phantom{AA}}$

(2) $\overline{AB} = \boxed{\phantom{AA}}$, $\overline{AD} = \boxed{\phantom{AA}}$

(3) $\angle A = \boxed{\phantom{AA}}$, $\angle B = \boxed{\phantom{AA}}$

(4) $\overline{OA} = \boxed{\phantom{AA}}$, $\overline{OB} = \boxed{\phantom{AA}}$

(5) $\overline{AD} /\!/ \boxed{\phantom{AA}}$, $\overline{AD} = \boxed{\phantom{AA}}$

---

**02** 다음 그림과 같은 사각형 ABCD가 평행사변형인 것은 ○표, 평행사변형이 아닌 것은 ×표를 ( ) 안에 써넣으시오.
(단, 점 O는 두 대각선의 교점이다.)

(1) 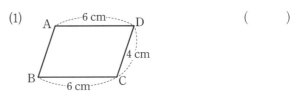 (　　　)

(2) 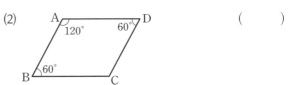 (　　　)

(3) 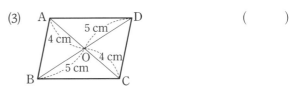 (　　　)

(4) 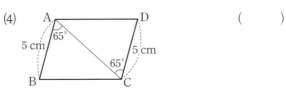 (　　　)

---

**03** 다음 그림과 같은 사각형 ABCD가 평행사변형이 되도록 하는 $x$, $y$의 값을 각각 구하시오. (단, 점 O는 두 대각선의 교점이다.)

(1)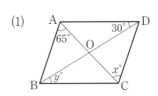

(2)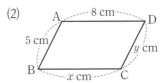

(3)

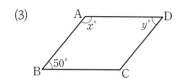

(4)

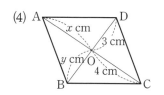

(5)

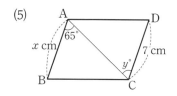

## 2. 평행사변형이 되는 조건의 활용 <sup>up+</sup>

□ABCD가 평행사변형일 때, 다음 그림의 색칠한 사각형은 모두 평행사변형이다.

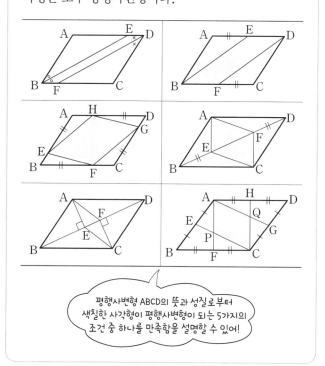

> 평행사변형 ABCD의 뜻과 성질로부터
> 색칠한 사각형이 평행사변형이 되는 5가지의
> 조건 중 하나를 만족함을 설명할 수 있어!

**04** 다음은 아래 그림과 같은 평행사변형 ABCD에 대하여 □EBFD가 평행사변형임을 설명하는 과정이다. □ 안에 알맞은 것을 써넣으시오.

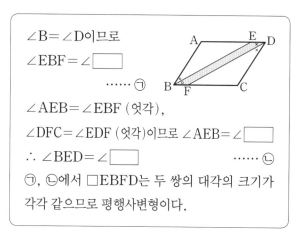

∠B = ∠D이므로

∠EBF = ∠☐

······ ㉠

∠AEB = ∠EBF (엇각),

∠DFC = ∠EDF (엇각)이므로 ∠AEB = ∠☐

∴ ∠BED = ∠☐     ······ ㉡

㉠, ㉡에서 □EBFD는 두 쌍의 대각의 크기가 각각 같으므로 평행사변형이다.

**05** 다음은 아래 그림과 같은 평행사변형 ABCD에 대하여 □EBFD가 평행사변형임을 설명하는 과정이다. □ 안에 알맞은 것을 써넣으시오.

$\overline{AD} /\!/ \overline{BC}$이므로

$\overline{ED} /\!/ $☐     ······ ㉠

$\overline{ED} = \overline{AD} - \overline{AE}$

$= $☐$ - \overline{FC} = $☐     ······ ㉡

㉠, ㉡에서 □EBFD는 한 쌍의 대변이 평행하고 그 길이가 같으므로 평행사변형이다.

**06** 다음은 아래 그림과 같은 평행사변형 ABCD에 대하여 □AECF가 평행사변형임을 설명하는 과정이다. □ 안에 알맞은 것을 써넣으시오.

□ABCD는 평행사변형이므로

$\overline{OA} = $☐     ······ ㉠

$\overline{OB} = $☐, $\overline{BE} = \overline{DF}$이므로

$\overline{OE} = $☐     ······ ㉡

㉠, ㉡에서 □AECF는 두 대각선이 서로를 이등분하므로 평행사변형이다.

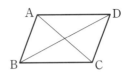

**01** 오른쪽 그림과 같은 □ABCD가 평행사변형이 되도록 하는 조건을 다음 보기에서 모두 고르시오.

┤보기├
ㄱ. $\overline{AB}=\overline{DC}$, $\overline{AD}=\overline{BC}$
ㄴ. $\angle A=\angle C$, $\angle B=\angle D$
ㄷ. $\overline{AB}/\!/\overline{DC}$, $\overline{AB}=\overline{DC}$
ㄹ. $\overline{AC}=\overline{BD}$, $\overline{AB}=\overline{DC}$

 **02** 다음 그림의 □ABCD가 평행사변형이 되기 위한 $x$, $y$의 값을 각각 구하시오.

(1)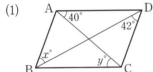

(2)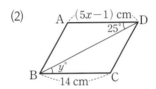

평행사변형이 되는 조건을 만족하도록 하는 $x$, $y$의 값을 구한다.

**03** 다음은 아래 그림과 같은 평행사변형 ABCD에 대하여 □AECF가 평행사변형임을 설명하는 과정이다. □ 안에 들어갈 것으로 옳지 <u>않은</u> 것은?

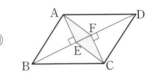

$\angle AEF=\angle CFE=90°$이므로
$\overline{AE}/\!/$ ① .......㉠
$\angle AEB=\angle CFD=90°$, $\overline{AB}=$ ② ,
$\angle ABE=\angle$ ③ (엇각)이므로
$\triangle ABE\equiv\triangle$ ④ (RHA 합동) ∴ $\overline{AE}=$ ⑤ .......㉡
㉠, ㉡에서 □AECF는 한 쌍의 대변이 평행하고 그 길이가 같으므로 평행사변형이다.

① $\overline{CF}$　　　② $\overline{CD}$　　　③ ADF　　　④ CDF　　　⑤ $\overline{CF}$

**04** 오른쪽 그림과 같은 평행사변형 ABCD에서 네 변의 중점을 각각 E, F, G, H라 하고 $\overline{AF}$와 $\overline{CE}$의 교점을 P, $\overline{AG}$와 $\overline{CH}$의 교점을 Q라 하자. 다음 중 □APCQ가 평행사변형이 되는 조건으로 가장 알맞은 것은? (단, 삼각형의 합동 조건은 사용하지 않는다.)

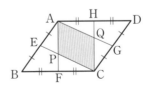

$\overline{AB}/\!/\overline{DC}$, $\overline{AD}/\!/\overline{BC}$와 주어진 조건을 이용한다.

① 두 쌍의 대변이 각각 평행하다.　　② 두 쌍의 대변의 길이가 각각 같다.
③ 두 쌍의 대각의 크기가 각각 같다.　　④ 두 대각선이 서로를 이등분한다.
⑤ 한 쌍의 대변이 평행하고 그 길이가 같다.

# 9강 ··· 평행사변형의 넓이

## 1. 평행사변형의 넓이(1) <sup>up+</sup>

(1) 평행사변형의 넓이는 한 대 각선에 의하여 이등분된다.

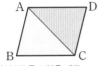

➡ $\triangle ABC = \triangle ACD$

$\quad = \dfrac{1}{2} \square ABCD$ ┐ 대각선 BD를 그었을 때도

$\triangle ABD = \triangle BCD = \dfrac{1}{2} \square ABCD$

(2) 평행사변형의 넓이는 두 대 각선에 의하여 사등분된다.

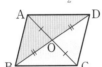

➡ $\triangle OAB = \triangle OBC$

$\quad = \triangle OCD$

$\quad = \triangle ODA = \dfrac{1}{4} \square ABCD$

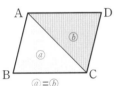

@ = ⓑ

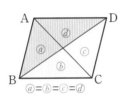

@ = ⓑ = ⓒ = ⓓ

**01** 다음 그림과 같은 평행사변형 ABCD의 넓이가 8 cm²일 때, 색칠한 부분의 넓이를 구하시오. (단, 점 O는 두 대각선의 교점이다.)

(1)
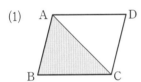

(2)
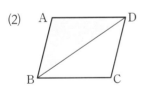

(3)
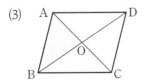

(4)
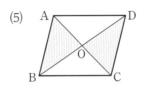

(5)
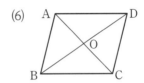

(6)

**02** 아래 그림과 같은 평행사변형 ABCD에서 다음을 구하시오. (단, 점 O는 두 대각선의 교점이다.)

(1)
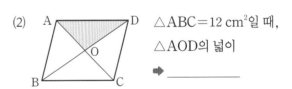

$\triangle ABC = 5$ cm²일 때, $\square ABCD$의 넓이

➡ _____

(2)
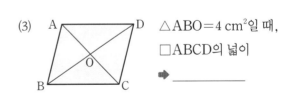

$\triangle ABC = 12$ cm²일 때, $\triangle AOD$의 넓이

➡ _____

(3)
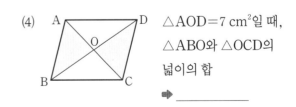

$\triangle ABO = 4$ cm²일 때, $\square ABCD$의 넓이

➡ _____

(4)

$\triangle AOD = 7$ cm²일 때, $\triangle ABO$와 $\triangle OCD$의 넓이의 합

➡ _____

**03** 다음 그림과 같이 평행사변형 ABCD에서 $\overline{PQ}$가 두 대각선의 교점 O를 지날 때, 색칠한 부분의 넓이를 구하시오.

(1) □ABCD=48 cm²

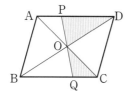

 개념 Tip

△AOP≡△COQ (ASA 합동)이므로 △AOP=△COQ

(2) □ABCD=56 cm²

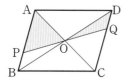

(3) □ABCD=36 cm²

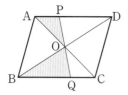

(4) □ABCD=100 cm²

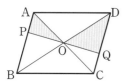

**2. 평행사변형의 넓이(2)** <sup>up⁺</sup>

점 P가 평행사변형 ABCD의 내부의 한 점일 때

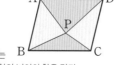

△PAB+△PCD
=△PBC+△PDA
=$\dfrac{1}{2}$□ABCD

→ 마주 보는 두 삼각형의 넓이의 합은 같다.

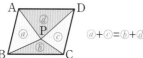

ⓐ+ⓒ=ⓑ+ⓓ

**04** 아래 그림과 같은 평행사변형 ABCD에서 점 P는 평행사변형의 내부의 한 점일 때, 다음을 구하시오.

(1) △PAD=6 cm², △PCD=8 cm², △PBC=14 cm²일 때, △PAB의 넓이

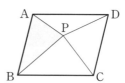

(2) △PAB=20 cm², △PBC=8 cm², △PCD=7 cm²일 때, △PDA의 넓이

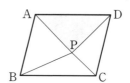

(3) □ABCD=60 cm²일 때, △PAB의 넓이와 △PCD의 넓이의 합

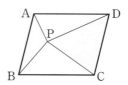

(4) □ABCD=50 cm², △PBC=18 cm²일 때, △PDA의 넓이

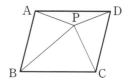

(5) △PBC=10 cm², △PDA=12 cm²일 때, □ABCD의 넓이

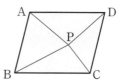

**01** 오른쪽 그림과 같은 평행사변형 ABCD에서 두 대각선의 교점을 O 라 하자. △AOB의 넓이가 7 cm²일 때, □ABCD의 넓이를 구하시오.

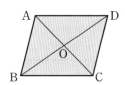

△OAB=△OBC
   =△OCD
   =△ODA
   =$\dfrac{1}{4}$□ABCD

**02** 오른쪽 그림과 같은 평행사변형 ABCD에서 두 대각선의 교점을 O 라 하자. □ABCD의 넓이가 40 cm²일 때, 색칠한 부분의 넓이를 구하시오.

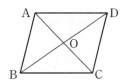

**03** 오른쪽 그림과 같은 평행사변형 ABCD에서 $\overline{PQ}$가 두 대각선의 교점 O를 지나고 □ABCD의 넓이가 30 cm²일 때, 색칠한 부분의 넓이를 구하시오.

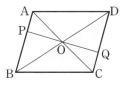

합동인 두 삼각형의 넓이는 같음을 이용한다.

**04** 오른쪽 그림과 같은 평행사변형 ABCD의 내부의 한 점 P에 대하여 △PBC=15 cm², △PCD=20 cm², △PDA=18 cm²일 때, △PAB의 넓이를 구하시오.

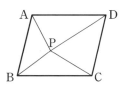

△PAB+△PCD
=△PBC+△PDA

### 1. 직사각형의 뜻과 성질 <sup>up+</sup>

(1) 직사각형: 네 내각의 크기가 모두 같은 사각형
➡ $\angle A = \angle B = \angle C = \angle D$

(2) 직사각형의 성질: 직사각형의 두 대각선은 길이가 같고, 서로 다른 것을 이등분한다.
➡ $\overline{AC} = \overline{BD}$,
$\overline{AO} = \overline{BO} = \overline{CO} = \overline{DO}$

> **참고** 직사각형은 두 쌍의 대각의 크기가 각각 같으므로 평행사변형이다. 따라서 평행사변형의 모든 성질을 만족한다.

---

**01** 오른쪽 그림의 직사각형 ABCD에 대하여 다음 중 옳은 것은 ○표, 옳지 않은 것은 ×표를 ( ) 안에 써넣으시오. (단, 점 O는 두 대각선의 교점이다.)

(1) $\overline{AB} = \overline{AD}$          (   )

(2) $\overline{OA} = \overline{OB}$          (   )

(3) $\overline{AC} = \overline{BD}$          (   )

(4) $\angle DAB = \angle ABC$     (   )

(5) $\angle ODA = \angle ODC$     (   )

(6) $\angle ABC = 90°$        (   )

**02** 다음 그림과 같은 직사각형 ABCD에서 점 O는 두 대각선의 교점일 때, $x$, $y$의 값을 각각 구하시오.

(1)
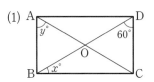

(2)
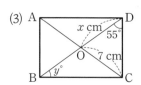

(3)
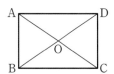

(4)
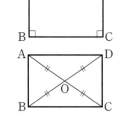

---

### 2. 평행사변형이 직사각형이 되는 조건

평행사변형이 다음 중 어느 한 조건을 만족시키면 직사각형이 된다.

(1) 한 내각이 직각이다. ←직사각형의 뜻

(2) 두 대각선의 길이가 같다. ←직사각형의 성질

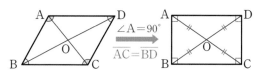

**03** 다음은 한 내각이 직각인 평행사변형은 직사각형임을 설명하는 과정이다. □ 안에 알맞은 것을 써넣으시오.

$\angle A = 90°$인 평행사변형 ABCD에서

$\angle B = \boxed{\phantom{00}}° - \angle A$

    $= \boxed{\phantom{00}}°$

$\angle A = \angle C$, $\angle B = \angle D$이므로

$\angle A = \angle B = \angle C = \angle D$

따라서 □ABCD는 $\boxed{\phantom{000}}$이다.

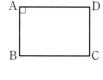

**04** 다음 중 오른쪽 그림과 같은 평행사변형 ABCD가 직사각형이 되는 조건인 것은 ○표, 조건이 아닌 것은 ×표를 ( ) 안에 써넣으시오. (단, 점 O는 두 대각선의 교점이다.)

(1) $\angle A = 90°$　　　　　　　( 　 )

(2) $\angle A = \angle B$　　　　　　　( 　 )

(3) $\angle B = \angle D$　　　　　　　( 　 )

(4) $\overline{AC} = \overline{BD}$　　　　　　　( 　 )

(5) $\overline{OA} = \overline{OC}$　　　　　　　( 　 )

(6) $\overline{OB} = \overline{OC}$　　　　　　　( 　 )

(7) $\overline{AC} \perp \overline{BD}$　　　　　　　( 　 )

**05** 다음 그림과 같은 평행사변형 ABCD가 직사각형이 되도록 □ 안에 알맞은 수를 써넣으시오. (단, 점 O는 두 대각선의 교점이다.)

(1) 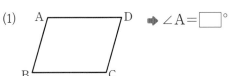 ➡ $\angle A = \boxed{\phantom{00}}°$

(2) 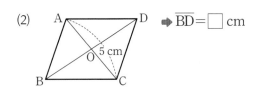 ➡ $\overline{BD} = \boxed{\phantom{00}}$ cm

(3) 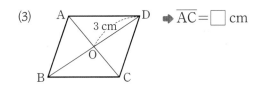 ➡ $\overline{AC} = \boxed{\phantom{00}}$ cm

**3. 마름모의 뜻과 성질**

(1) 마름모: 네 변의 길이가 모두 같은 사각형
➡ $\overline{AB} = \overline{BC} = \overline{CD} = \overline{DA}$

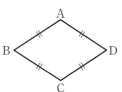

(2) 마름모의 성질: 마름모의 두 대각선은 서로 다른 것을 수직이등분한다.
➡ $\overline{OA} = \overline{OC}, \overline{OB} = \overline{OD}$ 이고 $\overline{AC} \perp \overline{BD}$

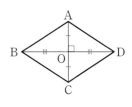

> **참고** 마름모는 두 쌍의 대각의 크기가 각각 같으므로 평행사변형이다. 따라서 평행사변형의 모든 성질을 만족한다.

**06** 오른쪽 그림의 마름모 ABCD에 대하여 다음 중 옳은 것은 ○표, 옳지 않은 것은 ×표를 ( ) 안에 써넣으시오. (단, 점 O는 두 대각선의 교점이다.)

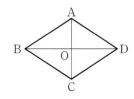

(1) $\overline{AC} \perp \overline{BD}$　　　　　　　( 　 )

(2) $\overline{AB} = \overline{AD}$　　　　　　　( 　 )

(3) $\overline{AC} = \overline{BD}$　　　　　　　( 　 )

(4) $\overline{OA} = \overline{OC}$　　　　　　　( 　 )

(5) $\angle ABC = \angle BCD$　　　　　( 　 )

**07** 다음 그림과 같은 마름모 ABCD에서 $x, y$의 값을 각각 구하시오. (단, 점 O는 두 대각선의 교점이다.)

(1)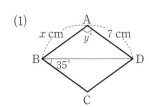

(2)
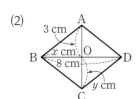

(3)
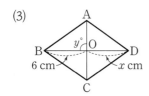

(4)
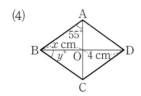

(5)
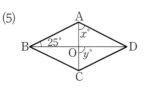

---

## 4. 평행사변형이 마름모가 되는 조건

평행사변형이 다음 중 어느 한 조건을 만족시키면 마름모가 된다.

(1) 이웃하는 두 변의 길이가 같다. ←마름모의 뜻

(2) 두 대각선이 서로 수직이다. ←마름모의 성질

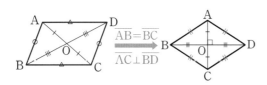

**08** 다음은 이웃하는 두 변의 길이가 같은 평행사변형은 마름모임을 설명하는 과정이다. □ 안에 알맞은 것을 써넣으시오.

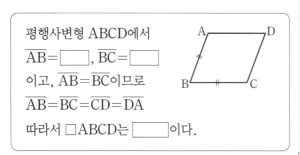

평행사변형 ABCD에서
$\overline{AB}=$ ☐ , $\overline{BC}=$ ☐
이고, $\overline{AB}=\overline{BC}$이므로
$\overline{AB}=\overline{BC}=\overline{CD}=\overline{DA}$
따라서 □ABCD는 ☐ 이다.

---

**09** 다음 중 오른쪽 그림과 같은 평행사변형 ABCD가 마름모가 되는 조건인 것은 ○표, 조건이 아닌 것은 ×표를 ( ) 안에 써넣으시오.
(단, 점 O는 두 대각선의 교점이다.)

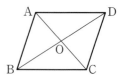

(1) $\angle AOB=90°$　　　　　　( 　 )

(2) $\angle BAC=\angle CAD$　　　　( 　 )

(3) $\angle B=\angle D$　　　　　　 ( 　 )

(4) $\overline{OA}=\overline{OC}$　　　　　　 ( 　 )

(5) $\overline{AB}\perp\overline{BC}$　　　　　　 ( 　 )

(6) $\overline{AC}\perp\overline{BD}$　　　　　　 ( 　 )

**10** 다음 그림과 같은 평행사변형 ABCD가 마름모가 되도록 □ 안에 알맞은 수를 써넣으시오. (단, 점 O는 두 대각선의 교점이다.)

(1)
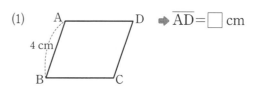
➡ $\overline{AD}=$ ☐ cm

(2)
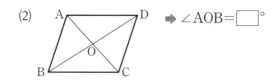
➡ $\angle AOB=$ ☐ °

(3)
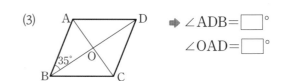
➡ $\angle ADB=$ ☐ °
$\angle OAD=$ ☐ °

**01** 오른쪽 그림과 같은 직사각형 ABCD에서 점 O는 두 대각선의 교점일 때, $x$, $y$의 값을 각각 구하시오.

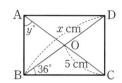

**02** 오른쪽 그림과 같은 평행사변형 ABCD가 직사각형이 될 조건을 보기에서 모두 고른 것은? (단, 점 O는 두 대각선의 교점이다.)

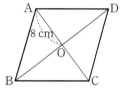

┌─|보기|─────────────────────┐
 ㄱ. $\overline{AB}=8$ cm       ㄴ. $\overline{BD}=16$ cm
 ㄷ. ∠A=90°            ㄹ. ∠AOD=90°
└────────────────────────────┘

① ㄱ, ㄴ          ② ㄱ, ㄷ          ③ ㄱ, ㄹ
④ ㄴ, ㄷ          ⑤ ㄴ, ㄹ

**03** 오른쪽 그림과 같은 마름모 ABCD에서 점 O는 두 대각선의 교점일 때, $x$, $y$의 값을 각각 구하시오.

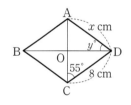

마름모의 뜻과 성질을 이용한다.

**04** 오른쪽 그림과 같은 마름모 ABCD에서 점 O는 두 대각선의 교점일 때, △BOC의 넓이를 구하시오.

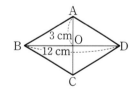

마름모의 두 대각선은 서로 다른 것을 수직이등분함을 이용한다.

**05** 다음 중 오른쪽 그림과 같은 평행사변형 ABCD가 마름모가 되는 조건을 모두 고르면? (단, 점 O는 두 대각선의 교점이다.) (정답 2개)

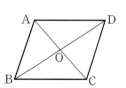

① $\overline{AB}=\overline{AD}$          ② $\overline{AC}=\overline{BD}$
③ $\overline{AC}\perp\overline{BD}$          ④ ∠A=90°
⑤ $\overline{OA}=\overline{OB}$, $\overline{OC}=\overline{OD}$

# 11강 •••• 정사각형, 등변사다리꼴의 뜻과 성질

정답과 해설 _ p.14

## 1. 정사각형의 뜻과 성질 ᵘᵖ⁺

(1) 정사각형: 네 변의 길이가 모두 같고, 네 내각의 크기가 모두 같은 사각형 ← 직사각형의 뜻

➡ $\angle A = \angle B = \angle C = \angle D$,
$\overline{AB} = \overline{BC} = \overline{CD} = \overline{DA}$ ← 마름모의 뜻

(2) 정사각형의 성질: 정사각형의 두 대각선은 길이가 같고, ← 직사각형의 성질
서로 다른 것을 수직이등분한다. ← 마름모의 성질

➡ $\overline{AC} = \overline{BD}$, $\overline{AC} \perp \overline{BD}$,
$\overline{OA} = \overline{OB} = \overline{OC} = \overline{OD}$

**01** 오른쪽 그림의 정사각형 ABCD에 대하여 다음 중 옳은 것은 ○표, 옳지 않은 것은 ×표를 ( ) 안에 써넣으시오. (단, 점 O는 두 대각선의 교점이다.)

(1) $\overline{AB} = \overline{AD}$ ( )

(2) $\overline{OA} = \overline{OD}$ ( )

(3) $\overline{AB} = \overline{BD}$ ( )

(4) $\overline{AC} = \overline{BD}$ ( )

(5) $\angle BAO = \angle DAO$ ( )

(6) $\overline{AC} \perp \overline{BD}$ ( )

**02** 다음 그림과 같은 정사각형 ABCD에서 점 O는 두 대각선의 교점일 때, $x$, $y$의 값을 각각 구하시오.

(1)
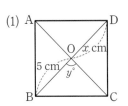

(2)
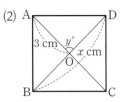

(3)
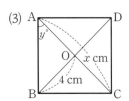

(4)
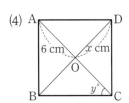

## 2. 직사각형 또는 마름모가 정사각형이 되는 조건

(1) 직사각형이 다음 중 어느 한 조건을 만족시키면 정사각형이 된다.

① 이웃하는 두 변의 길이가 같다. ← 마름모의 뜻

② 두 대각선이 서로 수직이다. ← 마름모의 성질

(2) 마름모가 다음 중 어느 한 조건을 만족시키면 정사각형이 된다.

① 한 내각이 직각이다. ← 직사각형의 뜻

② 두 대각선의 길이가 같다. ← 직사각형의 성질

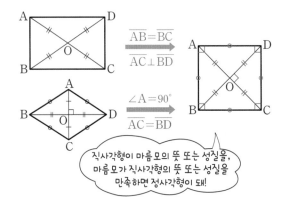

직사각형이 마름모의 뜻 또는 성질을, 마름모가 직사각형의 뜻 또는 성질을 만족하면 정사각형이 돼!

**03** 다음 중 오른쪽 그림과 같은 직사각형 ABCD가 정사각형이 되기 위한 조건인 것은 ○표, 조건이 아닌 것은 ×표를 ( ) 안에 써넣으시오. (단, 점 O는 두 대각선의 교점이다.)

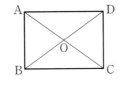

(1) $\overline{AB}=\overline{BC}$　　　　　　　( 　 )

(2) $\overline{AC}=\overline{BD}$　　　　　　　( 　 )

(3) $\angle AOB=\angle BOC$　　　　( 　 )

(4) $\angle AOB=\angle COD$　　　　( 　 )

(5) $\overline{OA}=\overline{OB}$　　　　　　　( 　 )

(6) $\overline{AC}\perp\overline{BD}$　　　　　　　( 　 )

**04** 다음 그림과 같은 직사각형 ABCD가 정사각형이 되도록 □ 안에 알맞은 수를 써넣으시오. (단, 점 O는 두 대각선의 교점이다.)

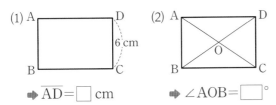

(1) ➡ $\overline{AD}=\square$ cm　　(2) ➡ $\angle AOB=\square°$

**05** 다음 중 오른쪽 그림과 같은 마름모 ABCD가 정사각형이 되기 위한 조건인 것은 ○표, 조건이 아닌 것은 ×표를 ( ) 안에 써넣으시오. (단, 점 O는 두 대각선의 교점이다.)

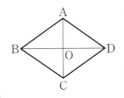

(1) $\angle BAC=\angle CAD$　　　( 　 )

(2) $\angle ABC=\angle BCD$　　　( 　 )

(3) $\overline{OA}=\overline{OB}$　　　　　　　( 　 )

(4) $\overline{OB}=\overline{OD}$　　　　　　　( 　 )

(5) $\overline{AC}\perp\overline{BD}$　　　　　　　( 　 )

**06** 다음 그림과 같은 마름모 ABCD가 정사각형이 되도록 □ 안에 알맞은 수를 써넣으시오. (단, 점 O는 두 대각선의 교점이다.)

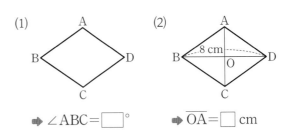

(1) ➡ $\angle ABC=\square°$　　(2) ➡ $\overline{OA}=\square$ cm

### 3. 등변사다리꼴의 뜻과 성질 <sup>up+</sup>

(1) 등변사다리꼴: 아랫변의 양 끝 각의 크기가 같은 사다리꼴 ➡ $\overline{AD}\parallel\overline{BC}$, $\angle B=\angle C$

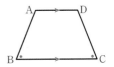

[참고] 사다리꼴: 한 쌍의 대변이 평행한 사각형

(2) 등변사다리꼴의 성질

① 평행하지 않은 한 쌍의 대변의 길이가 같다. ➡ $\overline{AB}=\overline{DC}$

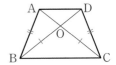

② 두 대각선의 길이가 같다. ➡ $\overline{AC}=\overline{BD}$

**07** 오른쪽 그림과 같은 등변사다리꼴 ABCD에 대하여 다음 중 옳은 것은 ○표, 옳지 않은 것은 ×표를 ( ) 안에 써넣으시오. (단, 점 O는 두 대각선의 교점이다.)

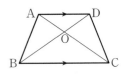

(1) $\overline{AB}=\overline{AD}$　　　　　　　( 　 )

(2) $\overline{AB}=\overline{DC}$　　　　　　　( 　 )

(3) $\overline{AC}=\overline{BD}$　　　　　　　( 　 )

(4) $\angle ABC=\angle DCB$　　　( 　 )

(5) $\overline{AC}\perp\overline{BD}$　　　　　　　( 　 )

**08** 다음 그림과 같이 $\overline{AD} /\!/ \overline{BC}$인 등변사다리꼴 ABCD에서 $x$, $y$의 값을 각각 구하시오. (단, 점 O는 두 대각선의 교점이다.)

(1)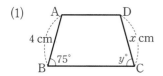

(2)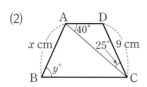

(3)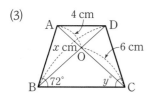

(4)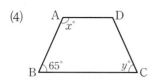

**09** 다음은 아래 그림과 같이 $\overline{AD} /\!/ \overline{BC}$인 등변사다리꼴 ABCD에서 $\overline{AB} = \overline{AD}$일 때, $\angle x$의 크기를 구하는 과정이다. □ 안에 알맞은 수를 써넣으시오.

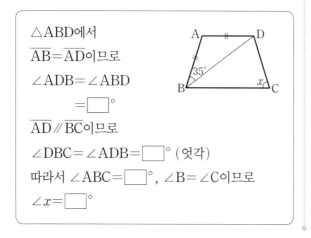

△ABD에서
$\overline{AB} = \overline{AD}$이므로
$\angle ADB = \angle ABD$
$\qquad = \boxed{\phantom{0}}°$
$\overline{AD} /\!/ \overline{BC}$이므로
$\angle DBC = \angle ADB = \boxed{\phantom{0}}°$ (엇각)
따라서 $\angle ABC = \boxed{\phantom{0}}°$, $\angle B = \angle C$이므로
$\angle x = \boxed{\phantom{0}}°$

**10** 다음 그림과 같이 $\overline{AD} /\!/ \overline{BC}$인 등변사다리꼴 ABCD에서 $\angle x$의 크기를 구하시오.

(1)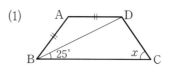

(2)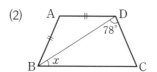

**11** 다음은 아래 그림과 같이 $\overline{AD} /\!/ \overline{BC}$인 등변사다리꼴 ABCD에서 $\overline{BC}$의 길이를 구하는 과정이다. □ 안에 알맞은 것을 써넣으시오.

점 A를 지나고 $\overline{DC}$와 평행한 직선이 $\overline{BC}$와 만나는 점을 E라 하면 □AECD는 평행사변형이므로
$\overline{EC} = \boxed{\phantom{0}} = \boxed{\phantom{0}}$ cm
△ABE는 정삼각형이므로
$\overline{BE} = \boxed{\phantom{0}} = \boxed{\phantom{0}}$ cm
$\therefore \overline{BC} = \overline{BE} + \overline{EC} = \boxed{\phantom{0}}$ (cm)

**12** 다음 그림과 같이 $\overline{AD} /\!/ \overline{BC}$인 등변사다리꼴 ABCD에서 $x$의 값을 구하시오.

(1)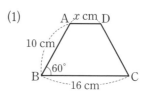

(2)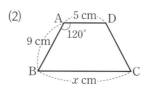

 개념 Tip  보조선을 그어서 $x$의 값을 구해봐.

**01** 오른쪽 그림과 같은 정사각형 ABCD에서 두 대각선의 교점을 O라 할 때, $x$, $y$의 값을 각각 구하시오.

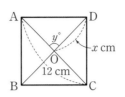

**02** 오른쪽 그림과 같은 정사각형 ABCD에서 두 대각선의 교점을 O라 할 때, □ABCD의 넓이를 구하시오.

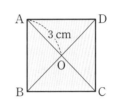

□ABCD=4△AOB

**03** 오른쪽 그림과 같은 평행사변형 ABCD에서 두 대각선의 교점을 O라 할 때, □ABCD가 정사각형이 되는 조건을 모두 고르면?

(정답 2개)

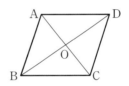

평행사변형이 정사각형이 되려면 직사각형이 되는 조건 중 하나와 마름모가 되는 조건 중 하나를 만족해야 한다.

① $\overline{AC}=\overline{BD}$, $\angle ABC=90°$　　　② $\overline{AB}=\overline{BC}$, $\overline{AC}\perp\overline{BD}$

③ $\overline{AB}=\overline{BC}$, $\overline{OB}=\overline{OC}$　　　④ $\overline{AC}\perp\overline{BD}$, $\overline{OA}=\overline{OC}$

⑤ $\angle ABC=90°$, $\overline{AC}\perp\overline{BD}$

**04** 오른쪽 그림과 같이 $\overline{AD}$ ∥ $\overline{BC}$인 등변사다리꼴 ABCD에서 $\angle x$의 크기를 구하시오.

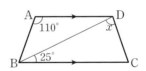

**05** 오른쪽 그림과 같이 $\overline{AD}$ ∥ $\overline{BC}$인 등변사다리꼴 ABCD에서 $x$의 값을 구하시오.

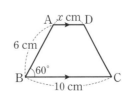

점 A를 지나고 $\overline{DC}$에 평행한 보조선을 그어 해결한다.

## 1. 여러 가지 사각형 사이의 관계 up⁺

(1) 여러 가지 사각형 사이의 관계

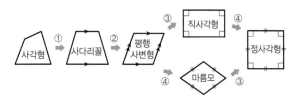

① 한 쌍의 대변이 평행하다.

② 다른 한 쌍의 대변도 평행하다.

③ 한 내각이 직각이거나 두 대각선의 길이가 같다.

④ 이웃하는 두 변의 길이가 같거나 두 대각선이 서로 수직이다.

> **참고** 여러 가지 사각형의 대각선의 성질
> ① 평행사변형: 두 대각선이 서로 다른 것을 이등분한다.
> ② 직사각형: 두 대각선의 길이가 같고, 서로 다른 것을 이등분한다.
> ③ 마름모: 두 대각선이 서로 다른 것을 수직이등분한다.
> ④ 정사각형: 두 대각선의 길이가 같고, 서로 다른 것을 수직이등분한다.
> ⑤ 등변사다리꼴: 두 대각선의 길이가 같다.

**01** 다음은 여러 가지 사각형 사이의 관계를 나타낸 것이다. (1)~(6)에 알맞은 조건을 보기에서 골라 □ 안에 써넣으시오.

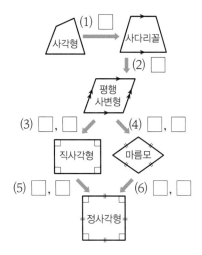

┤보기├
ㄱ. 한 쌍의 대변이 평행하다.
ㄴ. 다른 한 쌍의 대변이 평행하다.
ㄷ. 한 내각이 직각이다.
ㄹ. 두 대각선의 길이가 같다.
ㅁ. 이웃하는 두 변의 길이가 같다.
ㅂ. 두 대각선이 서로 수직이다.

**02** 다음 조건을 만족하는 사각형을 보기에서 모두 고르시오.

┤보기├
ㄱ. 사다리꼴        ㄴ. 등변사다리꼴
ㄷ. 평행사변형      ㄹ. 직사각형
ㅁ. 마름모          ㅂ. 정사각형

(1) 두 쌍의 대각의 크기가 각각 같은 사각형

_____

(2) 이웃하는 두 변의 길이가 같은 사각형

_____

(3) 네 내각의 크기가 모두 같은 사각형

_____

(4) 두 쌍의 대변의 길이가 각각 같은 사각형

_____

(5) 두 대각선의 길이가 같은 사각형

_____

(6) 두 대각선이 서로 수직인 사각형

_____

(7) 두 대각선이 서로 다른 것을 이등분하는 사각형

_____

**03** 오른쪽 그림과 같은 평행사변형 ABCD가 다음 조건을 만족시킬 때 어떤 사각형이 되는지 쓰시오.

(1) $\angle A = 90°$ ➡ _____

(2) $\overline{AB} = \overline{BC}$ ➡ _____

(3) $\overline{AC} = \overline{BD}$ ➡ _____

(4) $\overline{AC} \perp \overline{BD}$ ➡ _____

(5) $\angle A = 90°$, $\overline{AC} \perp \overline{BD}$ ➡ _____

**04** 다음 설명 중 옳은 것은 ○표, 옳지 않은 것은 ×표를 ( ) 안에 써넣으시오.

(1) 평행사변형은 사다리꼴이다. ( )

(2) 마름모는 직사각형이다. ( )

(3) 마름모는 평행사변형이다. ( )

(4) 직사각형은 정사각형이다. ( )

(5) 정사각형은 마름모이다. ( )

(6) 등변사다리꼴은 평행사변형이다. ( )

(7) 평행사변형이면 등변사다리꼴이다. ( )

## 2. 사각형의 각 변의 중점을 연결하여 만든 사각형

사각형의 각 변의 중점을 연결하여 만든 사각형은 다음과 같다.

| ① 사각형 ➡ 평행사변형 | ② 평행사변형 ➡ 평행사변형 |
|---|---|
|  |  |
| ③ 직사각형 ➡ 마름모 | ④ 마름모 ➡ 직사각형 |
|  |  |
| ⑤ 정사각형 ➡ 정사각형 | ⑥ 등변사다리꼴 ➡ 마름모 |
|  |  |

**05** 다음은 아래 그림과 같은 직사각형 ABCD에서 점 E, F, G, H가 각 변의 중점일 때, □EFGH는 마름모임을 보이는 과정이다. □ 안에 알맞은 것을 써넣으시오.

△AFE≡△BFG

≡△CHG≡△□

(□ 합동)이므로

$\overline{EF} = \overline{GF} = □ = \overline{EH}$

따라서 □EFGH는 마름모이다.

**06** 다음 사각형의 각 변의 중점을 연결하여 만든 사각형을 쓰시오.

(1) 사각형 ➡ _____

(2) 평행사변형 ➡ _____

(3) 직사각형 ➡ _____

(4) 마름모 ➡ _____

(5) 정사각형 ➡ _____

(6) 등변사다리꼴 ➡ _____

**01** 다음 중 옳지 <u>않은</u> 것을 모두 고르면? (정답 2개)

① $\overline{AD}$ ∥ $\overline{BC}$인 사각형 ABCD는 사다리꼴이다.

② $\overline{AB}$=$\overline{BC}$인 평행사변형 ABCD는 직사각형이다.

③ $\overline{AC}$⊥$\overline{BD}$인 평행사변형 ABCD는 마름모이다.

④ $\overline{AC}$⊥$\overline{BD}$인 직사각형 ABCD는 마름모이다.

⑤ ∠A=90°인 마름모 ABCD는 정사각형이다.

**02** 다음 중 옳지 <u>않은</u> 것은?

① 두 대각선이 서로를 이등분하는 사각형은 평행사변형이다.

② 두 대각선의 길이가 같은 사다리꼴은 직사각형이다.

③ 두 대각선이 서로 수직인 평행사변형은 마름모이다.

④ 두 대각선의 길이가 서로 같은 마름모는 정사각형이다.

⑤ 두 대각선이 서로 수직인 직사각형은 정사각형이다.

**03** 다음 조건을 모두 만족하는 □ABCD는 어떤 사각형인가?

| (개) $\overline{AD}$ ∥ $\overline{BC}$ | (내) $\overline{AD}$=$\overline{BC}$ | (대) $\overline{AC}$=$\overline{BD}$ |
|---|---|---|

① 사다리꼴  　 ② 평행사변형  　 ③ 직사각형

④ 마름모  　 ⑤ 정사각형

> □ABCD가 각 조건을 만족할 때 어떤 사각형이 되는지 차례대로 생각해 본다.

**04** 마름모의 각 변의 중점을 연결하여 만든 사각형을 □ABCD라 할 때, 다음 보기 중 □ABCD에 대한 설명으로 옳은 것을 모두 고르시오.

│보기│

ㄱ. 네 변의 길이가 모두 같다.  　 ㄴ. 네 각의 크기가 모두 같다.

ㄷ. 두 대각선의 길이가 같다.  　 ㄹ. 두 대각선이 서로 수직이다.

ㅁ. 두 대각선이 서로 다른 것을 이등분한다.

**05**  오른쪽 그림과 같은 직사각형 ABCD에서 네 변의 중점을 각각 E, F, G, H라 하자. $\overline{GH}$=6 cm일 때, □EFGH의 둘레의 길이를 구하시오.

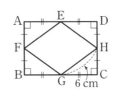

> 직사각형의 각 변의 중점을 연결하여 만든 사각형은 어떤 사각형인지 생각한다.

## 1. 평행선과 삼각형의 넓이 <sup>up+</sup>

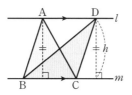

$l /\!/ m$일 때, $\triangle ABC$와 $\triangle DBC$는 밑변이 공통이고 높이가 같으므로 넓이는 같다.

➡ $\triangle ABC = \triangle DBC$
$\quad = \dfrac{1}{2} \times \overline{BC} \times h$

참고 평행한 두 직선 사이의 거리는 일정하다.

**01** 다음 그림에서 $l /\!/ m$일 때, 색칠한 부분의 넓이를 구하시오.

(1)
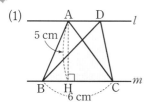

(2)
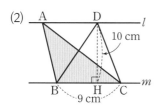

**02** 다음 그림과 같이 $\overline{AD} /\!/ \overline{BC}$인 사다리꼴 ABCD에서 색칠한 삼각형과 넓이가 같은 삼각형을 쓰시오. (단, 점 O는 두 대각선의 교점이다.)

(1)
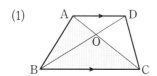

(2)
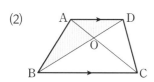

(3)
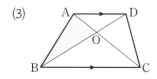

**03** 다음 그림과 같이 $\overline{AD} /\!/ \overline{BC}$인 사다리꼴 ABCD에서 색칠한 부분의 넓이를 구하시오. (단, 점 O는 두 대각선의 교점이다.)

(1) $\triangle ACD = 20 \text{ cm}^2$, $\triangle AOD = 8 \text{ cm}^2$

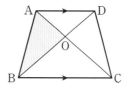

(2) $\triangle ABC = 30 \text{ cm}^2$, $\triangle OBC = 18 \text{ cm}^2$,
$\quad \triangle AOD = 7 \text{ cm}^2$

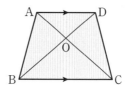

**04** 다음 그림과 같은 □ABED에서 $\overline{AC} /\!/ \overline{DE}$일 때, 색칠한 도형과 넓이가 같은 삼각형을 쓰시오.

(1)
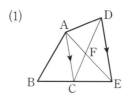

(2)
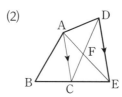

(3)
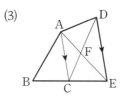

(4)
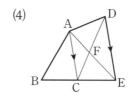

**05** 다음 그림과 같은 □ABED에서 $\overline{\rm AC} /\!\!/ \overline{\rm DE}$일 때, 색칠한 부분의 넓이를 구하시오.

(1) □ABCD=28 cm²

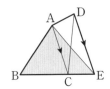

(2) △ABE=25 cm²,
　　△ABC=16 cm²

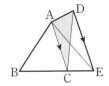

(3) □ABCD=35 cm²,
　　△ACE=11 cm²

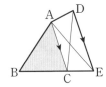

**2. 높이가 같은 두 삼각형의 넓이의 비**

높이가 같은 두 삼각형의 넓이의 비는 밑변의 길이의 비와 같다.
➡ $\overline{\rm BC} : \overline{\rm CD}=m : n$이면
　　△ABC : △ACD=$m : n$

참고 △ABC : △ACD
　　$=\left(\dfrac{1}{2}\times\overline{\rm BC}\times h\right):\left(\dfrac{1}{2}\times\overline{\rm CD}\times h\right)$
　　$=\overline{\rm BC} : \overline{\rm CD}=m : n$

**06** 다음 그림과 같은 △ABC에서 색칠한 부분의 넓이를 구하시오.

(1) △ABC=12 cm², $\overline{\rm BP} : \overline{\rm PC}=2 : 1$

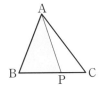

(2) △PBC=30 cm², $\overline{\rm AP} : \overline{\rm PC}=2 : 3$

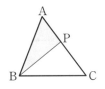

(3) △APC=20 cm², $\overline{\rm BP} : \overline{\rm PC}=1 : 4$

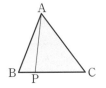

**07** 다음 그림과 같이 $\overline{\rm AD} /\!\!/ \overline{\rm BC}$인 사다리꼴 ABCD에서 색칠한 부분의 넓이를 구하시오. (단, 점 O는 두 대각선의 교점이다.)

(1) △ABC=27 cm², $\overline{\rm OD} : \overline{\rm OB}=1 : 2$

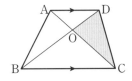

(2) △OBC=50 cm², $\overline{\rm OD} : \overline{\rm OB}=2 : 5$

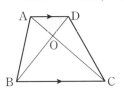

(3) △OBC=36 cm², $\overline{\rm OD} : \overline{\rm OB}=2 : 3$

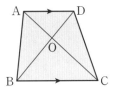

**01** 오른쪽 그림과 같이 $\overline{AD} /\!/ \overline{BC}$인 사다리꼴 ABCD에 대하여 다음 보기 중 옳은 것을 모두 고르시오.

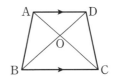

┤보기├
ㄱ. △ABD=△ACD ㄴ. △ABC=△DBC
ㄷ. △ABO=△DOC ㄹ. △AOD=△OBC

**02** 오른쪽 그림과 같이 $\overline{AD} /\!/ \overline{BC}$인 사다리꼴 ABCD에서 두 대각선의 교점이 O이고, △DBC=50 cm², △ABO=16 cm²일 때, △OBC의 넓이를 구하시오.

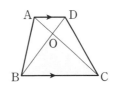

△DOC=△ABO임을 이용한다.

**03** 오른쪽 그림에서 $\overline{AC} /\!/ \overline{DE}$이고 △ABC=34 cm², △ACE=13 cm²일 때, □ABCD의 넓이를 구하시오.

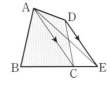

**04** 오른쪽 그림에서 $\overline{AC} /\!/ \overline{DE}$이고 $\overline{AB}$=6 cm, $\overline{BC}$=7 cm, $\overline{CE}$=7 cm일 때, □ABCD의 넓이를 구하시오.

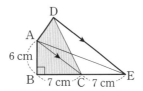

□ABCD와 넓이가 같은 도형을 찾아 본다.

**05**  오른쪽 그림에서 점 D는 $\overline{BC}$의 중점이고 $\overline{AE} : \overline{ED}$=1 : 2이다. △ABC=54 cm²일 때, △AEC의 넓이를 구하시오.

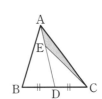

먼저 △ADC의 넓이를 구한다.

**01** 오른쪽 그림과 같은 평행사변형 ABCD에서 $\angle x$, $\angle y$의 크기를 각각 구하시오. (단, 점 O는 두 대각선의 교점이다.)

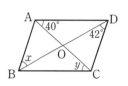

**02** 다음 그림과 같은 평행사변형 ABCD에 대하여 □ 안에 알맞은 수를 써넣으시오. (단, 점 O는 두 대각선의 교점이다.)

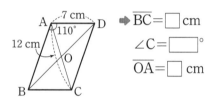

➡ $\overline{BC}=\boxed{\phantom{0}}$ cm

$\angle C = \boxed{\phantom{0}}°$

$\overline{OA} = \boxed{\phantom{0}}$ cm

**03** 오른쪽 그림과 같은 평행사변형 ABCD에서 $\angle ABF = \angle CBF$ 이고 $\angle AFB = 50°$일 때, $\angle C$의 크기를 구하시오.

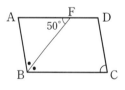

**04** 오른쪽 그림과 같은 평행사변형 ABCD에서 $\angle A : \angle B = 2 : 7$일 때, $\angle x$의 크기를 구하시오.

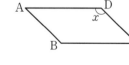

**05** 다음 사각형 ABCD가 평행사변형인 것은 ○표, 평행사변형이 아닌 것은 ×표를 ( ) 안에 써넣으시오.
(단, 점 O는 두 대각선의 교점이다.)

(1) $\overline{AB}=\overline{BC}=6$ cm, $\overline{CD}=\overline{DA}=8$ cm ( )

(2) $\angle A = \angle C = 120°$, $\angle B = 60°$ ( )

(3) $\overline{AB}=\overline{CD}=7$ cm, $\overline{BC} /\!/ \overline{DA}$ ( )

(4) $\overline{OA}=\overline{OB}=\overline{OC}=\overline{OD}$ ( )

**06** 다음 사각형 ABCD가 평행사변형이 되도록 하는 $x$, $y$의 값을 각각 구하시오. (단, 점 O는 두 대각선의 교점이다.)

(1)

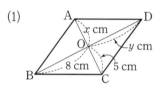

(2)

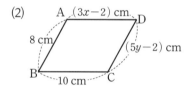

**07** 다음은 아래 그림과 같은 평행사변형 ABCD에 대하여 □EFGH가 평행사변형임을 설명하는 과정이다. □ 안에 알맞은 것을 써넣으시오.

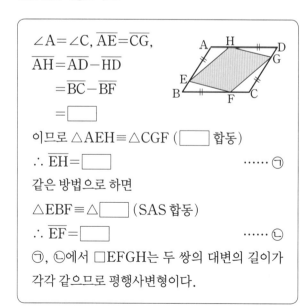

$\angle A = \angle C$, $\overline{AE}=\overline{CG}$,
$\overline{AH}=\overline{AD}-\overline{HD}$
$\quad = \overline{BC}-\overline{BF}$
$\quad = \boxed{\phantom{000}}$

이므로 △AEH≡△CGF ( $\boxed{\phantom{0}}$ 합동)

∴ $\overline{EH}=\boxed{\phantom{000}}$ ...... ㉠

같은 방법으로 하면

△EBF≡△ $\boxed{\phantom{0}}$ (SAS 합동)

∴ $\overline{EF}=\boxed{\phantom{000}}$ ...... ㉡

㉠, ㉡에서 □EFGH는 두 쌍의 대변의 길이가 각각 같으므로 평행사변형이다.

**08** 다음 그림과 같은 평행사변형 ABCD의 넓이가 16 cm²일 때, 색칠한 부분의 넓이를 구하시오.
(단, 점 O는 두 대각선의 교점이다.)

(1)
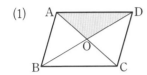

(2)
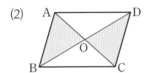

**09** 오른쪽 그림과 같이 점 P가 평행사변형 ABCD의 내부의 한 점이고 □ABCD의 넓이가 34 cm²일 때, 색칠한 부분의 넓이를 구하시오.
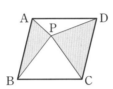

**10** 다음 그림과 같은 □ABCD에서 $x$, $y$의 값을 각각 구하시오.
(단, 점 O는 두 대각선의 교점이다.)

(1)
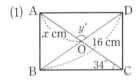
□ABCD가 직사각형일 때
➡ $x=$ _____
$y=$ _____

(2)
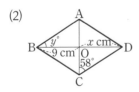
□ABCD가 마름모일 때
➡ $x=$ _____
$y=$ _____

(3)
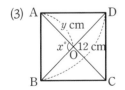
□ABCD가 정사각형일 때
➡ $x=$ _____
$y=$ _____

(4)
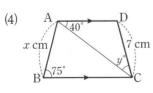
□ABCD가 등변사다리꼴일 때
➡ $x=$ _____
$y=$ _____

**11** 오른쪽 그림과 같이 $\overline{AD} \parallel \overline{BC}$인 등변사다리꼴 ABCD의 둘레의 길이를 구하시오.
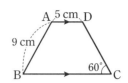

**12** 다음 그림에서 (1)~(4)에 알맞은 조건을 각각 보기에서 모두 고르시오. (단, 점 O는 두 대각선의 교점이다.)

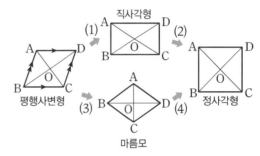

┤보기├
ㄱ. $\overline{AB}=\overline{AD}$　　ㄴ. $\overline{AC}=\overline{BD}$
ㄷ. $\overline{OA}=\overline{OB}$　　ㄹ. $\overline{AC}\perp\overline{BD}$
ㅁ. $\angle A=90°$　　ㅂ. $\angle A=\angle B$

(1) _____　　(2) _____
(3) _____　　(4) _____

**13** 오른쪽 그림과 같은 평행사변형 ABCD가 다음 조건을 만족하면 어떤 사각형이 되는지 쓰시오.
(단, 점 O는 두 대각선의 교점이다.)
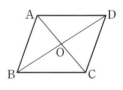

(1) $\angle C=90°$　➡ _____
(2) $\overline{AB}=\overline{AD}$　➡ _____
(3) $\overline{AC}=\overline{BD}$　➡ _____
(4) $\overline{AC}\perp\overline{BD}$　➡ _____
(5) $\overline{OA}=\overline{OB}$, $\overline{AC}\perp\overline{BD}$ ➡ _____

도전 100점

**14** 다음에 주어진 사각형 ABCD의 네 변의 중점 E, F, G, H를 차례로 연결하여 만든 사각형 EFGH에 대한 설명으로 옳은 것을 보기에서 모두 고르시오.

┌─ 보기 ─────────────────────────┐
ㄱ. 네 변의 길이가 모두 같다.

ㄴ. 네 각의 크기가 모두 같다.

ㄷ. 두 대각선의 길이가 같다.

ㄹ. 두 대각선이 서로 수직이다.

ㅁ. 두 대각선이 서로 다른 것을 이등분한다.
└────────────────────────────┘

(1) 평행사변형 ABCD  ➡ _____

(2) 직사각형 ABCD  ➡ _____

(3) 마름모 ABCD  ➡ _____

(4) 정사각형 ABCD  ➡ _____

(5) 등변사다리꼴 ABCD ➡ _____

**15** 오른쪽 그림과 같이 □ABCD의 꼭짓점 D를 지나고 대각선 AC에 평행한 직선을 그어 $\overline{BC}$의 연장선과 만나는 점을 E라 하자. □ABCD=22 cm²일 때, △ABE의 넓이를 구하시오.

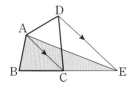

**16** 오른쪽 그림과 같이 $\overline{AD}$ // $\overline{BC}$인 사다리꼴 ABCD에서 두 대각선의 교점을 O라 하자.
$\overline{OA} : \overline{OC} = 1 : 2$이고
△AOD=8 cm²일 때, 다음을 구하시오.

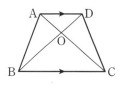

(1) △DOC의 넓이

(2) △ABO의 넓이

(3) △OBC의 넓이

(4) □ABCD의 넓이

**17** 오른쪽 그림과 같은 평행사변형 ABCD에서 $\overline{BC}$의 중점을 E라 하고 $\overline{DE}$의 연장선과 AB의 연장선의 교점을 F라 할 때, $\overline{AF}$의 길이를 구하시오.

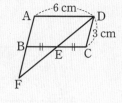

**18** 오른쪽 그림과 같은 평행사변형 ABCD에서 두 점 M, N은 각각 $\overline{AD}$, $\overline{BC}$의 중점이다. □ABCD의 넓이가 40 cm²일 때, □MPNQ의 넓이를 구하시오.

**19** 다음 설명 중에서 옳은 것을 모두 고르면? (정답 2개)

① 직사각형은 평행사변형이다.

② 한 내각의 크기가 90°인 평행사변형은 정사각형이다.

③ 두 대각선의 길이가 같은 평행사변형은 마름모이다.

④ 두 대각선이 서로 직교하는 평행사변형은 마름모이다.

⑤ 이웃하는 두 내각의 크기가 같은 마름모는 직사각형이다.

나만의 비법 노트

# V.
# 닮음과
# 피타고라스 정리

연산 문제와 시험 대비 문제를 많이 풀어보고 개념과 원리를 확실하게 이해하자.
또한 이해도를 바탕으로 자신의 수준에 맞는 계획을 세워 반복 학습을 하자.

| 중단원명 | 강의 명 | | 학습 날짜 | | 이해도 | | |
|---|---|---|---|---|---|---|---|
| 1. 도형의 닮음 | 15강 | 닮음과 닮은 도형의 성질 | 월 | 일 | 😊 | 🙂 | 😐 |
| | 16강 | 삼각형의 닮음 조건 | 월 | 일 | 😊 | 🙂 | 😐 |
| | 17강 | 직각삼각형의 닮음 | 월 | 일 | 😊 | 🙂 | 😐 |
| | 18강 | 삼각형과 평행선 | 월 | 일 | 😊 | 🙂 | 😐 |
| | 19강 | 삼각형의 두 변의 중점을 연결한 선분의 성질 | 월 | 일 | 😊 | 🙂 | 😐 |
| | 20강 | 삼각형의 각의 이등분선 | 월 | 일 | 😊 | 🙂 | 😐 |
| | 21강 | 평행선과 선분의 길이의 비 | 월 | 일 | 😊 | 🙂 | 😐 |
| | 22강 | 삼각형의 중선과 무게중심 | 월 | 일 | 😊 | 🙂 | 😐 |
| | 23강 | 삼각형의 무게중심의 활용 | 월 | 일 | 😊 | 🙂 | 😐 |
| | 24강 | 도형에서의 닮음비 | 월 | 일 | 😊 | 🙂 | 😐 |
| | 25강 | 닮음의 활용 | 월 | 일 | 😊 | 🙂 | 😐 |
| | 26강 | 중단원 연산 마무리 | 월 | 일 | 😊 | 🙂 | 😐 |
| 2. 피타고라스 정리 | 27강 | 피타고라스 정리 | 월 | 일 | 😊 | 🙂 | 😐 |
| | 28강 | 피타고라스 정리의 확인 | 월 | 일 | 😊 | 🙂 | 😐 |
| | 29강 | 피타고라스 정리의 활용 | 월 | 일 | 😊 | 🙂 | 😐 |
| | 30강 | 직각삼각형에서 세 반원 사이의 관계 | 월 | 일 | 😊 | 🙂 | 😐 |
| | 31강 | 중단원 연산 마무리 | 월 | 일 | 😊 | 🙂 | 😐 |

## 비례식을 알고 있나요?

**1** 다음 비례식에서 $x$의 값을 구하시오. <sup>초등6</sup>

(1) $2 : 3 = x : 15$

(2) $3 : 4 = 12 : x$

(3) $\dfrac{5}{2} = \dfrac{x}{8}$

(4) $\dfrac{7}{9} = \dfrac{2}{x}$

## 평행선의 성질을 알고 있나요?

**2** 다음 그림에서 $l \parallel m$일 때, $\angle x$, $\angle y$의 크기를 각각 구하시오. <sup>중1</sup>

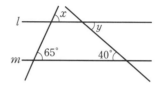

## 합동인 도형의 성질을 알고 있나요?

**3** 다음 그림에서 □ABCD와 □HGFE가 서로 합동일 때, $x$, $y$, $z$의 값을 각각 구하시오. <sup>중1</sup>

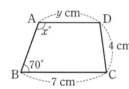
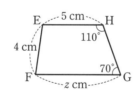

## 삼각형의 합동 조건을 알고 있나요?

**4** 다음 두 삼각형이 합동일 때, 두 삼각형의 합동을 기호를 써서 나타내고, 그때의 합동 조건을 쓰시오. <sup>중1</sup>

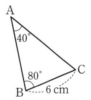
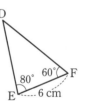

## 입체도형의 부피를 구할 수 있나요?

**5** 다음 그림과 같은 입체도형의 부피를 구하시오. <sup>중1</sup>

(1)
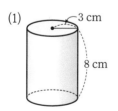

(2)
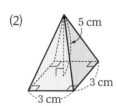

## 삼각형을 내각의 크기에 따라 분류할 수 있나요?

**6** 다음과 같은 삼각형이 예각삼각형이면 '예', 직각삼각형이면 '직', 둔각삼각형이면 '둔'을 ( ) 안에 써넣으시오. <sup>중1</sup>

(1) 한 내각의 크기가 $90°$보다 큰 삼각형(    )

(2) 한 내각의 크기가 $90°$인 삼각형 (    )

(3) 세 내각의 크기가 모두 $90°$보다 작은 삼각형

(    )

### 1. 닮은 도형

(1) 한 도형을 일정한 비율로 확대 또는 축소한 것이 다른 도형과 합동일 때, 이 두 도형은 서로 닮음인 관계에 있다고 한다.

(2) 닮은 도형: 서로 닮음인 관계에 있는 두 도형

(3) △ABC와 DEF가 닮은 도형일 때, 기호 ∽를 사용하여 △ABC∽△DEF와 같이 나타낸다.

→ 닮은 도형을 기호로 나타낼 때, 두 도형의 꼭짓점을 대응하는 순서대로 쓴다.

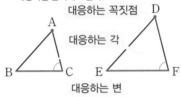

① 대응하는 점: 점 A와 점 D, 점 B와 점 E, 점 C와 점 F

② 대응하는 변: $\overline{AB}$와 $\overline{DE}$, $\overline{BC}$와 $\overline{EF}$, $\overline{AC}$와 $\overline{DF}$

③ 대응하는 각: ∠A와 ∠D, ∠B와 ∠E, ∠C와 ∠F

참고 항상 닮음인 도형
평면도형: 변의 개수가 같은 두 정다각형, 두 원, 중심각의 크기가 같은 두 부채꼴, 두 직각이등변삼각형
입체도형: 면의 개수가 같은 두 정다면체, 두 구

**01** 아래 그림에서 △ABC∽△DEF일 때, 다음을 구하시오.

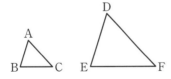

(1) 점 A에 대응하는 점

(2) $\overline{BC}$에 대응하는 변

(3) ∠C에 대응하는 각

**02** 아래 그림에서 □ABCD∽□EFGH일 때, 다음을 구하시오.

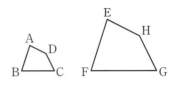

(1) 점 A에 대응하는 점

(2) 점 B에 대응하는 점

(3) $\overline{BC}$에 대응하는 변

(4) $\overline{CD}$에 대응하는 변

(5) ∠C에 대응하는 각

(6) ∠D에 대응하는 각

**03** 다음 중 닮은 도형에 대한 설명으로 옳은 것은 ○표, 옳지 않은 것은 ×표를 ( ) 안에 써넣으시오.

(1) 합동인 두 도형은 닮음이다. ( )

(2) 넓이가 같은 두 도형은 닮음이다. ( )

(3) 닮은 두 도형에서 대응하는 변의 길이는 각각 같다. ( )

(4) 두 원, 두 직각이등변삼각형은 항상 닮음이다.

( )

### 2. 평면도형에서 닮음의 성질

(1) 닮음인 관계에 있는 두 평면도형에서
　① 대응하는 변의 길이의 비는 일정하다.
　② 대응하는 각의 크기는 각각 같다.

(2) 닮음비: 대응하는 변의 길이의 비

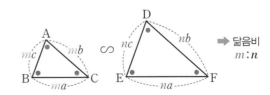

➡ 닮음비
$m:n$

**04** 다음 그림에서 △ABC∽△DEF일 때, □ 안에 알맞은 것을 써넣으시오.

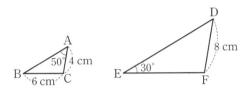

(1) △ABC와 △DEF의 닮음비
 ➡ $\overline{AC}$의 대응하는 변이 ☐이므로 닮음비는
   $\overline{AC}$ : ☐ = 4 : ☐ = 1 : ☐

(2) $\overline{EF}$의 길이
 ➡ $\overline{BC}$ : $\overline{EF}$ = 1 : ☐이므로 6 : $\overline{EF}$ = 1 : ☐
   ∴ $\overline{EF}$ = ☐ (cm)

(3) ∠B의 크기
 ➡ ∠B = ∠☐ = ☐°

(4) ∠F의 크기
 ➡ ∠F = ∠☐ = 180° − (50° + ☐°) = ☐°

**05** 아래 그림에서 □ABCD∽□EFGH일 때, 다음을 구하시오.

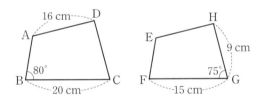

(1) □ABCD와 □EFGH의 닮음비

(2) $\overline{CD}$의 길이

(3) $\overline{EH}$의 길이

(4) ∠C의 크기

(5) ∠F의 크기

---

**3. 입체도형에서 닮음의 성질**

(1) 닮음인 관계에 있는 두 입체도형에서
 ① 대응하는 모서리의 길이의 비는 일정하다.
 ② 대응하는 면은 닮은 도형이다.

(2) 닮음비: 대응하는 모서리의 길이의 비

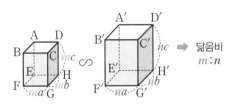

➡ 닮음비 $m:n$

**06** 다음 그림에서 두 직육면체가 닮은 도형이고 면 ABCD에 대응하는 면이 면 A′B′C′D′일 때, □ 안에 알맞은 것을 써넣으시오.

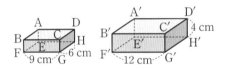

(1) 두 직육면체의 닮음비
 ➡ $\overline{FG}$에 대응하는 변이 ☐이므로 닮음비는
   $\overline{FG}$ : ☐ = 9 : ☐ = 3 : ☐

(2) $\overline{G'H'}$의 길이
 ➡ $\overline{GH}$ : $\overline{G'H'}$ = 3 : ☐이므로 6 : $\overline{G'H'}$ = 3 : ☐
   $3\overline{G'H'}$ = ☐    ∴ $\overline{G'H'}$ = ☐ (cm)

**07** 아래 그림에서 두 삼각뿔이 닮은 도형이고 면 BCD에 대응하는 면이 면 FGH일 때, 다음을 구하시오.

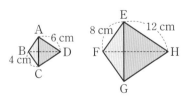

(1) 두 삼각뿔의 닮음비

(2) $\overline{AB}$의 길이

(3) $\overline{FG}$의 길이

**01** 다음 중 항상 닮은 도형이라고 할 수 없는 것을 모두 고르면? (정답 2개)

① 중심각의 크기가 같은 두 부채꼴
② 변의 개수가 같은 두 정다각형
③ 넓이가 같은 두 직사각형
④ 두 쌍의 대변의 길이가 각각 같은 평행사변형
⑤ 꼭지각의 크기가 같은 두 이등변삼각형

 아래 그림에서 □ABCD∽□EFGH일 때, 다음 중 옳지 <u>않은</u> 것은?

닮음인 두 도형에서 대응하는 각의 크기가 같음을 이용하여 주어지지 않은 각의 크기를 구할 수 있다.

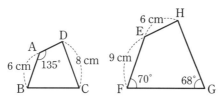

① $\overline{AD}:\overline{EH}=2:3$  ② $\overline{AD}=4$ cm  ③ ∠E$=135°$
④ ∠B$=70°$  ⑤ ∠D$=68°$

**03** 다음 그림에서 두 삼각기둥은 서로 닮은 도형이고, 면 ABC에 대응하는 면이 면 A′B′C′일 때, $x+y+z$의 값을 구하시오.

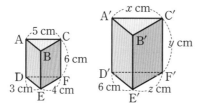

**04** 다음 그림의 두 원기둥이 닮은 도형일 때, 작은 원기둥의 높이를 구하시오.

닮은 두 원기둥에서
(닮음비)
=(높이의 비)
=(밑면의 반지름의 길이의 비)

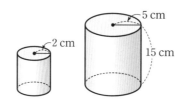

# 16강 ••• 삼각형의 닮음 조건

## 1. 삼각형의 닮음 조건

다음 각 조건을 만족할 때, △ABC와 △A′B′C′은 닮은 도형이다.

(1) 세 쌍의 대응하는 변의 길이의 비가 같다. ➡ SSS 닮음
(세 변)

$$a : a' = b : b' = c : c'$$

 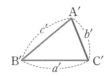

(2) 두 쌍의 대응하는 변의 길이의 비가 같고, 그 끼인
각의 크기가 같다. ➡ SAS 닮음
(두 변) (끼인각)

$$a : a' = c : c', \ \angle B = \angle B'$$

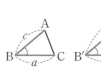 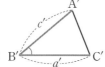

(3) 두 쌍의 대응하는 각의 크기가 각각 같다. ➡ AA 닮음
(두 각)

$$\angle B = \angle B', \ \angle C = \angle C' \leftarrow \text{남은 한 쌍의 대응하는 각의 크기도 같다.}$$

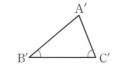

참고 합동에서는 대응하는 변의 길이가 같아야 하고, 닮음
에서는 대응하는 변의 길이의 비가 같아야 한다.

**01** 다음은 주어진 두 삼각형이 닮음임을 보이는 과정이다. □ 안
에 알맞은 것을 써넣으시오.

(1)
 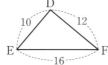

$$\overline{AB} : \overline{DE} = 5 : 10 = \square : \square$$
$$\overline{BC} : \overline{EF} = 8 : \square = \square : \square$$
$$\overline{CA} : \overline{FD} = 6 : \square = \square : \square$$
$$\therefore \triangle ABC \backsim \triangle DEF \ (\square \ \text{닮음})$$

(2)
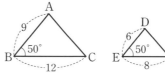

$$\overline{AB} : \overline{DE} = 9 : 6 = \square : \square$$
$$\overline{BC} : \overline{EF} = 12 : \square = \square : \square$$
$$\angle B = \angle \square = \square °$$
$$\therefore \triangle ABC \backsim \triangle DEF \ (\square \ \text{닮음})$$

(3)
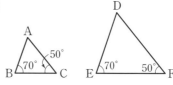

$$\angle B = \angle \square = \square °, \ \angle C = \angle \square = \square °$$
$$\therefore \triangle ABC \backsim \triangle DEF \ (\square \ \text{닮음})$$

**02** 다음 그림의 두 삼각형이 닮은 도형일 때, □ 안에 알맞은 것을
써넣으시오.

(1)
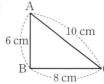 

➡ △ABC ∽ △□ (□ 닮음)

(2)
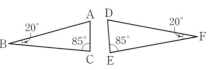

➡ △ABC ∽ △□ (□ 닮음)

(3)
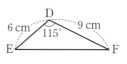

➡ △ABC ∽ △□ (□ 닮음)

**03** 다음 보기 중 서로 닮은 삼각형을 찾아 기호 ∽를 사용하여 나타내고, 그때의 닮음 조건을 쓰시오.

┤보기├
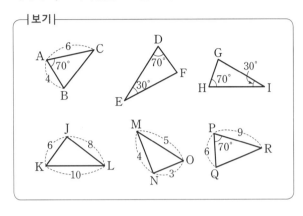

➡ _____ ( 닮음)

_____ ( 닮음)

_____ ( 닮음)

**04** 다음 그림에서 서로 닮은 삼각형을 찾아 기호 ∽를 사용하여 나타내고, 그때의 닮음 조건을 쓰시오.

(1)
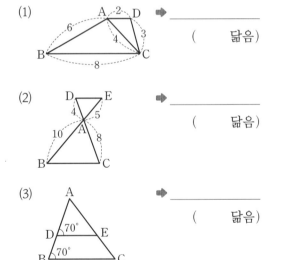 ➡ _____

( 닮음)

(2)
➡ _____

( 닮음)

(3)
➡ _____

( 닮음)

**05** 다음 중 △ABC∽△DEF가 되도록 하는 조건인 것은 ○표, 아닌 것은 ×표를 ( ) 안에 써넣으시오.

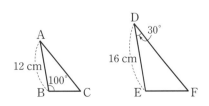

(1) ∠C＝50°, ∠E＝100°  ( )

(2) ∠A＝30°, ∠F＝60°  ( )

(3) ∠A＝30°, $\overline{DF}$＝20 cm  ( )

**2. 삼각형의 닮음을 이용하여 변의 길이 구하기** ᵘᵖ⁺

두 삼각형이 겹쳐져 있는 경우에는 다음과 같은 방법으로 닮음인 두 삼각형을 찾아 변의 길이를 구할 수 있다.

❶ 공통인 각 찾기 ➡ ∠A

❷ 닮음인 삼각형 찾기

[경우 1] 다른 한 내각의 크기가 같으면 △ABC∽△AED (AA 닮음)

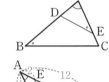

[경우 2] ∠A를 끼인각으로 하는 두 대응하는 변의 길이의 비가 같으면 △ABC∽△AED (SAS 닮음)

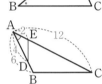

❸ 닮음비를 이용하여 변의 길이 구하기

| 두 삼각형이 겹쳐져 있을 때 | ➡ | 공통인 각을 기준으로 닮음인 두 삼각형 찾기 |

**06** 아래 그림의 △ABC에 대하여 다음에 답하시오.

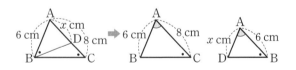

(1) △ABC와 닮음인 삼각형과 그때의 닮음 조건을 쓰시오. ➡ △ABC∽_____ ( 닮음)

(2) $x$의 값을 구하시오.

쌤 Tip
겹쳐진 삼각형을 분리할 때, 크기가 같은 각이 같은 방향으로 놓이도록 해.

**07** 아래 그림의 △ABC에 대하여 다음에 답하시오.

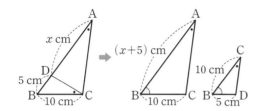

(1) △ABC와 닮음인 삼각형과 그때의 닮음 조건을 쓰시오. ➡ △ABC∽_____ (          닮음)

(2) $x$의 값을 구하시오.

**08** 다음 그림의 △ABC에서 $x$의 값을 구하시오.

(1)
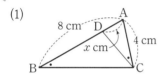

(2)
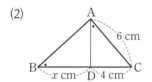

(3)
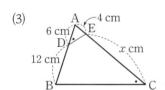

**09** 아래 그림의 △ABC에 대하여 다음에 답하시오.

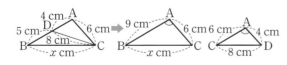

(1) △ABC와 닮음인 삼각형과 그때의 닮음 조건을 쓰시오. ➡ △ABC∽_____ (          닮음)

(2) $x$의 값을 구하시오.

**10** 아래 그림의 △ABC에 대하여 다음에 답하시오.

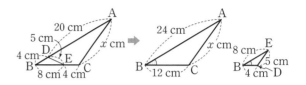

(1) △ABC와 닮음인 삼각형과 그때의 닮음 조건을 쓰시오. ➡ △ABC∽_____ (          닮음)

(2) $x$의 값을 구하시오.

**11** 다음 그림의 △ABC에서 $x$의 값을 구하시오.

(1)
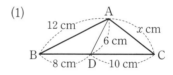

(2)
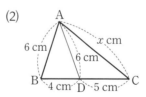

(3)
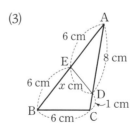

**01** 오른쪽 그림에서 $x$의 값을 구하시오.

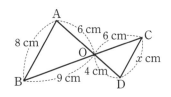

**02** 아래 그림의 △ABC와 △DEF가 닮은 도형이 되려면 다음 중 어느 조건을 추가해야 하는가?

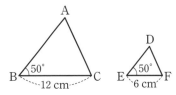

① ∠A=65°, ∠D=60°    ② ∠C=45°, ∠F=55°
③ $\overline{AB}$=10 cm, $\overline{DE}$=5 cm    ④ $\overline{AC}$=8 cm, $\overline{DF}$=4 cm
⑤ $\overline{AB}$=12 cm, $\overline{DE}$=8 cm

다른 한 쌍의 각의 크기가 같거나 크기가 50°인 각을 끼인각으로 하는 다른 한 변의 길이의 비가 같아야 한다.

**03** 오른쪽 그림과 같은 △ABC에서 $\overline{AC}$의 길이를 구하시오.

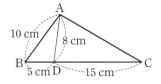

**04** 오른쪽 그림과 같은 △ABC에서 $y-x$의 값을 구하시오.

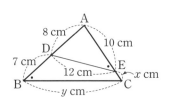

공통인 각과 또 다른 크기가 같은 각을 이용하여 닮음인 두 삼각형을 찾는다.

# 17강 ••• 직각삼각형의 닮음

정답과 해설 _ p.21

## 1. 직각삼각형의 닮음

(1) 두 직각삼각형에서 한 예각의 크기가 같으면 두 삼각형은 닮은 도형이다. ←AA 닮음

(2)

∠A = 90°인 직각삼각형의 점 A에서 $\overline{BC}$에 내린 수선의 발을 H라 하면

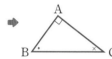  

△ABC∽△HBA∽△HAC (AA 닮음)

**01** 오른쪽 그림을 보고, 다음에 답하시오.

(1) △ABC와 닮음인 삼각형을 쓰시오.

(2) $x$의 값을 구하시오.

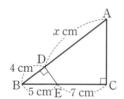

**02** 오른쪽 그림을 보고, 다음에 답하시오.

(1) △ABC와 닮음인 삼각형을 쓰시오.

(2) $x$의 값을 구하시오.

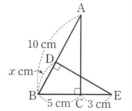

**03** 오른쪽 그림을 보고, 다음에 답하시오.

(1) △ABD와 닮음인 삼각형을 쓰시오.

(2) $x$의 값을 구하시오.

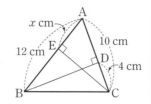

**04** 오른쪽 그림과 같이 ∠A = 90°인 직각삼각형 ABC에서 $\overline{AH} \perp \overline{BC}$일 때, 다음에 답하시오.

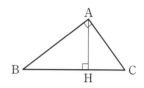

(1) △ABC와 닮음인 삼각형을 찾아 ☐ 안에 쓰시오.

➡ △ABC∽△☐☐☐∽△☐☐☐

(2) △ABC의 $\overline{AB}$에 대응하는 변을 모두 쓰시오.

(3) △HAC의 $\overline{HC}$에 대응하는 변을 모두 쓰시오.

## 2. 직각삼각형의 닮음의 활용

(1) △ABC∽△HBA (AA 닮음)
이므로 $\overline{AB} : \overline{HB} = \overline{BC} : \overline{BA}$

➡ $\overline{AB}^2 = \overline{BH} \times \overline{BC}$

(2) △ABC∽△HAC (AA 닮음)
이므로 $\overline{BC} : \overline{AC} = \overline{AC} : \overline{HC}$

➡ $\overline{AC}^2 = \overline{CH} \times \overline{CB}$

(3) △HBA∽△HAC (AA 닮음)
이므로 $\overline{HB} : \overline{HA} = \overline{HA} : \overline{HC}$

➡ $\overline{AH}^2 = \overline{HB} \times \overline{HC}$

(4) △ABC = $\dfrac{1}{2} \times \overline{AB} \times \overline{AC}$

　　　　 = $\dfrac{1}{2} \times \overline{AH} \times \overline{BC}$

➡ $\overline{AB} \times \overline{AC} = \overline{AH} \times \overline{BC}$

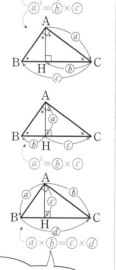

(1), (2), (3)은 닮음을 활용하여 얻은 식이고, (4)는 직각삼각형의 넓이를 활용하여 얻은 식이야.

**05** 다음은 ∠A＝90°인 직각삼각형 ABC에서 $x$의 값을 구하는 과정이다. □ 안에 알맞은 것을 써넣으시오.

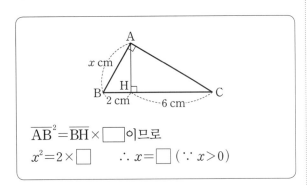

$$\overline{AB}^2 = \overline{BH} \times \boxed{\phantom{x}} \text{이므로}$$

$$x^2 = 2 \times \boxed{\phantom{x}} \qquad \therefore x = \boxed{\phantom{x}} \ (\because x > 0)$$

**06** 다음 그림에서 $x$의 값을 구하시오.

(1)
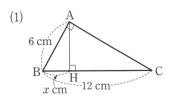

(2)
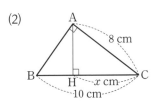

(3)
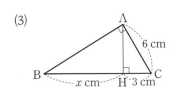

 $\overline{BC} = \overline{BH} + \overline{HC}$

(4)
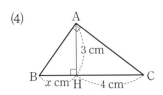

(5)
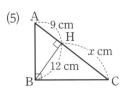

(6)
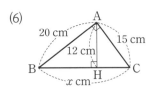

**07** 다음 그림과 같은 직각삼각형 ABC의 넓이를 구하시오.

(1)
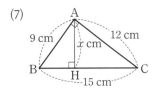

(7)
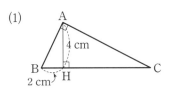

(2)
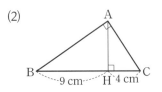

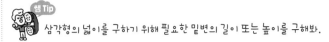 삼각형의 넓이를 구하기 위해 필요한 밑변의 길이 또는 높이를 구해봐.

**01** 오른쪽 그림과 같은 직각삼각형 ABC에서 $x$의 값을 구하시오.

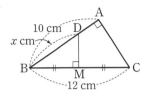

**02** 오른쪽 그림과 같이 직사각형 ABCD에서 $\overline{ED}$를 접는 선으로 하여 꼭짓점 A가 $\overline{BC}$ 위의 점 A′에 오도록 접었을 때, $\overline{A'C}$의 길이를 구하시오.

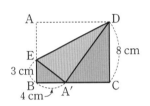

∠B=∠EA′D=∠C=90° 임을 이용하여 닮음인 두 삼각형을 찾는다.

**03** 오른쪽 그림과 같은 직각삼각형 ABC에서 $x$, $y$의 값을 각각 구하시오.

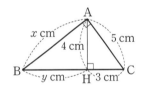

**04** 오른쪽 그림과 같은 직각삼각형 ABC에서 $x$의 값을 구하시오.

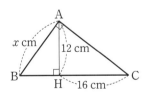

$x$의 값을 구하기 위해 $\overline{BH}$의 길이를 먼저 구해 본다.

# 18강 ··· 삼각형과 평행선

## 1. 삼각형에서 평행선과 선분의 길이의 비 (1) <sup>up+</sup>

△ABC에서 두 변 AB, AC 또는 그 연장선 위에 각각 점 D, E가 있을 때

(1) $\overline{BC} /\!/ \overline{DE}$이면 ➡ $\overline{AB} : \overline{AD} = \overline{AC} : \overline{AE} = \overline{BC} : \overline{DE}$

> 참고 $\overline{BC} /\!/ \overline{DE}$이면 동위각의 크기가 같으므로
> △ABC∽△ADE (AA 닮음)
> 따라서 대응하는 변의 길이의 비가 같다.

(2) $\overline{BC} /\!/ \overline{DE}$이면 ➡ $\overline{AD} : \overline{DB} = \overline{AE} : \overline{EC}$

> 참고 $\overline{AD} : \overline{DB} \neq \overline{DE} : \overline{BC}$

**01** 다음은 $\overline{BC} /\!/ \overline{DE}$일 때, $x$의 값을 구하는 과정이다. □ 안에 알맞은 것을 써넣으시오.

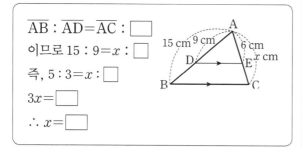

$\overline{AB} : \overline{AD} = \overline{AC} : \boxed{\phantom{x}}$

이므로 $15 : 9 = x : \boxed{\phantom{x}}$

즉, $5 : 3 = x : \boxed{\phantom{x}}$

$3x = \boxed{\phantom{x}}$

$\therefore x = \boxed{\phantom{x}}$

**02** 다음 그림에서 $\overline{BC} /\!/ \overline{DE}$일 때, $x$의 값을 구하시오.

(1)

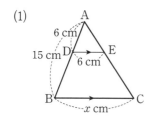

(2)

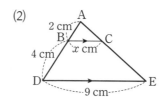

(3)

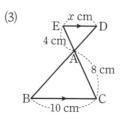

(4)

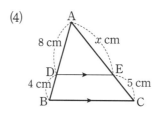

(5)

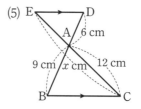

**03** 다음 그림에서 $\overline{BC} /\!/ \overline{DE}$일 때, $x, y$의 값을 각각 구하시오.

(1) 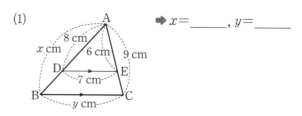 ➡ $x = \underline{\phantom{xxxx}}, y = \underline{\phantom{xxxx}}$

(2) 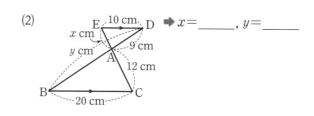 ➡ $x = \underline{\phantom{xxxx}}, y = \underline{\phantom{xxxx}}$

## 2. 삼각형에서 평행선과 선분의 길이의 비 (2)

△ABC에서 두 변 AB, AC 또는 그 연장선 위에 각각 점 D, E가 있을 때

(1) $\overline{AB}:\overline{AD}=\overline{AC}:\overline{AE}$이면 ➡ $\overline{BC}/\!/\overline{DE}$

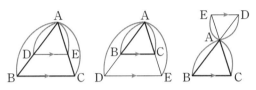

참고 △ABC∽△ADE (SAS 닮음)이므로
∠ABC=∠ADE → 동위각의 크기가 같으므로
∴ $\overline{BC}/\!/\overline{DE}$

(2) $\overline{AD}:\overline{DB}=\overline{AE}:\overline{EC}$이면 ➡ $\overline{BC}/\!/\overline{DE}$

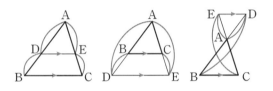

**04** 다음 그림에서 $\overline{BC}$와 $\overline{DE}$가 평행한 것은 ○표, 평행하지 않은 것은 ×표를 ( ) 안에 써넣으시오.

(1) 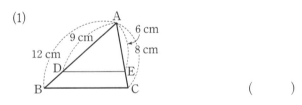 ( )

(2) 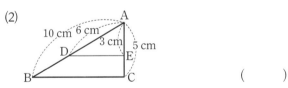 ( )

(3) 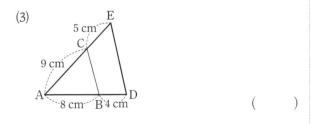 ( )

(4) 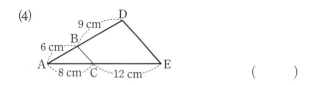 ( )

(5) 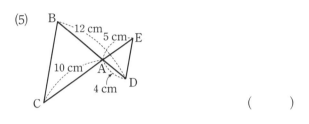 ( )

(6) 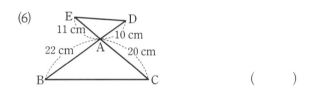 ( )

**05** 다음 그림의 △ABC에서 옳은 것은 ○표, 옳지 않은 것은 ×표를 ( ) 안에 써넣으시오.

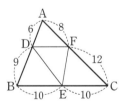

(1) $\overline{AB}/\!/\overline{FE}$ ( )

(2) $\overline{BC}/\!/\overline{DF}$ ( )

(3) $\overline{AC}/\!/\overline{DE}$ ( )

**01** 오른쪽 그림에서 $\overline{BC} /\!/ \overline{DE}$일 때, $y-x$의 값을 구하시오.

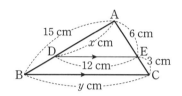

**02** 오른쪽 그림에서 $\overline{BC} /\!/ \overline{DE}$일 때, △ABC의 둘레의 길이를 구하시오.

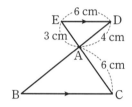

**03** 다음 중 $\overline{BC} /\!/ \overline{DE}$인 것을 모두 고르면? (정답 2개)

$\overline{AB} : \overline{AD} = \overline{AC} : \overline{AE}$ 또는
$\overline{AD} : \overline{DB} = \overline{AE} : \overline{EC}$이면
$\overline{BC} /\!/ \overline{DE}$

①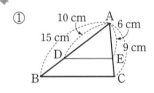

②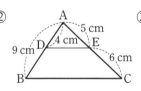

③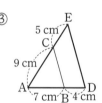

④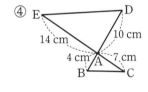

⑤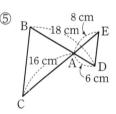

**04** 오른쪽 그림과 같은 △ABC에서 $\overline{BC} /\!/ \overline{DE}$이고 점 Q가 $\overline{AP}$와 $\overline{DE}$의 교점일 때, $x$, $y$의 값을 각각 구하시오.

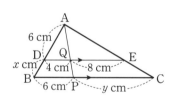

$\overline{BC} /\!/ \overline{DE}$이므로
$\overline{AB} : \overline{AD} = \overline{BP} : \overline{DQ}$
$= \overline{PC} : \overline{QE}$

## 1. 삼각형의 두 변의 중점을 연결한 선분의 성질 ᵘᵖ⁺

(1) △ABC에서 $\overline{AB}$, $\overline{AC}$의 중점을 각각 M, N이라

하면 ➡ $\overline{MN} /\!/ \overline{BC}$, $\overline{MN} = \dfrac{1}{2}\overline{BC}$

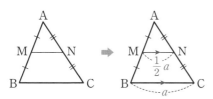

(2) △ABC에서 $\overline{AB}$의 중점 M을 지나고 $\overline{BC}$에 평행한 직선과 $\overline{AC}$의 교점을 N이라 하면

➡ $\overline{AN} = \overline{NC}$, $\overline{MN} = \dfrac{1}{2}\overline{BC}$

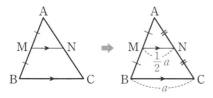

**01** 다음 그림의 △ABC에서 $\overline{AB}$, $\overline{AC}$의 중점을 각각 M, N이라 할 때, $x$의 값을 구하시오.

(1)

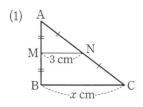

(2)

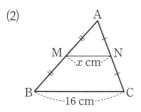

(3)

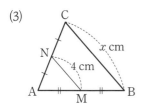

(4)

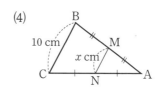

**02** 다음 그림의 △ABC에서 $\overline{AM} = \overline{MB}$, $\overline{MN} /\!/ \overline{BC}$일 때, $x$의 값을 구하시오.

(1)

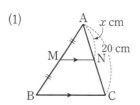

(2)

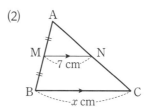

**03** 다음 그림의 △ABC에서 $\overline{AM} = \overline{MB}$, $\overline{MN} /\!/ \overline{BC}$일 때, $x$, $y$의 값을 각각 구하시오.

(1)

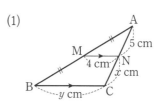

(2)

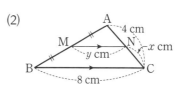

(3)

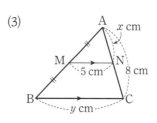

## 2. 삼각형의 세 변의 중점을 연결한 삼각형의 둘레의 길이 ⓤⓟ⁺

△ABC에서 $\overline{AB}$, $\overline{BC}$, $\overline{CA}$의 중점을 각각 P, Q, R라 하면

$$\overline{PQ}=\frac{1}{2}\overline{AC},\ \overline{QR}=\frac{1}{2}\overline{AB},\ \overline{PR}=\frac{1}{2}\overline{BC}$$

➡ (△PQR의 둘레의 길이)
$$=\overline{PQ}+\overline{QR}+\overline{PR}$$
$$=\frac{1}{2}(\overline{AC}+\overline{AB}+\overline{BC})$$
$$=\frac{1}{2}\times(\triangle ABC의\ 둘레의\ 길이)$$

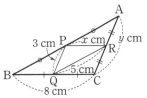

**04** 오른쪽 그림의 △ABC에서 세 점 P, Q, R가 각각 $\overline{AB}$, $\overline{BC}$, $\overline{AC}$의 중점일 때, 다음을 구하시오.

(1) $x$의 값

(2) $y$의 값

(3) △ABC의 둘레의 길이

**05** 다음 그림의 △ABC에서 세 점 P, Q, R가 각각 $\overline{AB}$, $\overline{BC}$, $\overline{AC}$의 중점일 때, △PQR의 둘레의 길이를 구하시오.

(1)

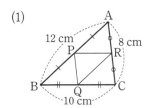

(2)

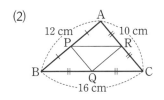

**06** 다음 그림의 △ABC에서 세 점 P, Q, R가 각각 $\overline{AB}$, $\overline{BC}$, $\overline{AC}$의 중점일 때, △ABC의 둘레의 길이를 구하시오.

(1)

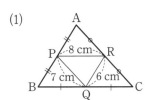

(2)

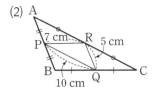

**07** 다음 그림에서 □EFGH의 둘레의 길이를 구하시오.

(1)

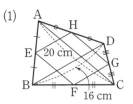

(2)

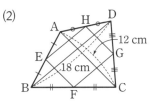

## 3. 사다리꼴의 두 변의 중점을 연결한 선분의 성질

$\overline{AD}\,/\!/\,\overline{BC}$인 사다리꼴 ABCD에서 $\overline{AB}$, $\overline{DC}$의 중점을 각각 M, N이라 하면

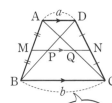

(1) $\overline{AD}\,/\!/\,\overline{MN}\,/\!/\,\overline{BC}$

(2) $\overline{MN}=\overline{MP}+\overline{PN}$
$$=\frac{1}{2}a+\frac{1}{2}b$$
$$=\frac{1}{2}(a+b)$$

$$\overline{MP}=\overline{QN}=\frac{1}{2}\overline{AD}=\frac{1}{2}a$$
$$\overline{MQ}=\overline{PN}=\frac{1}{2}\overline{BC}=\frac{1}{2}b$$

(3) $\overline{PQ}=\overline{MQ}-\overline{MP}=\frac{1}{2}b-\frac{1}{2}a=\frac{1}{2}(b-a)$

**08** 다음은 사다리꼴 ABCD에서 $\overline{AD} /\!/ \overline{BC}$이고 점 M, N은 각각 $\overline{AB}$, $\overline{DC}$의 중점일 때, $x$, $y$의 값을 구하는 과정이다. □ 안에 알맞은 것을 써넣으시오.

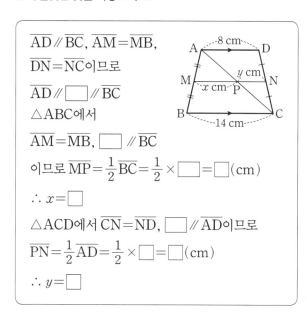

$\overline{AD} /\!/ \overline{BC}$, $\overline{AM}=\overline{MB}$,
$\overline{DN}=\overline{NC}$이므로
$\overline{AD} /\!/ \boxed{\phantom{..}} /\!/ \overline{BC}$
△ABC에서
$\overline{AM}=\overline{MB}$, $\boxed{\phantom{..}} /\!/ \overline{BC}$
이므로 $\overline{MP}=\dfrac{1}{2}\overline{BC}=\dfrac{1}{2}\times\boxed{\phantom{..}}=\boxed{\phantom{..}}$ (cm)
$\therefore x=\boxed{\phantom{..}}$
△ACD에서 $\overline{CN}=\overline{ND}$, $\boxed{\phantom{..}} /\!/ \overline{AD}$이므로
$\overline{PN}=\dfrac{1}{2}\overline{AD}=\dfrac{1}{2}\times\boxed{\phantom{..}}=\boxed{\phantom{..}}$ (cm)
$\therefore y=\boxed{\phantom{..}}$

**09** 다음 그림의 사다리꼴 ABCD에서 $\overline{AD} /\!/ \overline{BC}$이고 점 M, N은 각각 $\overline{AB}$, $\overline{DC}$의 중점일 때, $x$, $y$의 값을 각각 구하시오.

(1)
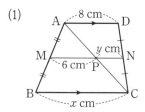

(2)
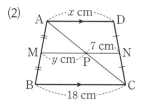

**10** 다음 그림의 사다리꼴 ABCD에서 $\overline{AD} /\!/ \overline{BC}$이고 점 M, N은 각각 $\overline{AB}$, $\overline{DC}$의 중점일 때, $x$의 값을 구하시오.

(1)
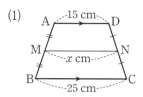

(2)
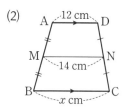

쌤 Tip
대각선을 그어봐.

**11** 다음은 사다리꼴 ABCD에서 $\overline{AD} /\!/ \overline{BC}$이고 점 M, N은 각각 $\overline{AB}$, $\overline{DC}$의 중점일 때, $x$의 값을 구하는 과정이다. □ 안에 알맞은 것을 써넣으시오.

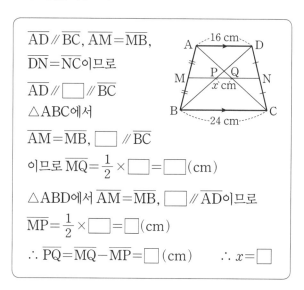

$\overline{AD} /\!/ \overline{BC}$, $\overline{AM}=\overline{MB}$,
$\overline{DN}=\overline{NC}$이므로
$\overline{AD} /\!/ \boxed{\phantom{..}} /\!/ \overline{BC}$
△ABC에서
$\overline{AM}=\overline{MB}$, $\boxed{\phantom{..}} /\!/ \overline{BC}$
이므로 $\overline{MQ}=\dfrac{1}{2}\times\boxed{\phantom{..}}=\boxed{\phantom{..}}$ (cm)
△ABD에서 $\overline{AM}=\overline{MB}$, $\boxed{\phantom{..}} /\!/ \overline{AD}$이므로
$\overline{MP}=\dfrac{1}{2}\times\boxed{\phantom{..}}=\boxed{\phantom{..}}$ (cm)
$\therefore \overline{PQ}=\overline{MQ}-\overline{MP}=\boxed{\phantom{..}}$ (cm)　　$\therefore x=\boxed{\phantom{..}}$

**12** 다음 그림의 사다리꼴 ABCD에서 $\overline{AD} /\!/ \overline{BC}$이고 점 M, N은 각각 $\overline{AB}$, $\overline{DC}$의 중점일 때, $x$의 값을 구하시오.

(1)
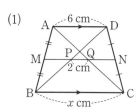

(2)
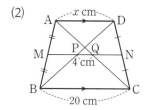

**01** 오른쪽 그림과 같은 △ABC에서 $\overline{AM}=\overline{MB}$, $\overline{MN}/\!/\overline{BC}$이고 $\overline{AN}=4$ cm, $\overline{BC}=10$ cm일 때, $x+y$의 값을 구하시오.

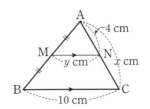

**02** 오른쪽 그림과 같은 △ABC에서 $\overline{AB}$의 중점 M을 지나고 $\overline{BC}$에 평행한 직선이 $\overline{AC}$와 만나는 점을 N이라 할 때, $x$의 값을 구하시오.

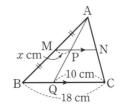

△ABQ에서
$\overline{AM}=\overline{MB}$, $\overline{BQ}/\!/\overline{MP}$임을 이용한다.

**03** 오른쪽 그림과 같이 △ABC에서 $\overline{AB}$, $\overline{BC}$, $\overline{CA}$의 중점을 각각 P, Q, R라 하자. △PQR의 둘레의 길이가 12 cm일 때, △ABC의 둘레의 길이를 구하시오.

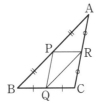

**04** 오른쪽 그림과 같이 $\overline{AD}/\!/\overline{BC}$인 등변사다리꼴 ABCD의 각 변의 중점을 연결한 사각형 EFGH의 둘레의 길이를 구하시오.

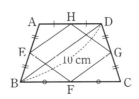

등변사다리꼴의 두 대각선의 길이가 같음을 이용한다.

**05** 오른쪽 그림과 같이 $\overline{AD}/\!/\overline{BC}$인 사다리꼴 ABCD에서 $\overline{AB}$, $\overline{DC}$의 중점을 각각 M, N이라 할 때, $x+y$의 값을 구하시오.

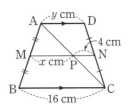

## 1. 삼각형의 내각의 이등분선 up+

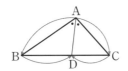

△ABC에서 ∠A의 이등분선이 $\overline{BC}$와 만나는 점을 D라 하면

➡ $\overline{AB} : \overline{AC} = \overline{BD} : \overline{CD}$

**01** 다음은 '△ABC에서 ∠A의 이등분선이 $\overline{BC}$와 만나는 점을 D라 할 때, $\overline{AB} : \overline{AC} = \overline{BD} : \overline{CD}$이다.'를 설명하는 과정이다. □ 안에 알맞은 것을 써넣으시오.

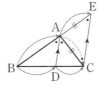

△BCE에서 $\overline{AD}$ // $\overline{EC}$
이므로
$\overline{AB} : \overline{AE} = \overline{BD} : \overline{DC}$
△ACE는 이등변삼각형이
므로 $\overline{AC}$ = □    ∴ $\overline{AB} : □ = \overline{BD} : \overline{CD}$

**02** 다음 그림과 같은 △ABC에서 $\overline{AD}$가 ∠A의 이등분선일 때, $x$의 값을 구하시오.

(1)
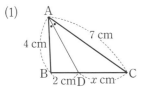

(2)
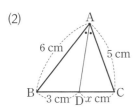

(3)
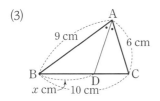

(4)
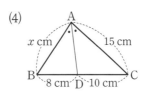

(5)
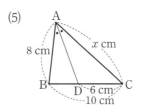

(6)
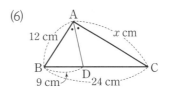

**03** 아래 그림과 같은 △ABC에서 $\overline{AD}$가 ∠A의 이등분선일 때, 다음에 답하시오.

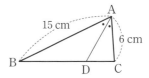

(1) $\overline{BD} : \overline{CD}$를 가장 간단한 자연수의 비로 나타내시오.

(2) △ABD와 △ACD의 넓이의 비를 구하시오.

**쌤 Tip**

△ABD와 △ACD의 높이가 같으므로 넓이의 비는 밑변의 길이의 비와 같아.

(3) △ACD=18 cm²일 때, △ABD의 넓이를 구하시오.

(4) △ABC=35 cm²일 때, △ACD의 넓이를 구하시오.

## 2. 삼각형의 외각의 이등분선

△ABC에서 ∠A의 외각의
이등분선이 $\overline{BC}$의 연장선과
만나는 점을 D라 하면

➡ $\overline{AB} : \overline{AC} = \overline{BD} : \overline{CD}$

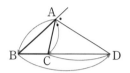

**04** 다음은 '△ABC에서 ∠A의 외각의 이등분선이 $\overline{BC}$의 연장선과 만나는 점을 D라 하면 $\overline{AB} : \overline{AC} = \overline{BD} : \overline{CD}$이다.'를 설명하는 과정이다. □ 안에 알맞은 것을 써넣으시오.

△BDA에서
$\overline{EC} /\!/ \overline{AD}$이므로
$\overline{BA} : \overline{AE} = \overline{BD} : \overline{CD}$
△AEC는 이등변삼각형이므로 $\overline{AE} = \boxed{\phantom{x}}$
∴ $\overline{AB} : \boxed{\phantom{x}} = \overline{BD} : \overline{CD}$

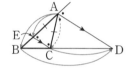

**05**  다음 그림과 같은 △ABC에서 ∠A의 외각의 이등분선과 $\overline{BC}$의 연장선의 교점을 D라 할 때, $x$의 값을 구하시오.

(1)
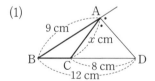

(2)
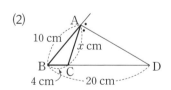

(3)
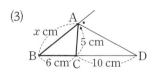

(4)
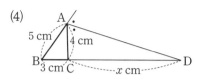

(5)
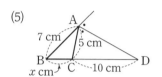

(6)
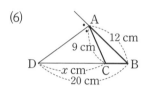

**06** 아래 그림과 같은 △ABC에서 ∠A의 외각의 이등분선과 $\overline{BC}$의 연장선의 교점을 D라 할 때, 다음에 답하시오.

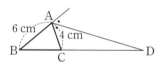

(1) $\overline{BD} : \overline{CD}$를 가장 간단한 자연수의 비로 나타내시오.

(2) △ABD와 △ACD의 넓이의 비를 구하시오.

(3) △ABD=60 cm²일 때, △ACD의 넓이를 구하시오.

(4) △ACD=18 cm²일 때, △ABD의 넓이를 구하시오.

**01** 오른쪽 그림과 같은 △ABC에서 $\overline{AD}$가 ∠A의 이등분선일 때, $x$의 값을 구하시오.

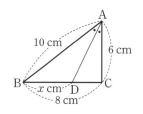

**02** 오른쪽 그림과 같은 △ABC에서 $\overline{AD}$는 ∠A의 이등분선이다. $\overline{AB}=8$ cm, $\overline{AC}=6$ cm이고, △ABD의 넓이가 $24$ cm²일 때, △ADC의 넓이를 구하시오.

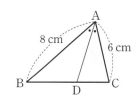

$\overline{BD}:\overline{CD}$를 이용하여 △ADC의 넓이를 구한다.

**03** 오른쪽 그림과 같은 △ABC에서 $\overline{AD}$가 ∠A의 외각의 이등분선일 때, $x$의 값을 구하시오.

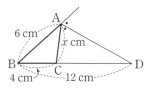

**04** 오른쪽 그림과 같은 △ABC에서 $\overline{AD}$가 ∠A의 외각의 이등분선이고 △ABC의 넓이가 $12$ cm²일 때, △ABD의 넓이를 구하시오.

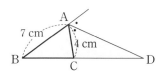

△ABD의 넓이를 $x$ cm²로 두고 비례식을 이용하여 푼다.

## 1. 평행선 사이의 선분의 길이의 비 <sup>up+</sup>

평행한 세 직선이 다른 두 직선과 만날 때, 평행선 사이의 선분의 길이의 비는 같다. 즉,

$l /\!/ m /\!/ n$일 때 ➡ $a : b = c : d$ (또는 $a : c = b : d$)

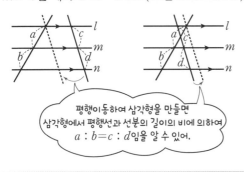

평행이동하여 삼각형을 만들면 삼각형에서 평행선과 선분의 길이의 비에 의하여 $a : b = c : d$임을 알 수 있어.

**01** 다음은 $l /\!/ m /\!/ n$일 때, $x$의 값을 구하는 과정이다. □ 안에 알맞은 수를 써넣으시오.

$4 : 8 = x : \square$,

즉 $1 : 2 = x : \square$

이므로 $2x = \square$

∴ $x = \square$

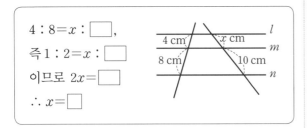

**⭐02** 다음 그림에서 $l /\!/ m /\!/ n$일 때, $x$의 값을 구하시오.

(1)
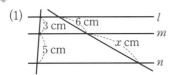

(2)
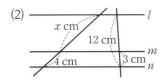

(3)
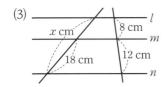

**03** 다음 그림에서 $l /\!/ m /\!/ n$일 때, $x$의 값을 구하시오.

(1)
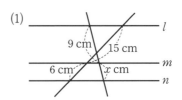

(2)
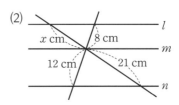

(3)
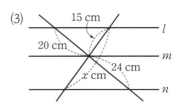

(4)
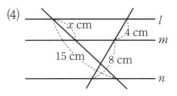

**04** 다음 그림에서 $k /\!/ l /\!/ m /\!/ n$일 때, $x$, $y$의 값을 각각 구하시오.

(1)
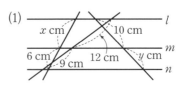

(2)
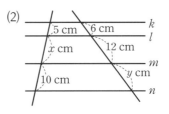

## 2. 사다리꼴에서 평행선과 선분의 길이의 비

$\overline{AD} /\!/ \overline{BC}$인 사다리꼴 ABCD에서 $\overline{EF} /\!/ \overline{BC}$일 때, $\overline{EF}$의 길이를 다음과 같은 방법으로 구할 수 있다.

[방법 1] 평행선 긋기
△ABH에서
$\overline{EG} : \overline{BH} = m : (m+n)$
□AGFD, □GHCF가 평행
사변형이므로
$\overline{GF} = \overline{HC} = \overline{AD} = a$
➡ $\overline{EF} = \overline{EG} + \overline{GF}$

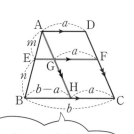

보조선을 그어 삼각형을 만들면 삼각형에서 평행선과 선분의 길이의 비를 이용할 수 있어.

[방법 2] 대각선 긋기
△ABC에서
$\overline{EG} : \overline{BC} = m : (m+n)$
△ACD에서
$\overline{GF} : \overline{AD} = n : (m+n)$
➡ $\overline{EF} = \overline{EG} + \overline{GF}$

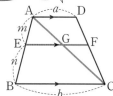

**05** 오른쪽 그림과 같은 사다리꼴에서 $\overline{AD} /\!/ \overline{EF} /\!/ \overline{BC}$, $\overline{AH} /\!/ \overline{DC}$이고 점 G는 $\overline{AH}$와 $\overline{EF}$의 교점일 때, 다음을 구하시오.

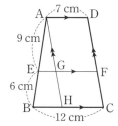

(1) $\overline{GF}$의 길이

(2) $\overline{BH}$의 길이

(3) $\overline{EG}$의 길이

(4) $\overline{EF}$의 길이

**06** 다음 그림과 같은 사다리꼴 ABCD에서 $\overline{AD} /\!/ \overline{EF} /\!/ \overline{BC}$일 때, $\overline{EF}$의 길이를 구하시오.

(1)
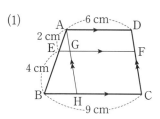

(2)
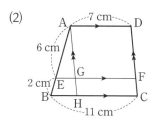

(3)
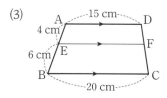

평행선을 직접 그어서 $\overline{EF}$의 길이를 구해봐.

**07** 오른쪽 그림과 같은 사다리꼴 ABCD에서 $\overline{AD} /\!/ \overline{EF} /\!/ \overline{BC}$이고 점 G는 $\overline{AC}$와 $\overline{EF}$의 교점일 때, 다음을 구하시오.

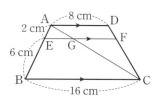

(1) $\overline{EG}$의 길이

(2) $\overline{GF}$의 길이

(3) $\overline{EF}$의 길이

**08** 다음 그림과 같은 사다리꼴 ABCD에서 $\overline{AD} /\!/ \overline{EF} /\!/ \overline{BC}$일 때, $\overline{EF}$의 길이를 구하시오.

(1)
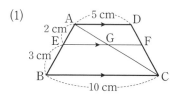

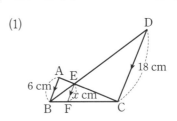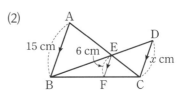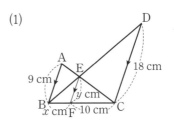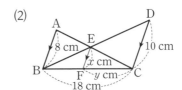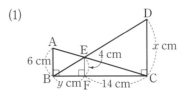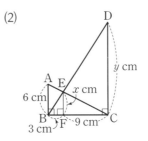

(2)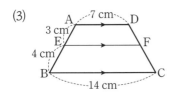

(3)

**쌤 Tip** 대각선을 그어서 $\overline{EF}$의 길이를 구해봐.

---

**3.** 평행선과 선분의 길이의 비의 응용 up+

$\overline{AC}$와 $\overline{BD}$의 교점을 E라 할 때, $\overline{AB}/\!/\overline{EF}/\!/\overline{DC}$이면 △ABE∽△CDE (AA 닮음)
이므로 $\overline{BE}:\overline{ED}=a:b$

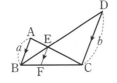

(1) △BEF∽△BDC (AA 닮음)이므로

$\overline{EF}:\overline{DC}=\overline{BE}:\overline{BD}=a:(a+b)$에서

$\overline{EF}:b=a:(a+b)\Rightarrow \overline{EF}=\dfrac{ab}{a+b}$

(2) $\overline{BF}:\overline{FC}=\overline{BE}:\overline{ED}=a:b$

---

**09** 다음은 $\overline{AB}/\!/\overline{EF}/\!/\overline{CD}$일 때, $x$의 값을 구하는 과정이다. □ 안에 알맞은 것을 써넣으시오.

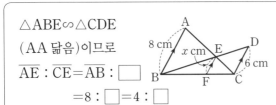

△ABE∽△CDE
(AA 닮음)이므로
$\overline{AE}:\overline{CE}=\overline{AB}:□$
$=8:□=4:□$
즉, $\overline{AC}:\overline{EC}=□:3$
△ABC∽△EFC (AA 닮음)이므로
$\overline{AB}:\overline{EF}=\overline{AC}:□$
$8:x=□:3,\ □x=24$　∴ $x=□$

---

**10** 다음 그림에서 $\overline{AB}/\!/\overline{EF}/\!/\overline{CD}$일 때, $x$의 값을 구하시오.

(1)

(2)

**11** 다음 그림에서 $\overline{AB}/\!/\overline{EF}/\!/\overline{CD}$일 때, $x$, $y$의 값을 각각 구하시오.

(1)

(2)

**12** 다음 그림에서 $\overline{AB}$, $\overline{EF}$, $\overline{CD}$는 모두 $\overline{BC}$와 수직일 때, $x$, $y$의 값을 각각 구하시오.

(1)

(2)

**01** 오른쪽 그림에서 $l /\!/ m /\!/ n$일 때, $x+y$의 값을 구하시오.

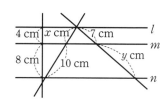

**02** 오른쪽 그림에서 $k /\!/ l /\!/ m /\!/ n$일 때, $x-y$의 값을 구하시오.

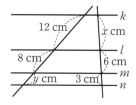

네 평행선 중에서 $x$, $y$의 값을 구할 수 있는 적당한 세 평행선을 각각 이용한다.

**03** 오른쪽 그림과 같은 사다리꼴 ABCD에서 $\overline{AD} /\!/ \overline{EF} /\!/ \overline{BC}$일 때, $x$, $y$의 값을 각각 구하시오.

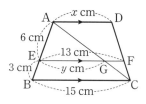

△ABC에서 $y$의 값을 먼저 구한다.

**04** 오른쪽 그림에서 $\overline{AB} /\!/ \overline{EF} /\!/ \overline{CD}$일 때, $x$의 값을 구하시오.

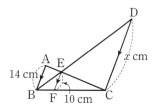

## 1. 삼각형의 중선

(1) 삼각형의 중선: 삼각형의 한 꼭짓점과 그 대변의 중점을 이은 선분 ➡ $\overline{AD}$

(2) 삼각형의 중선과 넓이: 삼각형의 한 중선은 그 삼각형의 넓이를 이등분한다.

$$\triangle ABD = \triangle ADC$$

➡ $\triangle ABC$에서 $\overline{BD} = \overline{DC}$이면

$$\triangle ABD = \triangle ADC = \frac{1}{2}\triangle ABC$$

**01** 다음 그림에서 $\overline{AD}$가 $\triangle ABC$의 중선일 때, $x$의 값을 구하시오.

(1)
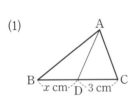

(2)
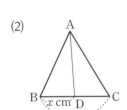

(3)
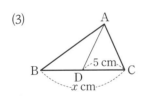

**02** 다음 그림에서 $\overline{AD}$가 $\triangle ABC$의 중선이고 $\triangle ABC = 12\ cm^2$일 때, 색칠한 부분의 넓이를 구하시오. (단, 점 E는 $\overline{AD}$의 중점이다.)

(1)
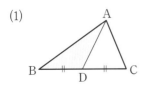

(2)
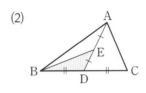

$\triangle EBD = \frac{1}{2}\triangle ABD$

(3)
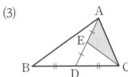

## 2. 삼각형의 무게중심

(1) 삼각형의 무게중심: 삼각형의 세 중선의 교점 ➡ 점 G

(2) 삼각형의 무게중심의 성질

① 삼각형의 세 중선은 한 점(무게중심)에서 만난다.

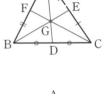

② 삼각형의 무게중심은 세 중선의 길이를 각 꼭짓점으로부터 각각 2 : 1로 나눈다.

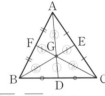

➡ $\overline{AG} : \overline{GD} = \overline{BG} : \overline{GE} = \overline{CG} : \overline{GF} = 2 : 1$

**03** 다음 그림에서 점 G는 $\triangle ABC$의 무게중심일 때, $x$의 값을 구하시오.

(1)
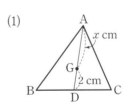

(2)
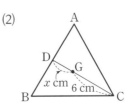

(3)
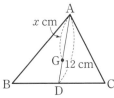

(4)
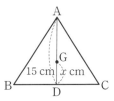

(5)
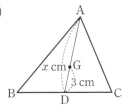

(6)
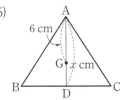

쌤 Tip
$\overline{AG} = \dfrac{2}{3}\overline{AD}$, $\overline{GD} = \dfrac{1}{3}\overline{AD}$

**04** 다음 그림에서 점 G는 △ABC의 무게중심일 때, $x$, $y$의 값을 각각 구하시오.

(1)
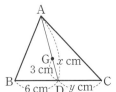

(2)
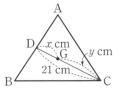

(3)
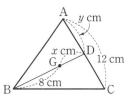

(4)
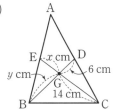

**05** 다음 그림에서 점 G는 △ABC의 무게중심이고, 점 G′은 △GBC의 무게중심일 때, $x$의 값을 구하시오.

(1)
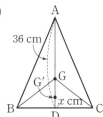

(2)
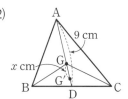

(3)
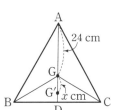

쌤 Tip
점 G가 △ABC의 무게중심임을 이용하여 $\overline{GD}$의 길이를 구하고,
점 G′이 △GBC의 무게중심임을 이용하여 $\overline{GG'}$ 또는 $\overline{G'D}$의 길이
를 구해봐.

힘수 만점

**01** 오른쪽 그림에서 점 D는 $\overline{BC}$의 중점이고, 점 M은 $\overline{AD}$의 중점이다. △AMC의 넓이가 $15\ cm^2$일 때, △ABC의 넓이를 구하시오.

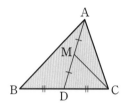

점 M이 $\overline{AD}$의 중점이므로 △AMC와 △MDC는 밑변의 길이와 높이가 각각 같다.

**02** 오른쪽 그림에서 점 G가 △ABC의 무게중심일 때, 다음 중 옳지 않은 것은?

① $\overline{AG}=2\overline{GD}$      ② $\overline{CG}=\dfrac{1}{2}\overline{CF}$

③ $\overline{GE}=\dfrac{1}{3}\overline{BE}$      ④ △ABE＝△BCE

⑤ △ABD＝$\dfrac{1}{2}$△ABC

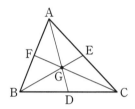

**03** 오른쪽 그림에서 점 G가 △ABC의 무게중심일 때, $2a+b$의 값을 구하시오.

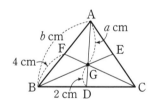

**04** 오른쪽 그림에서 두 점 G, G'은 각각 △ABC, △GBC의 무게중심이다. $\overline{GG'}=18\ cm$일 때, $\overline{AD}$의 길이를 구하시오.

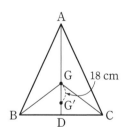

점 G'이 △GBC의 무게중심임을 이용하여 $\overline{GD}$의 길이를 먼저 구한다.

## 1. 삼각형의 무게중심과 넓이 <sup>up+</sup>

점 G가 △ABC의 무게중심일 때

(1) △GAF=△GFB
　　=△GBD=△GDC
　　=△GCE=△GEA
　　=$\frac{1}{6}$△ABC

(2) △GAB=△GBC
　　　　=△GCA
　　　　=$\frac{1}{3}$△ABC

①=②=③=④=⑤
=⑥=$\frac{1}{6}$△ABC

**01** 다음 그림에서 점 G는 △ABC의 무게중심이고
△ABC=24 cm²일 때, 색칠한 부분의 넓이를 구하시오.

(1)

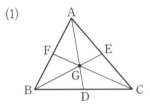

(2)

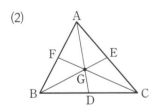

(3)

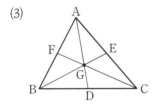

(4)

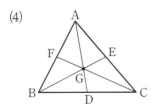

(5)

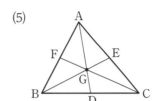

**02** 다음 그림에서 점 G는 △ABC의 무게중심이고
△GDC=5 cm²일 때, 색칠한 부분의 넓이를 구하시오.

(1)

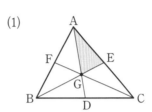

(2)

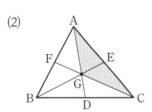

(3)

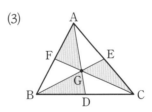

(4)

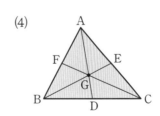

## 2. 평행사변형에서 삼각형의 무게중심의 활용

평행사변형 ＡＢＣＤ에서 $\overline{BC}$, $\overline{DC}$의 중점을 각각 M, N, $\overline{BD}$가 $\overline{AM}$과 $\overline{AN}$과 만나는 점을 각각 P, Q라고 하면

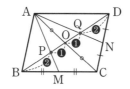

(1) 두 점 P, Q는 각각 △ABC, △ACD의 무게중심이다. → $\overline{AO}=\overline{CO}$이므로 $\overline{BO}$는 △ABC의 중선, $\overline{DO}$는 △ACD의 중선

(2) $\overline{BP}:\overline{PO}=\overline{DQ}:\overline{QO}=2:1$ $\overline{BO}=\overline{DO}$이므로

➡ $\overline{BP}=\overline{PQ}=\overline{QD}=\dfrac{1}{3}\overline{BD}$

(3) △ABP=△APQ=△AQD $=\dfrac{1}{3}$△ABD$=\dfrac{1}{6}$□ABCD

**03** 오른쪽 그림과 같은 평행사변형 ABCD에서 $\overline{BC}$, $\overline{CD}$의 중점을 각각 M, N이라고 할 때, 다음을 구하시오.

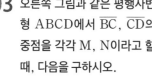

(1) $\overline{BO}$의 길이

(2) $\overline{BP}$의 길이

(3) $\overline{PO}$의 길이

(4) $\overline{PQ}$의 길이

**04** 다음 그림과 같은 평행사변형 ABCD에서 $x$의 값을 구하시오.

(1)
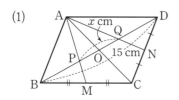

(2)
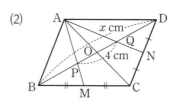

(3)
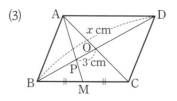

(4)
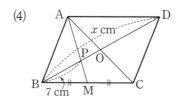

**05** 오른쪽 그림과 같은 평행사변형 ABCD에서 $\overline{BC}$, $\overline{CD}$의 중점을 각각 M, N이라고 한다. □ABCD의 넓이가 $24\ \text{cm}^2$일 때, 다음을 구하시오.

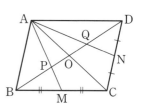

(1) $\overline{BP}:\overline{PO}$

(2) $\overline{DQ}:\overline{QO}$

(3) $\overline{BP}:\overline{PQ}:\overline{QD}$

(4) △ABO의 넓이

(5) △ABP의 넓이

(6) △APO의 넓이

(7) △APQ의 넓이

**06** 다음 그림과 같은 평행사변형 ABCD에서 $\overline{BC}$, $\overline{CD}$의 중점을 각각 M, N이라고 한다. △ABP＝12 cm²일 때, 색칠한 부분의 넓이를 구하시오.

(1)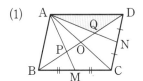

(2)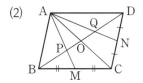

(3)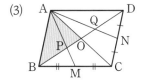

(4)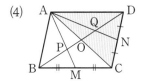

**07** 다음 그림과 같은 평행사변형 ABCD에서 $\overline{BC}$, $\overline{CD}$의 중점을 각각 M, N이라고 한다. □ABCD의 넓이가 48 cm²일 때, 색칠한 부분의 넓이를 구하시오.

(1)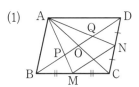

(2)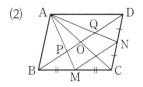

(3)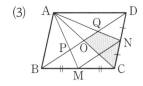

(4)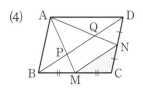

(5)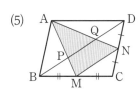

**01** 오른쪽 그림에서 점 G는 △ABC의 무게중심이다. △ABC의 넓이가 $18 \text{ cm}^2$일 때, □AFGE의 넓이를 구하시오.

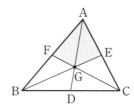

**02** 오른쪽 그림에서 두 점 G, G′은 각각 △ABC, △GBC의 무게중심이다. △GBG′$=6 \text{ cm}^2$일 때, △ABC의 넓이를 구하시오.

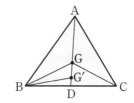

먼저 △GBC의 넓이를 구한다.

**03** 오른쪽 그림과 같은 평행사변형 ABCD에서 $\overline{BC}$, $\overline{CD}$의 중점을 각각 M, N이라고 할 때, $x$의 값을 구하시오.

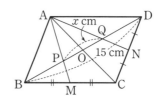

**04** 오른쪽 그림과 같은 평행사변형 ABCD에서 $\overline{CD}$의 중점을 M이라고 한다. □ABCD의 넓이가 $60 \text{ cm}^2$일 때, △AOP의 넓이를 구하시오.

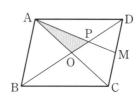

$\triangle AOP = \dfrac{1}{6} \triangle ACD$

$\triangle ACD = \dfrac{1}{2} \square ABCD$

## 24강 •••• 도형에서의 닮음비

정답과 해설 _ p.32

**1.** 닮은 두 평면도형의 둘레의 길이의 비와 넓이의 비 ⓤⓟ⁺

닮은 두 평면도형의 닮음비가 $m : n$이면

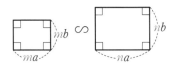

(1) 둘레의 길이의 비

➡ $2m(a+b) : 2n(a+b) = m : n$ ←닮음비와 같다.

(2) 넓이의 비

➡ $m^2ab : n^2ab = m^2 : n^2$

| 닮음비가 $m:n$이면 | ➡ | 둘레의 길이의 비는 $m:n$ |
|---|---|---|
| | ➡ | 넓이의 비는 $m^2:n^2$ |

 아래 그림에서 □ABCD∽□EFGH일 때, 다음을 구하시오.

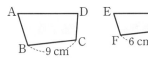

(1) □ABCD와 □EFGH의 닮음비

(2) □ABCD와 □EFGH의 둘레의 길이의 비

(3) □ABCD와 □EFGH의 넓이의 비

(4) □ABCD의 둘레의 길이가 30 cm일 때, □EFGH의 둘레의 길이

(5) □ABCD의 넓이가 54 cm²일 때, □EFGH의 넓이

**02** 오른쪽 그림과 같은 두 원 O, O'의 반지름의 길이의 비가 1 : 3일 때, 다음을 구하시오.

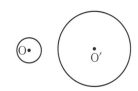

(1) 두 원 O, O'의 닮음비

(2) 두 원 O, O'의 둘레의 길이의 비

(3) 두 원 O, O'의 넓이의 비

(4) 원 O의 둘레의 길이가 6 cm일 때, 원 O'의 둘레의 길이

(5) 원 O'의 넓이가 54 cm²일 때, 원 O의 넓이

**03** 오른쪽 그림의 △ABC에서 $\overline{BC}$∥$\overline{DE}$이고 △ABC의 넓이가 48 cm²일 때, 다음을 구하시오.

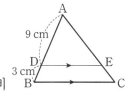

(1) △ADE와 △ABC의 닮음비

(2) △ADE와 △ABC의 넓이의 비

(3) △ADE의 넓이

(4) □DBCE의 넓이

쌤Tip

□DBCE=△ABC−△ADE

**04** 아래 그림의 △ABC에서 $\overline{BC}$∥$\overline{DE}$일 때, 다음을 구하시오.

(1) △ABC=40 cm²일 때, △ADE의 넓이

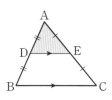

(2) △ADE=18 cm²일 때, □DBCE의 넓이

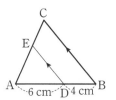

## 2. 닮은 두 입체도형의 겉넓이의 비와 부피의 비 <sup>up+</sup>

닮은 두 입체도형의 닮음비가 $m:n$이면

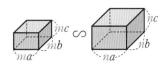

(1) 겉넓이의 비

➡ $2m^2(ab+bc+ca) : 2n^2(ab+bc+ca)$
  $=m^2:n^2$

(2) 부피의 비

➡ $m^3abc : n^3abc = m^3:n^3$

| 닮음비가 $m:n$이면 | ➡ | 겉넓이의 비는 $m^2:n^2$ |
| | ➡ | 부피의 비는 $m^3:n^3$ |

**05** 아래 그림과 같은 두 삼각뿔 P, Q가 닮은 도형일 때, 다음을 구하시오.

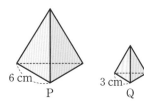

(1) 두 삼각뿔 P, Q의 닮음비

(2) 두 삼각뿔 P, Q의 겉넓이의 비

(3) 두 삼각뿔 P, Q의 부피의 비

(4) 삼각뿔 P의 겉넓이가 84 cm²일 때, 삼각뿔 Q의 겉넓이

(5) 삼각뿔 Q의 부피가 8 cm³일 때, 삼각뿔 P의 부피

**06** 아래 그림과 같은 두 원기둥 P, Q가 닮은 도형일 때, 다음을 구하시오.

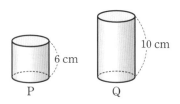

(1) 두 원기둥 P, Q의 닮음비

(2) 두 원기둥 P, Q의 밑면의 둘레의 길이의 비

(3) 두 원기둥 P, Q의 겉넓이의 비

(4) 두 원기둥 P, Q의 부피의 비

(5) 원기둥 Q의 겉넓이가 100 cm²일 때, 원기둥 P의 겉넓이

(6) 원기둥 P의 부피가 27 cm³일 때, 원기둥 Q의 부피

**07** 다음 그림과 같은 두 입체도형 P, Q가 닮은 도형일 때, 두 도형 P, Q의 겉넓이의 비와 부피의 비를 구하시오.

(1)

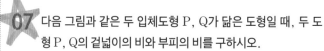

➡ 겉넓이의 비:
  부피의 비:

(2)

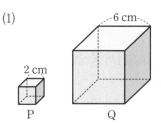

➡ 겉넓이의 비:
  부피의 비:

(3)

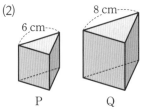

➡ 겉넓이의 비:
  부피의 비:

**01** 다음 그림에서 △ABC∽△DEF이고, △DEF의 둘레의 길이가 25 cm일 때, △ABC의 둘레의 길이를 구하시오.

닮은 도형의 둘레의 길이의 비는 닮음비와 같음을 이용한다.

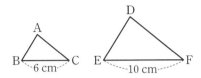

**02** 오른쪽 그림의 △ABC에서 $\overline{BC}$ // $\overline{DE}$이고 △ABC의 넓이가 48 cm²일 때, □BCED의 넓이를 구하시오.

□BCED
=△ABC−△ADE

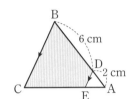

**03** 다음 그림과 같은 두 삼각기둥 P, Q가 닮은 도형이고, 삼각기둥 P의 겉넓이가 80 cm²일 때, 삼각기둥 Q의 겉넓이를 구하시오.

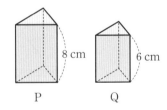

**04** 두 사각뿔의 부피의 비가 8 : 125일 때, 두 사각뿔의 겉넓이의 비는?

부피의 비로부터 닮음비를 구한 다음 겉넓이의 비를 구한다.

① 2 : 5        ② 2 : 15        ③ 4 : 5

④ 4 : 25        ⑤ 8 : 25

**05** 지름의 길이가 12 cm인 구 모양의 쇠구슬 1개를 녹여 지름의 길이가 2 cm인 구 모양의 쇠구슬을 만들려고 할 때, 최대 몇 개를 만들 수 있는지 구하시오.

두 쇠구슬의 부피의 비를 이용한다.

# 25강 •••• 닮음의 활용

## 1. 닮음의 활용 (1)

닮음을 이용하여 사물의 길이를 구하는 문제는 다음과 같은 순서로 해결할 수 있다.

❶ 닮은 두 도형을 찾는다.

❷ 닮음비를 구한다.

❸ 비례식을 이용하여 사물의 길이를 구한다.

> 실생활에서 측정이 어려운 높이 또는 거리 등은 닮음을 이용하여 구할 수 있어.

**01** 키가 1.5 m인 진서가 운동장에 있는 나무의 높이를 재기 위하여 아래 그림과 같이 나무의 그림자 끝과 자신의 그림자 끝이 일치하도록 섰다. $\overline{AB}=3$ m, $\overline{BD}=5$ m일 때, 다음에 답하시오.

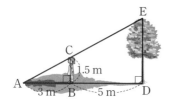

(1) △ABC와 닮은 삼각형을 찾고, 닮음비를 구하시오.

(2) 나무의 높이를 구하시오.

**02** 다음 그림과 같이 시계탑의 높이를 구하기 위하여 시계탑에서 8 m 떨어진 지점 B에 길이가 1 m인 막대를 세웠더니 그 그림자의 끝이 시계탑의 그림자의 끝 A와 일치하였다. 두 지점 A, B 사이의 거리가 2 m일 때, 시계탑의 높이를 구하시오.

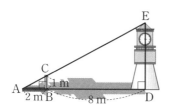

**03** 다음 그림과 같이 길이가 0.6 m인 막대와 농구대의 그림자의 길이를 같은 시각에 재었더니 각각 0.8 m, 4 m이었다. 농구대의 높이는 몇 m인지 구하시오.

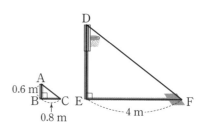

**04** 다음 그림과 같이 길이가 1 m인 막대와 전망대의 그림자의 길이를 같은 시각에 재었더니 각각 100 m, 0.8 m이었다. 전망대의 높이를 구하시오.

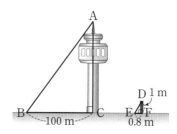

**05** 다음 그림은 강의 양쪽의 두 지점 A, B 사이의 거리를 알기 위해 측량하여 얻은 값이다. 이때 강의 폭 $\overline{AB}$의 길이를 구하시오.

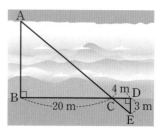

## 2. 닮음의 활용 (2)

(1) **축도**: 어떤 도형을 일정한 비율로 줄인 그림

(2) **축척**: 축도에서의 길이와 실제
    길이의 비율

① $(축척) = \dfrac{(축도에서의\ 거리)}{(실제\ 거리)}$

② $(축도에서의\ 거리) = (실제\ 거리) \times (축척)$

③ $(실제\ 거리) = \dfrac{(축도에서의\ 거리)}{(축척)}$

**06** 다음은 실제 거리가 100 m인 두 지점 사이의 거리가 5 cm인 지도의 축척을 구하는 과정이다. □ 안에 알맞은 수를 써넣으시오.

$$(축척) = \frac{(축도에서의\ 거리)}{(실제\ 거리)}$$

$$= \frac{\square\ cm}{100\ m} = \frac{\square\ cm}{\boxed{\phantom{xx}}\ cm} = \frac{1}{\boxed{\phantom{xx}}}$$

단위가 서로 다를 때는 통일한다.

**07** 다음과 같은 지도의 축척을 구하시오.

(1) 실제 거리가 80 m인 두 지점 사이의 거리를 4 cm로 나타낸 지도

(2) 실제 거리가 150 m인 두 지점 사이의 거리를 3 cm로 나타낸 지도

(3) 실제 거리가 4 km인 두 지점 사이의 거리를 10 cm로 나타낸 지도

(4) 실제 거리가 3 km인 두 지점 사이의 거리를 6 cm로 나타낸 지도

**08** 다음은 축척이 $\dfrac{1}{1000}$인 지도에서의 거리가 2 cm인 두 지점 사이의 실제 거리를 구하는 과정이다. □ 안에 알맞은 수를 써넣으시오.

$$(실제\ 거리)$$

$$= \frac{(지도에서의\ 거리)}{(축척)}$$

$$= \square\ (cm) \div \frac{1}{\boxed{\phantom{xx}}} = \square\ (cm) \times \boxed{\phantom{xx}}$$

$$= \boxed{\phantom{xx}}\ (cm) = \boxed{\phantom{xx}}\ (m)$$

**09** 축척이 $\dfrac{1}{10000}$인 지도에 대하여 다음에 답하시오.

(1) 지도에서의 거리가 3 cm인 두 지점 사이의 실제 거리는 몇 m인지 구하시오.

(2) 지도에서의 거리가 10 cm인 두 지점 사이의 실제 거리는 몇 km인지 구하시오.

(3) 실제 거리가 2 km인 두 지점 사이의 지도에서의 거리는 몇 cm인지 구하시오.

(4) 실제 거리가 3.5 km인 두 지점 사이의 지도에서의 거리는 몇 cm인지 구하시오.

**10** 오른쪽 그림과 같은 지도에서 1 cm인 두 지점의 실제 거리가 300 m라 할 때, 이 지도에서 집에서 학교까지의 거리는 3 cm이었다. 집에서 학교까지의 실제 거리는 몇 m인지 구하시오.

**01** 다음 그림과 같이 민성이가 나무에서 8 m 떨어진 지점에 거울을 놓고, 거울에서 2 m 떨어진 지점에 섰을 때, 거울에 나무의 끝이 보였다. 민성이의 눈높이는 1.5 m이고, $\angle ACB = \angle DCE$ 일 때, 나무의 높이는 몇 m인지 구하시오.

두 삼각형이 닮음인지 확인한다.

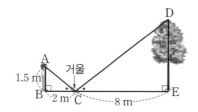

**02** 오른쪽 그림은 강을 사이에 둔 두 지점 A, B 사이의 거리를 구하기 위하여 $\overline{AB}$에 수직인 $\overline{AD}$를 그려서 그 위에 한 점 C를 잡고 $\angle D = 90°$인 직각삼각형 CDE를 그린 것이다. 두 지점 A, B 사이의 거리를 구하시오.

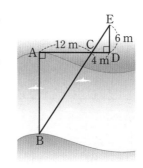

**03** 두 지점 A, B 사이의 실제 거리가 3 km일 때, 축척이 $\frac{1}{60000}$인 지도에서의 두 지점 A, B 사이의 거리는?

(축도에서의 거리)
= (실제 거리) × (축척)

① 2 m        ② 5 cm        ③ 6 cm

④ 10 m        ⑤ 20 cm

**04** 오른쪽 그림은 강의 폭을 구하기 위하여 그린 축도이다. 축척이 $\frac{1}{10000}$이고 $\overline{BC} = 12$ cm, $\overline{CE} = 2$ cm, $\overline{DE} = 15$ cm일 때, 실제 강의 폭은 몇 m인지 구하시오. (단, 강의 폭은 일정하다.)

축도에서의 $\overline{AC}$의 길이를 먼저 구한다.

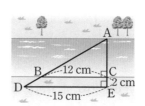

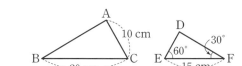

**01** 아래 그림에서 △ABC∽△DFE일 때, 다음을 구하시오.

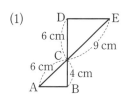

(1) △ABC와 △DFE의 닮음비

(2) $\overline{DE}$의 길이

(3) ∠B의 크기

(4) ∠C의 크기

**02** 아래 그림에서 두 삼각기둥 P, Q가 닮은 도형이고 면 ABC에 대응하는 면이 면 A′B′C′일 때, 다음을 구하시오.

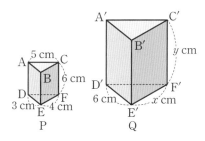

(1) 두 삼각기둥 P, Q의 닮음비

(2) 면 BEFC에 대응하는 면

(3) $\overline{A'C'}$의 길이

(4) $x$, $y$의 값

**03** 다음 그림에서 서로 닮음인 삼각형을 찾아 기호 ∽를 사용하여 나타내고, 그때의 닮음 조건을 쓰시오.

(1)

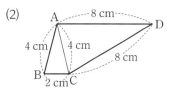

(2)

**04** 다음 중 △ABC∽△DEF가 되도록 하는 조건인 것은 ○표, 아닌 것은 ×표를 ( ) 안에 써넣으시오.

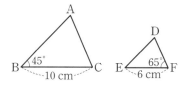

(1) ∠C=65°, ∠E=45° ( )

(2) $\overline{AB}$=10 cm, $\overline{DF}$=6 cm ( )

(3) $\overline{AB}$=15 cm, $\overline{DE}$=9 cm ( )

(4) ∠A=70°, ∠D=70° ( )

(5) ∠E=70°, $\overline{AB}$=6 cm ( )

**05** 다음 그림에서 $x$의 값을 구하시오.

(1)

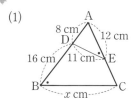

(2)

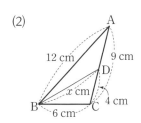

**06** 오른쪽 그림과 같이 ∠A=90°인 직각삼각형 ABC에서 $\overline{AH} \perp \overline{BC}$일 때, 옳은 것은 ○표, 옳지 않은 것은 ×표를 ( ) 안에 써넣으시오.

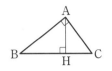

(1) △ABC∽△HBA        (        )

(2) △ABH∽△CAH        (        )

(3) $\overline{AB}^2 = \overline{AH} \times \overline{AC}$        (        )

(4) $\overline{AH}^2 = \overline{BH} \times \overline{CH}$        (        )

**07** 다음 그림에서 $x$의 값을 구하시오.

(1)

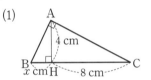

(2)

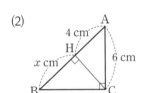

**08** 오른쪽 그림과 같은 직각삼각형 ABC에서 $\overline{AH} \perp \overline{BC}$일 때, 다음을 구하시오.

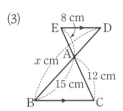

(1) $\overline{BH}$의 길이

(2) $\overline{AH}$의 길이

**09** 다음 그림에서 $\overline{BC} /\!/ \overline{DE}$일 때, $x$의 값을 구하시오.

(1)

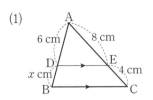

(2)

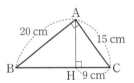

(3)

**10** 다음 그림에서 $\overline{BC}$와 $\overline{DE}$가 평행한 것은 ○표, 평행하지 않은 것은 ×를 ( ) 안에 써넣으시오.

(1)

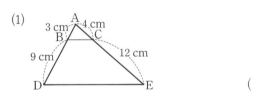

(        )

(2)

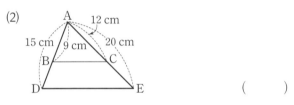

(        )

(3)

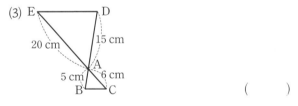

(        )

**11** 오른쪽 그림에서 $\overline{BD} = \overline{DC}$, $\overline{AE} = \overline{ED}$이고, $\overline{BF} /\!/ \overline{DG}$이다. $\overline{EF} = 4\ cm$일 때, 다음을 구하시오.

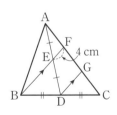

(1) $\overline{DG}$의 길이

(2) $\overline{BF}$의 길이

(3) $\overline{BE}$의 길이

**12** 오른쪽 그림과 같은 사다리꼴 ABCD에서 $\overline{AD} /\!/ \overline{BC}$이고 점 M, N은 각각 $\overline{AB}$, $\overline{DC}$의 중점이다. $\overline{MN}$과 $\overline{BD}$, $\overline{AC}$의 교점을 각각 P, Q라고 할 때, 다음을 구하시오.

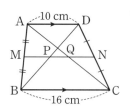

(1) $\overline{MQ}$의 길이

(2) $\overline{MP}$의 길이

(3) $\overline{PQ}$의 길이

**13** 다음 그림과 같은 △ABC에서 $x$의 값을 구하시오.

(1)

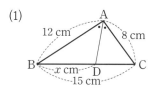

(2)

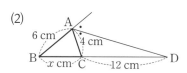

**14** 다음 그림에서 $l /\!/ m /\!/ n$일 때, $x$의 값을 구하시오.

(1)

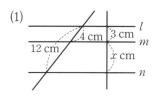

(2)

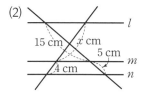

**15** 오른쪽 그림에서 점 G가 △ABC의 무게중심일 때, 다음을 구하시오.

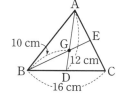

(1) $\overline{BD}$의 길이

(2) $\overline{AG}$의 길이

(3) $\overline{GD}$의 길이

(4) $\overline{GE}$의 길이

**16** 오른쪽 그림에서 두 점 G, G′은 각각 △ABC, △GBC의 무게중심이다. $\overline{AG} = 12$cm일 때, $\overline{GG'}$의 길이를 구하시오.

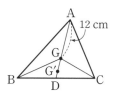

**17** 오른쪽 그림에서 점 G가 △ABC의 무게중심이고 △ABC = 48 cm²일 때, 다음을 구하시오.

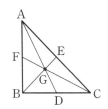

(1) △ABG의 넓이

(2) □AFGE의 넓이

(3) △EGC의 넓이

**18** 오른쪽 그림과 같은 평행사변형 ABCD에서 점 M, N은 각각 $\overline{AD}$, $\overline{AB}$의 중점이고, 점 P, Q는 각각 $\overline{CN}$, $\overline{CM}$과 $\overline{BD}$의 교점이다. 평행사변형 ABCD의 넓이가 54 cm²일 때, 색칠한 부분의 넓이를 구하시오.

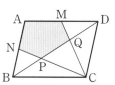

정답과 해설 _ p.34

도전 100점

**19** 아래 그림에서 △ABC∽△DEF일 때, 다음을 구하시오.

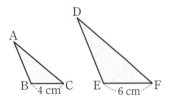

(1) △ABC와 △DEF의 닮음비

(2) △ABC의 둘레의 길이가 18 cm일 때, △DEF의
둘레의 길이

(3) △ABC=36 cm²일 때, △DEF의 넓이

**20** 두 정육면체 모양의 주사위 A, B의 닮음비가 2 : 3일 때, 다음
을 구하시오.

(1) A 주사위의 겉넓이가 32 cm²일 때, B 주사위의
겉넓이

(2) B 주사위의 부피가 81 cm³일 때, A 주사위의 부
피

**21** 오른쪽 그림과 같이 나무의 높
이를 알기 위하여 나무의 그림
자 길이가 6 m일 때, 키가
1.5 m인 사람의 그림자 길이
를 재었더니 2 m이었다. 나무
의 높이를 구하시오.

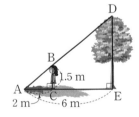

**22** 두 지점 A, B 사이의 실제 거리가 400 m일 때, 축척이
$\dfrac{1}{10000}$인 지도에서의 두 지점 A, B 사이의 거리는 몇 cm인지
구하시오.

**23** 다음 그림과 같이 ∠A=90°인 △ABC에서 $\overline{BM}=\overline{CM}$,
$\overline{AD}\perp\overline{BC}$, $\overline{DH}\perp\overline{AM}$이고 $\overline{BD}=8$ cm, $\overline{CD}=2$ cm일 때,
$\overline{AH}$의 길이를 구하시오.

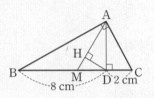

**24** 오른쪽 그림에서 $\overline{BC}$∥$\overline{DE}$,
$\overline{DC}$∥$\overline{FE}$일 때, $\overline{BD}$의 길이를 구
하시오.

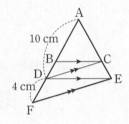

**25** 다음 그림에서 $l$∥$m$∥$n$일 때, $x$, $y$의 값을 각각 구하시오.

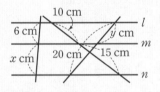

**26** 오른쪽 그림에서 점 G는 △ABC의 무
게중심이고 $\overline{PR}$∥$\overline{BC}$이다. 이때 $x$, $y$
의 값을 각각 구하시오.

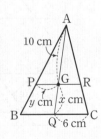

# 27강 ••• 피타고라스 정리

## 1. 피타고라스 정리

직각삼각형에서 직각을 낀 두 변의 길이를 각각 $a$, $b$라 하고 빗변의 길이를 $c$라 하면

➡ $c^2 = a^2 + b^2$

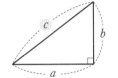

참고 변의 길이 $a$, $b$, $c$는 항상 양수이다.

(빗변의 길이의 제곱)
=(나머지 두 변의 길이의 제곱의 합)

**01** 다음은 아래 그림과 같은 직각삼각형에서 $x$의 값을 구하는 과정이다. □ 안에 알맞은 수를 써넣으시오.

$x^2 = 4^2 + \square^2$, $x^2 = \square$

∴ $x = \square$ (∵ $x > 0$)

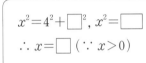

**02** 다음 그림의 직각삼각형에서 $x$의 값을 구하시오.

(1)
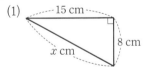

(2)
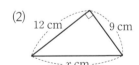

**03** 다음은 아래 그림과 같은 직각삼각형에서 $x$의 값을 구하는 과정이다. □ 안에 알맞은 수를 써넣으시오.

$\square^2 = 12^2 + \square^2$,

$x^2 = \square^2 - 12^2 = \square$

∴ $x = \square$ (∵ $x > 0$)

**04** 다음 그림의 직각삼각형에서 $x$의 값을 구하시오.

(1)
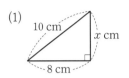

(2)
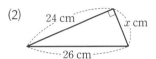

**05** 다음 그림과 같은 △ABC에서 $x$, $y$의 값을 각각 구하시오.

(1)
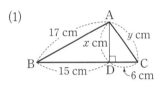

(2)
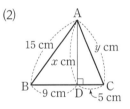

(3)
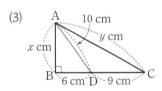

(4)
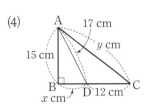

 두 직각삼각형에서 각각 피타고라스 정리를 이용해봐.

**01** 오른쪽 그림과 같이 ∠A=90°인 직각삼각형 ABC의 넓이를 구하시오.

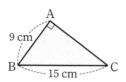

먼저 $\overline{AC}$의 길이를 구한다.

**02** 오른쪽 그림과 같은 △ABC에서 $\overline{AD} \perp \overline{BC}$일 때, $\overline{AB}$의 길이는?

① 16 cm　　② 18 cm　　③ 20 cm

④ 22 cm　　⑤ 24 cm

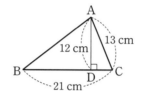

직각삼각형에서 두 변의 길이를 알면 남은 한 변의 길이를 구할 수 있다.

**03** 오른쪽 그림과 같은 △ABC에서 $x$, $y$의 값을 각각 구하시오.

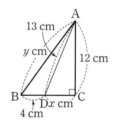

**04** 오른쪽 그림에서 $x^2$의 값을 구하시오.

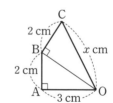

△OAB에서 $\overline{OB}^2$의 값을 구해 본다.

# 28강•••• 피타고라스 정리의 확인

정답과 해설_ p.38

## 1. 유클리드의 방법 <sup>UP+</sup>

오른쪽 그림과 같은 직각삼각형 ABC의 각 변을 한 변으로 하는 세 정사각형을 그리면

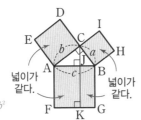

(1) □ACDE=□AFKJ $=b^2$

　　□BHIC=□JKGB $=a^2$

(2) □AFGB=□ACDE+□BHIC ➡ $c^2=a^2+b^2$

$$R=P+Q$$
➡ $\overline{AB}^2=\overline{AC}^2+\overline{BC}^2$

**01** 다음은 직각삼각형 ABC의 세 변을 각각 한 변으로 하는 세 정사각형에서 □ACDE=□AFKJ임을 설명하는 과정이다. □ 안에 알맞은 것을 써넣으시오.

△EAB와 △CAF에서

$\overline{EA}=\boxed{\phantom{xx}}$, $\overline{AB}=\boxed{\phantom{xx}}$,

∠EAB=∠CAF이므로

△EAB≡△CAF

（$\boxed{\phantom{xx}}$ 합동）

이때 $\overline{EA}\,/\!/\,\overline{DB}$, $\overline{AF}\,/\!/\,\overline{CK}$이므로

△EAC=△EAB=△CAF=△$\boxed{\phantom{xx}}$

∴ □ACDE=□$\boxed{\phantom{xx}}$

**02** 다음은 직각삼각형 ABC의 각 변을 한 변으로 하는 세 정사각형을 그린 것이다. 색칠한 부분의 넓이를 구하시오.

(1)

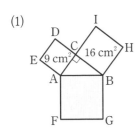

(2)

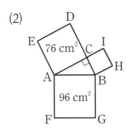

(3)

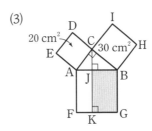

(4)

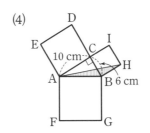

(5)

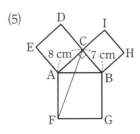

## 2. 직각삼각형의 닮음을 이용한 방법 ←월리스의 방법

오른쪽 그림과 같은 직각삼각형 ABC에서 $\overline{AH}\perp\overline{BC}$일 때

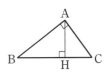

△ABC∽△HBA이므로

$\overline{AB}^2=\overline{BH}\times\boxed{\overline{BC}}$　 ······ ㉠

△ABC∽△HAC이므로

$\overline{AC}^2=\overline{CH}\times\boxed{\overline{CB}}$　 ······ ㉡

➡ ㉠, ㉡을 변끼리 더하면

$\overline{AB}^2+\overline{AC}^2=\boxed{\overline{BC}}(\underbrace{\overline{BH}+\overline{CH}})=\overline{BC}^2$
　　　　　　　　　　　↘ $\overline{BC}$

28강 _피타고라스 정리의 확인 **103**

**03** 다음 그림과 같이 ∠A=90°인 직각삼각형 ABC에서 $\overline{AH}\perp\overline{BC}$일 때, $x$의 값을 구하는 과정이다. □ 안에 알맞은 수를 써넣으시오.

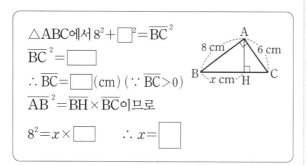

△ABC에서 $8^2+\boxed{\phantom{x}}^2=\overline{BC}^2$

$\overline{BC}^2=\boxed{\phantom{xx}}$

$\therefore \overline{BC}=\boxed{\phantom{x}}$ (cm) ($\because \overline{BC}>0$)

$\overline{AB}^2=\overline{BH}\times\overline{BC}$이므로

$8^2=x\times\boxed{\phantom{x}}$ $\qquad\therefore x=\boxed{\phantom{x}}$

**04** 다음 그림과 같이 ∠A=90°인 직각삼각형 ABC에서 $\overline{AH}\perp\overline{BC}$일 때, $x$의 값을 구하시오.

(1)

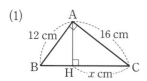

(2)

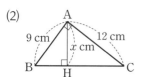

### 3. 피타고라스의 방법

❶ [그림 1]과 같이 직각삼각형 ABC와 합동인 세 삼각형으로 한 변의 길이가 $a+b$인 정사각형 CDEF를 만들면 □AGHB는 한 변의 길이가 $c$인 정사각형이다.

❷ [그림 1]의 네 직각삼각형을 [그림 2]와 같이 옮기면 한 변의 길이가 각각 $a$, $b$인 두 정사각형의 넓이의 합은 [그림 1]에서 정사각형 AGHB의 넓이와 같다. 즉, $c^2=a^2+b^2$이다.

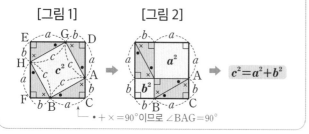

**05** 다음은 사각형 ABCD가 정사각형이고 4개의 직각삼각형이 모두 합동일 때, 색칠한 부분의 넓이를 구하는 과정이다. □ 안에 알맞은 수를 써넣으시오.

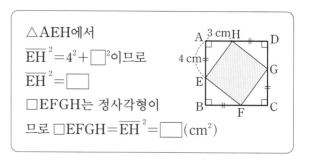

△AEH에서

$\overline{EH}^2=4^2+\boxed{\phantom{x}}^2$이므로

$\overline{EH}^2=\boxed{\phantom{xx}}$

□EFGH는 정사각형이므로 □EFGH=$\overline{EH}^2=\boxed{\phantom{x}}$ (cm$^2$)

**06** 다음 그림에서 사각형 ABCD가 정사각형이고 4개의 직각삼각형이 모두 합동일 때, 색칠한 부분의 넓이를 구하시오.

(1)

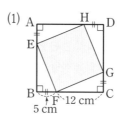

(2)

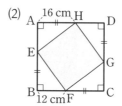

**07** 다음 그림에서 사각형 ABCD가 정사각형이고 4개의 직각삼각형이 모두 합동일 때, $x$, $y$의 값을 각각 구하시오.

(1)

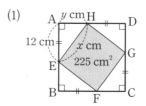

(2)

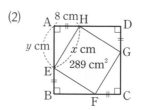

**01** 오른쪽 그림은 ∠C＝90°인 직각삼각형 ABC의 세 변을 각각 한 변으로 하는 세 정사각형을 그린 것이다. 점 C에서 $\overline{FG}$에 내린 수선의 발을 K, $\overline{CK}$와 $\overline{AB}$의 교점을 J라 할 때, 다음 중 넓이가 나머지 넷과 <u>다른</u> 하나는?

① △CAF  ② △ABH  ③ △AFJ
④ △EAC  ⑤ △EAB

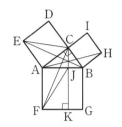

합동인 두 삼각형은 넓이가 같고, 밑변의 길이와 높이가 각각 같은 두 삼각형은 넓이가 같음을 이용한다.

**02** 오른쪽 그림은 직각삼각형 ABC의 세 변을 각각 한 변으로 하는 세 정사각형을 그린 것이다. □AFKJ의 넓이를 구하시오.

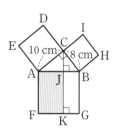

**03** 오른쪽 그림과 같이 ∠C＝90°인 직각삼각형 ABC에서 $\overline{CH}\perp\overline{AB}$일 때, $x$의 값을 구하시오.

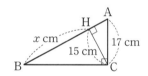

**04** 오른쪽 그림에서 사각형 ABCD는 정사각형이고 4개의 직각삼각형은 모두 합동이다. □EFGH의 넓이가 100 cm²일 때, △EBF의 넓이를 구하시오.

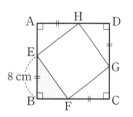

네 직각삼각형이 모두 합동이므로 □EFGH는 정사각형이다.

**05** 오른쪽 그림은 합동인 4개의 직각삼각형을 이용하여 한 변의 길이가 15 cm인 정사각형 ABCD를 만든 것이다. □EFGH의 넓이를 구하시오.

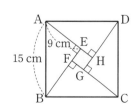

## 29강 •••• 피타고라스 정리의 활용

### 1. 직각삼각형이 될 조건

세 변의 길이가 각각 $a$, $b$, $c$인 △ABC에서 $c^2=a^2+b^2$이 성립하면 이 삼각형은 빗변의 길이가 $c$인 직각삼각형이다.

**예** 세 변의 길이가 3, 4, 5일 때,
$5^2=3^2+4^2$이므로 빗변의 길이가 5인 직각삼각형이다.
세 변의 길이가 2, 3, 4일 때,
$4^2 \neq 2^2+3^2$이므로 직각삼각형이 아니다.

**참고** 직각삼각형의 세 변의 길이가 될 수 있는 세 자연수를 피타고라스 수라고 한다. ➡ (3, 4, 5), (5, 12, 13), …

$c^2=a^2+b^2$이면 ∠C=90°이다.

**01** 삼각형의 세 변의 길이가 다음과 같을 때, 직각삼각형인 것은 ○표, 직각삼각형이 아닌 것은 ×표를 (  ) 안에 써넣으시오.

(1) 2 cm, 2 cm, 3 cm          (     )

(2) 3 cm, 5 cm, 6 cm          (     )

(3) 4 cm, 5 cm, 8 cm          (     )

(4) 6 cm, 8 cm, 10 cm         (     )

(5) 7 cm, 9 cm, 12 cm         (     )

(6) 9 cm, 12 cm, 15 cm        (     )

**02** 삼각형의 세 변의 길이가 다음과 같을 때, 이 삼각형이 직각삼각형이 되도록 하는 $x$의 값을 구하시오. (단, 가장 긴 변의 길이가 $x$ cm이다.)

(1) 3 cm, 4 cm, $x$ cm

(2) 8 cm, 15 cm, $x$ cm

(3) 7 cm, 24 cm, $x$ cm

(4) 12 cm, 16 cm, $x$ cm

### 2. 삼각형의 변과 각 사이의 관계

△ABC에서 $\overline{AB}=c$, $\overline{BC}=a$, $\overline{CA}=b$이고 $c$가 가장 긴 변의 길이일 때

(1) $c^2 < a^2+b^2$이면 ∠C<90°
➡ 예각삼각형

(2) $c^2 = a^2+b^2$이면 ∠C=90°
➡ 직각삼각형

(3) $c^2 > a^2+b^2$이면 ∠C>90°
➡ 둔각삼각형

**03** 삼각형의 세 변의 길이가 각각 다음과 같을 때, 예각삼각형인 것은 "예", 직각삼각형인 것은 "직", 둔각삼각형인 것은 "둔"을 (  ) 안에 써넣으시오.

(1) 3 cm, 4 cm, 6 cm          (     )

(2) 4 cm, 6 cm, 7 cm          (     )

(3) 5 cm, 7 cm, 10 cm         (     )

(4) 10 cm, 24 cm, 26 cm       (     )

(5) 11 cm, 12 cm, 14 cm       (     )

(6) 15 cm, 20 cm, 25 cm       (     )

## **3.** 피타고라스 정리를 이용한 직각삼각형의 성질

$\angle A = 90°$인 직각삼각형 ABC에서 $\overline{AB}$, $\overline{AC}$ 위의 점 D, E에 대하여

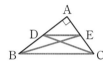

➡ $\overline{DE}^2 + \overline{BC}^2 = \overline{BE}^2 + \overline{CD}^2$

참고 $\begin{aligned}\overline{DE}^2 + \overline{BC}^2 &= (\overline{AD}^2 + \overline{AE}^2) + (\overline{AB}^2 + \overline{AC}^2)\\ &= (\overline{AB}^2 + \overline{AE}^2) + (\overline{AD}^2 + \overline{AC}^2)\\ &= \overline{BE}^2 + \overline{CD}^2\end{aligned}$

**04** 다음 그림과 같은 직각삼각형 ABC에서 $\overline{DE}^2 + \overline{BC}^2$의 값을 구하시오.

(1)

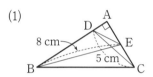

(2)

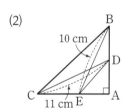

**05** 다음 그림과 같은 직각삼각형 ABC에서 $\overline{BE}^2 + \overline{CD}^2$의 값을 구하시오.

(1)

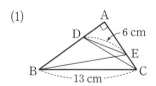

(2)

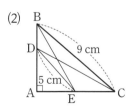

**06** 다음 그림과 같은 직각삼각형 ABC에서 $x^2$의 값을 구하시오.

(1)

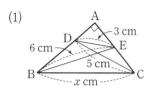

(2)

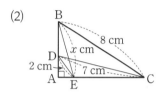

## **4.** 피타고라스 정리를 이용한 사각형의 성질(1) <sup>up+</sup>

두 대각선이 직교하는 사각형에서의 성질: 사각형 ABCD에서 두 대각선이 직교할 때

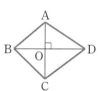

➡ $\overline{AB}^2 + \overline{CD}^2 = \overline{AD}^2 + \overline{BC}^2$

참고 $\begin{aligned}\overline{AB}^2 + \overline{CD}^2 &= (\overline{AO}^2 + \overline{BO}^2) + (\overline{CO}^2 + \overline{DO}^2)\\ &= (\overline{AO}^2 + \overline{DO}^2) + (\overline{BO}^2 + \overline{CO}^2)\\ &= \overline{AD}^2 + \overline{BC}^2\end{aligned}$

**07** 다음 그림에서 $x^2 + y^2$의 값을 구하시오.

(1)

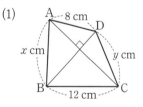

(2)

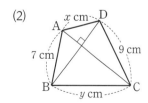

(3)

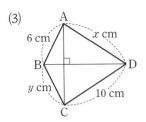

(4)

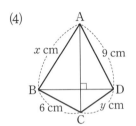

**08** 다음 그림에서 $x^2$의 값을 구하시오.

(1)

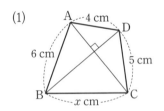

(2)

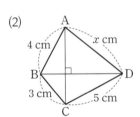

## 5. 피타고라스 정리를 이용한 사각형의 성질 (2) <sup>up+</sup>

직사각형에서의 성질: 직사각형
ABCD의 내부에 있는 점 P에
대하여

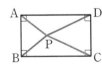

➡ $\overline{AP}^2 + \overline{CP}^2 = \overline{BP}^2 + \overline{DP}^2$

**참고** $\overline{AP}^2 + \overline{CP}^2$
$= (\overline{AH}^2 + \overline{HP}^2)$
$\quad + (\overline{PG}^2 + \overline{GC}^2)$
$= (\overline{AH}^2 + \overline{GC}^2) + (\overline{HP}^2 + \overline{PG}^2)$
$= (\overline{BF}^2 + \overline{PF}^2) + (\overline{DG}^2 + \overline{PG}^2)$
$= \overline{BP}^2 + \overline{DP}^2$

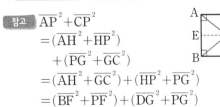

**09** 다음 그림에서 $x^2 + y^2$의 값을 구하시오.

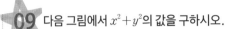

(1)

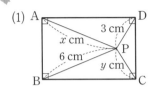

(2)

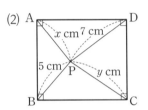

(3)

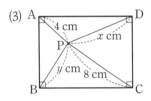

(4)

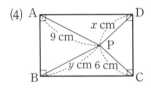

**10** 다음 그림에서 $x^2$의 값을 구하시오.

(1)

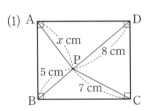

(2)

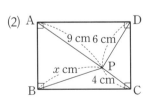

 **01** 세 변의 길이가 각각 다음과 같은 삼각형 중에서 직각삼각형인 것은?

① 3 cm, 5 cm, 7 cm          ② 4 cm, 6 cm, 8 cm

③ 6 cm, 7 cm, 10 cm         ④ 6 cm, 8 cm, 12 cm

⑤ 8 cm, 15 cm, 17 cm

 **02** 세 변의 길이가 각각 다음과 같은 삼각형 중에서 예각삼각형인 것을 모두 고르면? (정답 2개)

① 3 cm, 4 cm, 6 cm          ② 4 cm, 8 cm, 10 cm

③ 5 cm, 8 cm, 9 cm          ④ 6 cm, 10 cm, 11 cm

⑤ 9 cm, 12 cm, 15 cm

 **03** 오른쪽 그림과 같은 직각삼각형 ABC에서 $x^2$의 값을 구하시오.

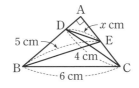

**04** 오른쪽 그림과 같은 □ABCD에서 $\overline{AC} \perp \overline{BD}$일 때, $y^2 - x^2$의 값을 구하시오.

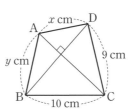

$\overline{AC} \perp \overline{BD}$이므로
$\overline{AB}^2 + \overline{CD}^2 = \overline{AD}^2 + \overline{BC}^2$

**05** 오른쪽 그림과 같은 직사각형 ABCD에서 $x^2 - y^2$의 값을 구하시오.

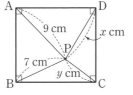

점 P가 직사각형 ABCD의 내부의 점이므로
$\overline{AP}^2 + \overline{CP}^2 = \overline{BP}^2 + \overline{DP}^2$

## 1. 직각삼각형에서 세 반원 사이의 관계

∠A＝90°인 직각삼각형 ABC
에서 세 변 AB, AC, BC를 각
각 지름으로 하는 반원의 넓이를
$P$, $Q$, $R$라 할 때

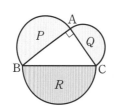

➡ $P+Q=R$

참고 △ABC에서 $\overline{AB}=c$, $\overline{BC}=a$, $\overline{CA}=b$라 하면

$P+Q=\dfrac{1}{2}\times\pi\times\left(\dfrac{c}{2}\right)^2+\dfrac{1}{2}\times\pi\times\left(\dfrac{b}{2}\right)^2=\dfrac{1}{8}\pi(b^2+c^2)$

$R=\dfrac{1}{2}\times\pi\times\left(\dfrac{a}{2}\right)^2=\dfrac{1}{8}\pi a^2$

➡ $b^2+c^2=a^2$이므로 $P+Q=R$

**01** 다음은 직각삼각형 ABC의 각 변을 지름으로 하는 세 반원을
그린 것이다. 색칠한 부분의 넓이를 구하시오.

(1)
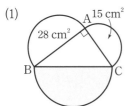

(2)
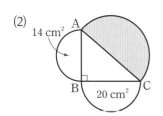

(3)
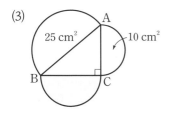

(4)
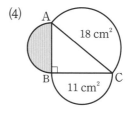

(5)
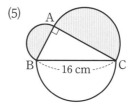

(6)
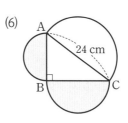

(7)
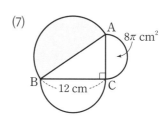

(8)
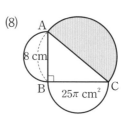

## **2.** 히포크라테스의 원의 넓이

오른쪽 그림과 같이 직각삼각형 ABC의 세 변을 각각 지름으로 하는 세 반원에서

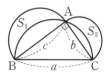

➡ $\underline{S_1+S_2=\triangle ABC=\dfrac{1}{2}bc}$

└▸ 히포크라테스의 원의 넓이

**참고**

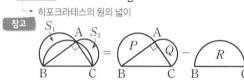

$$S_1+S_2=(P+Q+\triangle ABC)-R$$
$$=(R+\triangle ABC)-R=\triangle ABC$$

**02** 다음 그림에서 색칠한 부분의 넓이를 구하시오.

(1)

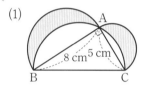

(2)

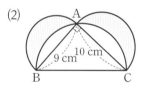

(3)

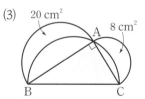

(4)

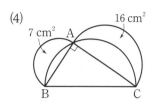

(5)

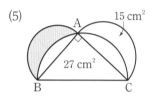

(6)

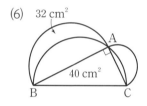

(7)

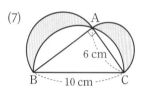

(8)

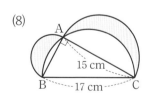

**01** 오른쪽 그림과 같이 직각삼각형 ABC의 각 변을 지름으로 하는 세 반
원을 그렸다. 색칠한 부분의 넓이를 구하시오.

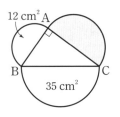

**02** 오른쪽 그림과 같이 직각삼각형 ABC의 각 변을 지름으로 하는 세 반
원을 그렸다. 색칠한 부분의 넓이를 구하시오.

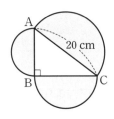

**03** 오른쪽 그림과 같이 직각삼각형 ABC의 각 변을 지름으로 하는 세
반원을 그렸다. 색칠한 부분의 넓이를 구하시오.

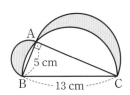

(색칠한 부분의 넓이)$=\triangle$ABC

**04** 오른쪽 그림과 같이 직각삼각형 ABC의 각 변을 지름으로 하는 세
반원을 그렸다. 색칠한 부분의 넓이가 24 cm²일 때, $\overline{\mathrm{BC}}$의 길이를
구하시오.

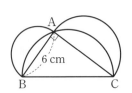

(색칠한 부분의 넓이)$=\triangle$ABC
로부터 $\overline{\mathrm{AC}}$의 길이를 구할 수 있
다.

정답과 해설 _ p.40

**01** 다음 그림의 직각삼각형 ABC에서 $x$의 값을 구하시오.

(1)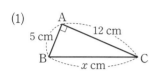

(2)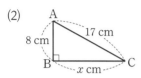

(3)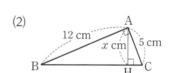

**02** 다음 그림과 같은 △ABC에서 $x$, $y$의 값을 각각 구하시오.

(1)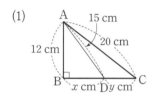

(2)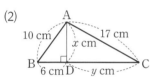

**04** 다음 그림과 같이 ∠A=90°인 직각삼각형 ABC에서 $\overline{AH} \perp \overline{BC}$일 때, $x$의 값을 구하시오.

(1)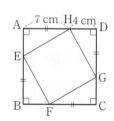

(2)

**03** 다음은 직각삼각형 ABC의 각 변을 한 변으로 하는 세 정사각형을 그린 것이다. 색칠한 부분의 넓이를 구하시오.

(1)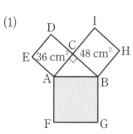

(2)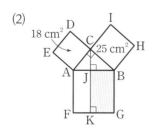

**05** 오른쪽 그림에서 □ABCD는 정사각형이고 4개의 직각삼각형은 모두 합동일 때, 색칠한 부분의 넓이를 구하시오.

**06** 오른쪽 그림에서 사각형 ABCD는 정사각형이고 4개의 직각삼각형은 모두 합동일 때, $x$, $y$의 값을 각각 구하시오.

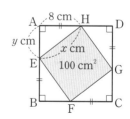

정답과 해설 _ p.40

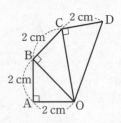
도전 100점

 **07** 삼각형의 세 변의 길이가 각각 다음과 같을 때, 예각삼각형인 것은 "예"를, 직각삼각형인 것은 "직"을, 둔각삼각형인 것은 "둔"을 (  ) 안에 써넣으시오.

(1) 2 cm, 4 cm, 5 cm　　　　　　(　　)

(2) 3 cm, 4 cm, 5 cm　　　　　　(　　)

(3) 4 cm, 6 cm, 7 cm　　　　　　(　　)

(4) 5 cm, 8 cm, 12 cm　　　　　　(　　)

**08** 다음 그림에서 $x^2+y^2$의 값을 구하시오.

(1)
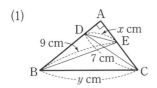

(2)
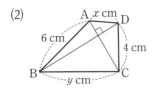

(3)
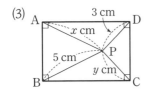

**09** 다음 그림은 직각삼각형 ABC의 각 변을 지름으로 하는 세 반원을 그린 것이다. 색칠한 부분의 넓이를 구하시오.

(1)
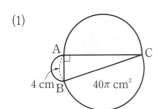

(2)
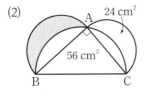

**10** 오른쪽 그림에서 $\overline{OD}$의 길이를 구하시오.

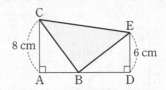

**11** 다음 그림에서 두 직각삼각형 ABC, DEB는 합동이고 세 점 A, B, D는 한 직선 위에 있을 때, △CBE의 넓이를 구하시오.

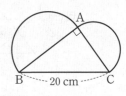

C, E 8 cm, 6 cm, A B D

**12** 세 변의 길이가 다음 보기와 같은 삼각형 중에서 직각삼각형인 것을 모두 고른 것은?

┤보기├

ㄱ. 6 cm, 8 cm, 12 cm

ㄴ. 8 cm, 15 cm, 17 cm

ㄷ. 9 cm, 12 cm, 15 cm

ㄹ. 12 cm, 14 cm, 20 cm

① ㄱ, ㄴ　　　② ㄱ, ㄷ　　　③ ㄴ, ㄷ

④ ㄴ, ㄹ　　　⑤ ㄷ, ㄹ

**13** 오른쪽 그림과 같이 직각삼각형 ABC에서 $\overline{AB}$, $\overline{AC}$를 각각 지름으로 하는 두 반원을 그렸다. $\overline{BC}=20$ cm일 때, 색칠한 부분의 넓이를 구하시오.

나만의 비법 노트

# VI.
# 확률과 그 기본 성질

연산 문제와 시험 대비 문제를 많이 풀어보고 개념과 원리를 확실하게 이해하자.

또한 이해도를 바탕으로 자신의 수준에 맞는 계획을 세워 반복 학습을 하자.

| 중단원명 | 강의 명 | | 학습 날짜 | 이해도 | | |
|---|---|---|---|---|---|---|
| 1. 경우의 수와 확률 | 32강 | 사건과 경우의 수 | 월    일 | ☺ | ☺ | ☺ |
| | 33강 | 한 줄로 세우는 경우의 수, 정수를 만드는 경우의 수 | 월    일 | ☺ | ☺ | ☺ |
| | 34강 | 대표를 뽑는 경우의 수 | 월    일 | ☺ | ☺ | ☺ |
| | 35강 | 확률의 뜻과 성질 | 월    일 | ☺ | ☺ | ☺ |
| | 36강 | 확률의 계산 | 월    일 | ☺ | ☺ | ☺ |
| | 37강 | 연속하여 뽑는 경우의 확률 | 월    일 | ☺ | ☺ | ☺ |
| | 38강 | 중단원 연산 마무리 | 월    일 | ☺ | ☺ | ☺ |

### 비율을 구할 수 있나요?

**1** 다음을 구하시오. (초6)

(1) 두 변의 길이가 8, 6인 직사각형에서 길이가 긴 변의 길이에 대한 짧은 변의 길이의 비율

(2) 동전 한 개를 10번 던져 앞면이 6번 나왔을 때, 앞면이 나온 비율

### 백분율을 구할 수 있나요?

**2** 다음은 어느 반 학생들이 좋아하는 운동 경기를 조사하여 나타낸 표이다. 표를 완성하시오. (초6)

| 운동 | 축구 | 야구 | 농구 | 배구 | 합계 |
|------|------|------|------|------|------|
| 학생 수(명) | 12 | 9 | 6 | 3 | 30 |
| 백분율(%) | 40 | | 20 | | ✕ |

### 어떤 일이 일어날 수 있는 가능성을 구할 수 있나요?

**3** 다음을 구하시오. (초6)

(1) 주사위를 한 번 던질 때, 눈의 수가 2의 배수일 가능성

(2) 10개의 제비 중 당첨 제비가 3개인 상자에서 제비 1개를 뽑을 때, 뽑은 제비가 당첨 제비일 가능성

### 상대도수를 구할 수 있나요?

**4** 다음은 어느 반 학생 30명의 수면 시간을 조사하여 나타낸 도수분포표이다. 표를 완성하시오. (중7)

| 수면 시간(시간) | 학생 수(명) | 상대도수 |
|------|------|------|
| 4$^{이상}$ ~ 5$^{미만}$ | 3 | |
| 5 ~ 6 | 9 | |
| 6 ~ 7 | 12 | |
| 7 ~ 8 | 6 | |
| 합계 | 30 | |

## 32강···· 사건과 경우의 수

정답과 해설 _ p.42

### 1. 사건과 경우의 수

(1) 사건: 동일한 조건에서 반복할 수 있는 실험이나 관찰의 결과

(2) 경우의 수: 사건이 일어나는 경우의 가짓수

| 실험, 관찰 | ➡ 주사위를 던진다. |
| 사건 | ➡ 홀수의 눈이 나온다. |
| 경우 | ➡ |
| 경우의 수 | ➡ 3 |

**01** 한 개의 주사위를 던질 때, 다음 사건이 일어나는 경우의 수를 구하시오.

(1) 짝수의 눈이 나온다.

(2) 3의 배수의 눈이 나온다.

(3) 소수의 눈이 나온다.

(4) 6의 약수의 눈이 나온다.

 **02** 1부터 10까지의 자연수가 각각 하나씩 적힌 10장의 카드 중에서 한 장의 카드를 뽑을 때, 다음 사건이 일어나는 경우의 수를 구하시오.

(1) 4 이상 8 이하의 수가 적힌 카드가 나온다.

(2) 5의 배수가 적힌 카드가 나온다.

(3) 소수가 적힌 카드가 나온다.

(4) 9의 약수가 적힌 카드가 나온다.

**03** 두 개의 동전 A, B를 동시에 던질 때, 다음을 구하시오.

(1) 일어나는 모든 경우를 순서쌍으로 나타내어 아래의 표를 완성하시오.

| A＼B | 앞면 | 뒷면 |
|---|---|---|
| 앞면 | (앞면, 앞면) | (앞면, 뒷면) |
| 뒷면 | | |

(2) 앞면이 한 개만 나오는 경우의 수

(3) 서로 같은 면이 나오는 경우의 수

**04** 두 개의 주사위 A, B를 동시에 던질 때, 다음을 구하시오.

(1) 일어나는 모든 경우를 순서쌍으로 나타내어 아래의 표를 완성하시오.

| A＼B | 1 | 2 | 3 | 4 | 5 | 6 |
|---|---|---|---|---|---|---|
| 1 | (1, 1) | (1, 2) | | | | |
| 2 | | | | | | |
| 3 | | | | | | |
| 4 | | | | | | |
| 5 | | | | | | |
| 6 | | | | | | |

(2) 두 눈의 수의 합이 6인 경우의 수

(3) 두 눈의 수의 차가 2인 경우의 수

(4) 두 눈의 수의 곱이 12인 경우의 수

## 2. 합의 법칙

두 사건 $A$, $B$가 동시에 일어나지 않을 때, 사건 $A$가 일어나는 경우의 수를 $m$, 사건 $B$가 일어나는 경우의 수를 $n$이라 하면

➡ (사건 $A$ 또는 사건 $B$가 일어나는 경우의 수)$=m+n$

**예** 한 개의 주사위를 던질 때, 2 이하 또는 4 이상의 눈이 나오는 경우의 수는

(2 이하의 눈이 나온다.) **또는** (4 이상의 눈이 나온다.)

➡ 1, 2의 2 + 4, 5, 6의 3 =5

사건 $A$ **또는 이거나** 사건 $B$인 경우의 수 ➡ $m+n$
경우의 수 $m$          경우의 수 $n$

**05** 다음을 구하시오.

(1) 아래는 방과 후 활동으로 스포츠 강좌가 4개, 어학 강좌가 3개 있을 때, 스포츠 강좌나 어학 강좌 중 한 강좌를 신청하는 경우의 수를 구하는 과정이다. □ 안에 알맞은 수를 써넣으시오.

> 스포츠 강좌 중 하나를 고르는 경우의 수는 □, 어학 강좌 중 하나를 고르는 경우의 수는 □이므로 스포츠 강좌나 어학 강좌 중 한 강좌를 신청하는 경우의 수는 □+□=□

(2) 도서관에 권장도서인 소설책 5권, 시집 2권이 있을 때, 소설책 또는 시집 중 한 권을 빌리는 경우의 수

(3) 어느 분식점에서 김밥 5종류, 라면 3종류를 판매할 때, 김밥 또는 라면 중 한 가지를 주문하는 경우의 수

(4) 집에서 할머니 댁에 가는 버스 노선이 3가지, 지하철 노선이 2가지 있을 때, 버스나 지하철을 이용하여 집에서 할머니 댁까지 가는 경우의 수

**06** 1에서 20까지의 자연수가 각각 하나씩 적힌 20개의 공이 들어 있는 주머니에서 한 개의 공을 꺼낼 때, 다음을 구하시오.

(1) 5 이하이거나 17 이상의 수가 나오는 경우의 수

(2) 소수 또는 4의 배수가 나오는 경우의 수

(3) 아래는 3의 배수 또는 5의 배수가 나오는 경우의 수를 구하는 과정이다. □ 안에 알맞은 수를 써넣으시오.

> 3의 배수가 나오는 경우는
> 3, 6, 9, 12, 15, 18의 □가지
> 5의 배수가 나오는 경우는
> 5, 10, 15, 20의 □가지
> 그런데 15는 두 가지 경우에 모두 포함되므로 구하는 경우의 수는
> □+□−1=□
> └→ 3과 5의 공배수 15가 두 번 세어졌으므로 한 번 빼야 한다.

(4) 4의 배수 또는 6의 배수가 나오는 경우의 수

 **쌤 Tip** 1과 20까지의 자연수 중 4와 6의 공배수가 있는지 확인해봐.

**07** 서로 다른 두 개의 주사위를 동시에 던질 때, 다음을 구하시오.

(1) 두 눈의 수의 합이 4 또는 7인 경우의 수

(2) 두 눈의 수의 차가 3 또는 5인 경우의 수

(3) 두 눈의 수의 차가 0 또는 4인 경우의 수

(4) 두 눈의 수의 합이 4 이하인 경우의 수

## 3. 곱의 법칙

사건 $A$가 일어나는 경우의 수를 $m$, 그 각각에 대하여 사건 $B$가 일어나는 경우의 수를 $n$이라 하면

➡ (사건 $A$와 사건 $B$가 동시에 일어나는 경우의 수)
$= m \times n$

**예** 주스 2종류와 빵 3종류에서 주스와 빵을 각각 하나씩 선택하는 경우의 수는

(주스를 하나 선택한다.) **그리고** (빵을 하나 선택한다.)

➡ 주스 2종류의 2 × 빵 3종류의 3 $= 6$

**동시에**

**사건 $A$** 그리고 **사건 $B$인 경우의 수** ➡ **m × n**
경우의 수 m                경우의 수 n

**~하고 나서**

★ **08** 다음을 구하시오.

(1) 아래는 어느 음식점 메뉴에 식사 5종류와 후식 3종류가 있을 때, 이 중에서 식사와 후식을 각각 한 종류씩 주문하는 경우의 수를 구하는 과정이다. □ 안에 알맞은 수를 써넣으시오.

> 식사 중 하나를 고르는 경우의 수는 □,
> 후식 중 하나를 고르는 경우의 수는 □이므로 식사와 후식을 각각 한 종류씩 주문하는 경우의 수는 □×□=□

(2) 5개의 자음 ㄱ, ㄴ, ㅁ, ㅂ, ㅊ과 4개의 모음 ㅏ, ㅗ, ㅠ, ㅡ 중 하나씩 골라 글자를 만들 때, 만들 수 있는 글자의 수

(3) 지원이와 현준이가 가위바위보를 할 때, 일어나는 모든 경우의 수

(4) 아래 그림과 같이 집에서 서점까지 가는 길이 2가지, 서점에서 학교까지 가는 길이 3가지가 있을 때, 집에서 서점을 거쳐 학교까지 가는 경우의 수

집     서점     학교

**09** 동전 한 개와 주사위 한 개를 동시에 던질 때, 다음을 구하시오.

(1) 일어나는 모든 경우의 수

(2) 동전은 앞면이 나오고, 주사위는 소수의 눈이 나오는 경우의 수

(3) 동전은 뒷면이 나오고, 주사위는 6의 약수의 눈이 나오는 경우의 수

**10** 한 개의 주사위를 두 번 던질 때, 다음을 구하시오.

(1) 일어나는 모든 경우의 수

(2) 두 눈의 수가 모두 홀수인 경우의 수

(3) 첫 번째는 3 이하인 수의 눈이 나오고, 두 번째는 5 이상인 수의 눈이 나오는 경우의 수

(4) 첫 번째는 짝수의 눈이 나오고, 두 번째는 4의 약수의 눈이 나오는 경우의 수

(5) 두 눈의 수의 곱이 홀수인 경우의 수

**01** 서로 다른 두 개의 주사위를 동시에 던질 때, 나오는 두 눈의 수의 합이 8인 경우의 수를 구하시오.

**02** 500원짜리 동전 5개와 100원짜리 동전 20개가 있을 때, 이 동전을 사용하여 2600원을 지불하는 방법의 수를 구하시오.

> 500원짜리 동전을 가장 많이 사용하여 지불하는 방법부터 시작하여 500원짜리 동전의 수를 줄여가며 방법을 나열해 본다.

**03** 1부터 10까지의 자연수가 각각 하나씩 적힌 10장의 카드 중에서 한 장을 뽑을 때, 짝수 또는 소수가 적힌 카드가 나오는 경우의 수를 구하시오.

> 짝수가 적힌 카드를 뽑는 경우와 소수가 적힌 카드를 뽑는 경우 중 두 번 세어진 경우가 있으면 한 번 뺀다.

**04** 다음 그림과 같이 소진이네 집에서 문구점으로 가는 길은 4가지, 문구점에서 학교로 가는 길은 3가지가 있다. 소진이가 집을 출발하여 문구점을 들렀다가 학교로 가는 방법의 수를 구하시오.

집     문구점     학교

**05** 서로 다른 동전 2개와 주사위 1개를 동시에 던질 때, 동전은 서로 다른 면이 나오고 주사위는 4의 약수의 눈이 나오는 경우의 수를 구하시오.

## 1. 한 줄로 세우는 경우의 수

(1) $n$명을 한 줄로 세우는 경우의 수

➡ $n \times (n-1) \times (n-2) \times \cdots \times 2 \times 1$

(2) $n$명 중에서 2명을 뽑아 한 줄로 세우는 경우의 수

➡ $n \times (n-1)$

(3) $n$명 중에서 3명을 뽑아 한 줄로 세우는 경우의 수

➡ $n \times (n-1) \times (n-2)$

### 4명을 한 줄로 세우는 경우의 수

| 첫 번째 | 두 번째 | 세 번째 | 네 번째 |
|---|---|---|---|
| 4명 중 1명을 세우는 경우의 수 | 3명 중 1명을 세우는 경우의 수 | 2명 중 1명을 세우는 경우의 수 | 1명을 세우는 경우의 수 |
| 4 × | 3 × | 2 × | 1 ➡ 24 |

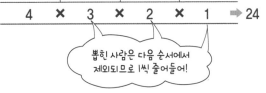
뽑힌 사람은 다음 순서에서 제외되므로 1씩 줄어들어!

**01** 다음을 구하시오.

(1) 3명을 한 줄로 세우는 경우의 수

(2) 서로 다른 4권의 책을 책꽂이에 나란히 꽂는 경우의 수

(3) 5명이 한 줄로 서서 사진을 찍을 때, 서는 경우의 수

**02** 다음을 구하시오.

(1) 4명 중 2명을 뽑아 한 줄로 세우는 경우의 수

(2) 4명 중 3명을 뽑아 한 줄로 세우는 경우의 수

(3) 5명 중 2명을 뽑아 한 줄로 세우는 경우의 수

(4) 5명 중 3명을 뽑아 한 줄로 세우는 경우의 수

**03** A, B, C, D 4명을 한 줄로 세울 때, 다음을 구하시오.

(1) 아래는 A가 맨 앞에 서는 경우의 수를 구하는 과정이다. □ 안에 알맞은 수를 써넣으시오.

| 첫 번째 | 두 번째 | 세 번째 | 네 번째 |
|---|---|---|---|
| A로 고정 | 3명 중 1명을 세우는 경우의 수 | 2명 중 1명을 세우는 경우의 수 | 1명을 세우는 경우의 수 |

➡ □ × □ × □ = □

**쌤 Tip**
A의 자리는 정해졌으므로 A를 제외한 $(4-1)$명을 한 줄로 세우는 경우의 수와 같아.

(2) A가 맨 앞에 서고 B가 맨 뒤에 서는 경우의 수

(3) 아래는 A, B가 양 끝에 서는 경우의 수를 구하는 과정이다. □ 안에 알맞은 수를 써넣으시오.

> 두 번째, 세 번째 자리에 C, D가 한 줄로 서는 경우의 수는 □, 양 끝의 A, B가 서로 자리를 바꾸는 경우의 수는 □이므로 구하는 경우의 수는
> □ × □ = □

**04** 부모님을 포함한 5명의 가족을 한 줄로 세울 때, 다음을 구하시오.

(1) 어머니를 맨 앞에 세우는 경우의 수

(2) 아버지를 맨 앞에, 어머니를 정중앙에 세우는 경우의 수

(3) 부모님을 양 끝에 세우는 경우의 수

## 2. 이웃하여 한 줄로 세우는 경우의 수 up+

❶ 이웃하는 것을 하나로 묶어서 한 줄로 세우는 경우의 수를 구한다.

❷ ❶의 묶음 안에서 자리를 바꾸는 경우의 수를 구한다.

❸ ❶, ❷에서 구한 경우의 수를 곱한다.

### A, B, C, D 4명을 A, B를 이웃하게 한 줄로 세우는 경우의 수

| A, B를 하나로 묶어 3명을 한 줄로 세우는 경우의 수 | × | A, B가 묶음 안에서 자리를 바꾸는 경우의 수 |
|---|---|---|
| 3 × 2 × 1 | × | 2 | ➡ 12 |

**05** A, B, C, D, E 5명의 학생을 한 줄로 세울 때, 다음을 구하시오.

(1) A, B를 이웃하게 세우는 경우의 수

(2) C, D를 이웃하게 세우는 경우의 수

(3) 아래는 A, B, C를 이웃하게 세우는 경우의 수를 구하는 과정이다. □ 안에 알맞은 수를 써넣으시오.

> A, B, C를 하나로 묶어 (A, B, C), D, E를 한 줄로 세우는 경우의 수는
> □ × □ × □ = □
> A, B, C가 자리를 바꾸는 경우의 수는
> □ × □ × □ = □
> 따라서 구하는 경우의 수는 □ × □ = □

(4) C, D, E를 이웃하게 세우는 경우의 수

**06** 서로 다른 소설책 2권과 시집 3권을 책꽂이에 나란히 꽂을 때, 다음을 구하시오.

(1) 소설책끼리 이웃하게 꽂는 경우의 수

(2) 시집끼리 이웃하게 꽂는 경우의 수

## 3. 정수의 개수 - 0을 포함하지 않는 경우

0이 아닌 서로 다른 한 자리 숫자가 각각 하나씩 적힌 $n$장의 카드 중에서

(1) 2장을 뽑아 만들 수 있는 두 자리 자연수의 개수

➡ $n \times (n-1)$
　　　　└ 십의 자리의 숫자를 제외하므로 경우의 수가 1 작아진다.

(2) 3장을 뽑아 만들 수 있는 세 자리 자연수의 개수

➡ $n \times (n-1) \times (n-2)$

### ①②③④ 에서 3장을 뽑아 만들 수 있는 세 자리 자연수의 개수

| 백의 자리 | 십의 자리 | 일의 자리 |
|---|---|---|
| 4장 중 1장을 뽑는 경우의 수 | 3장 중 1장을 뽑는 경우의 수 | 2장 중 1장을 뽑는 경우의 수 |
| 4 | × 3 | × 2 | ➡ 24 |

**07** 1, 2, 3, 4, 5의 숫자가 각각 하나씩 적힌 5장의 카드가 있을 때, 다음을 구하시오.

(1) 2장을 뽑아 만들 수 있는 두 자리 자연수의 개수

(2) 3장을 뽑아 만들 수 있는 세 자리 자연수의 개수

**08** 1부터 6까지의 자연수가 각각 하나씩 적힌 6장의 카드가 있을 때, 다음을 구하시오.

(1) 2장을 뽑아 만들 수 있는 두 자리 자연수의 개수

(2) 3장을 뽑아 만들 수 있는 세 자리 자연수의 개수

**09** 1, 2, 3, 4, 5의 숫자가 각각 하나씩 적힌 5장의 카드 중에서 2장을 뽑아 두 자리 자연수를 만들 때, 다음을 구하시오.

(1) 아래는 홀수의 개수를 구하는 과정이다. □ 안에 알맞은 수를 써넣으시오.

> 홀수가 되려면 일의 자리의 숫자가 1 또는 □ 또는 □이어야 한다.
> (ⅰ) ○1인 경우: 십의 자리에 올 수 있는 숫자는 1을 제외한 □개
> (ⅱ) ○3인 경우: 십의 자리에 올 수 있는 숫자는 3을 제외한 □개
> (ⅲ) ○5인 경우: 십의 자리에 올 수 있는 숫자는 5를 제외한 □개
> (ⅰ), (ⅱ), (ⅲ)에서 홀수의 개수는
> □+□+□=□

(2) 짝수의 개수

(3) 35보다 작은 수의 개수

(4) 40보다 큰 수의 개수

---

### **4.** 정수의 개수 - 0을 포함하는 경우 <sup>up+</sup>

0을 포함한 서로 다른 한 자리 숫자가 각각 하나씩 적힌 $n$장의 카드 중에서

(1) 2장을 뽑아 만들 수 있는 두 자리 자연수의 개수

➡ $(n-1) \times (n-1)$
└→ 맨 앞자리에 0이 올 수 없다.

(2) 3장을 뽑아 만들 수 있는 세 자리 자연수의 개수

➡ $(n-1) \times (n-1) \times (n-2)$

 0 1 2 3 에서 3장을 뽑아 만들 수 있는 세 자리 자연수의 개수

| 백의 자리 | 십의 자리 | 일의 자리 |
|---|---|---|
| 0을 제외한 3장 중 1장을 뽑는 경우의 수 | 3장 중 1장을 뽑는 경우의 수 | 2장 중 1장을 뽑는 경우의 수 |
| 3 × | 3 × | 2 ➡ 18 |

---

**10** 0, 1, 2, 3, 4의 숫자가 각각 하나씩 적힌 5장의 카드가 있을 때, 다음을 구하시오.

(1) 2장을 뽑아 만들 수 있는 두 자리 자연수의 개수

(2) 3장을 뽑아 만들 수 있는 세 자리 자연수의 개수

**11** 0부터 5까지의 정수가 각각 하나씩 적힌 6장의 카드가 있을 때, 다음을 구하시오.

(1) 2장을 뽑아 만들 수 있는 두 자리 자연수의 개수

(2) 3장을 뽑아 만들 수 있는 세 자리 자연수의 개수

**12** 0, 1, 2, 3, 4의 숫자가 각각 하나씩 적힌 5장의 카드 중에서 2장을 뽑아 두 자리 자연수를 만들 때, 다음을 구하시오.

(1) 홀수의 개수

(2) 짝수의 개수

(3) 5의 배수의 개수

🖊 **쌤 Tip**
5의 배수가 되려면 일의 자리의 숫자가 0 또는 5이어야 해.

(4) 30 이상인 수의 개수

**01** 4개의 특강 중 2개를 들으려고 할 때, 듣는 순서를 정하는 경우의 수를 구하시오.

**02** A, B, C, D, E, F 6명을 한 줄로 세울 때, A, F가 양 끝에 서는 경우의 수를 구하시오.

먼저 A, F를 제외한 4명을 한 줄로 세우는 경우를 생각한다.

**03** 6개의 문자 a, b, c, d, e, f를 한 줄로 나열할 때, d, e, f가 이웃하는 경우의 수를 구하시오.

이웃하는 3개의 문자를 하나로 묶어서 생각한다.

**04** 1, 2, 3, 4의 숫자가 각각 하나씩 적힌 4장의 카드에서 3장을 뽑아 세 자리 자연수를 만들 때, 321보다 큰 수의 개수를 구하시오.

**05** 0부터 9까지의 10개의 숫자를 한 번씩만 이용하여 만들 수 있는 두 자리 자연수 중 5의 배수의 개수를 구하시오.

5의 배수가 되려면 일의 자리에 0 또는 5가 와야한다.

# 34강 ···· 대표를 뽑는 경우의 수

정답과 해설 _ p.45

## 1. 자격이 다른 대표를 뽑을 때

(1) $n$명 중에서 자격이 다른 대표 2명을 뽑는 경우의 수

➡ $n \times (n-1)$ ← $n$명 중 2명을 뽑아 한 줄로 세우는 경우의 수와 같다.

(2) $n$명 중에서 자격이 다른 대표 3명을 뽑는 경우의 수

➡ $n \times (n-1) \times (n-2)$ ← $n$명 중 3명을 뽑아 한 줄로 세우는 경우의 수와 같다.

### A, B, C 3명 중 회장 1명과 부회장 1명을 뽑는 경우의 수

| 회장 | 부회장 |
|---|---|
| 3명 중 1명을 뽑는 경우의 수 | 2명 중 1명을 뽑는 경우의 수 |
| 3 | ✕ 2 ➡ 6 |

**01** A, B, C, D 4명의 학생이 있을 때, 다음을 구하시오.

(1) 회장 1명, 부회장 1명을 뽑는 경우의 수

(2) 회장 1명, 부회장 1명, 총무 1명을 뽑는 경우의 수

(3) 회장 1명, 부회장 1명을 뽑을 때, A가 회장으로 뽑히는 경우의 수

**02** 지민이를 포함한 학생 5명이 있을 때, 다음을 구하시오.

(1) 대표 1명, 부대표 1명을 뽑는 경우의 수

(2) 대표 1명, 부대표 1명, 총무 1명을 뽑는 경우의 수

(3) 대표 1명, 부대표 1명, 총무 1명을 뽑을 때, 지민이가 반드시 부대표로 뽑히는 경우의 수

**03** 남학생 3명, 여학생 2명이 있을 때, 다음을 구하시오.

(1) 회장 1명, 부회장 1명을 뽑는 경우의 수

(2) 회장 1명, 부회장 1명, 총무 1명을 뽑는 경우의 수

(3) 회장 1명, 부회장 1명, 총무 1명을 뽑을 때, 회장은 반드시 여학생이 뽑히는 경우의 수

## 2. 자격이 같은 대표를 뽑을 때 up+

(1) $n$명 중에서 자격이 같은 대표 2명을 뽑는 경우의 수

➡ $\dfrac{n \times (n-1)}{2}$ ← 뽑는 순서와 관계가 없으므로 2명이 자리를 바꾸는 경우의 수, 즉 $2 \times 1 = 2$로 나눈다.

(2) $n$명 중에서 자격이 같은 대표 3명을 뽑는 경우의 수

➡ $\dfrac{n \times (n-1) \times (n-2)}{6}$ ← 3명이 자리를 바꾸는 경우의 수, 즉 $3 \times 2 \times 1 = 6$으로 나눈다.

### A, B, C 3명 중 대표 2명을 뽑는 경우의 수

| 대표 | 대표 |
|---|---|
| 3명 중 1명을 뽑는 경우의 수 | 2명 중 1명을 뽑는 경우의 수 |
| $\dfrac{3 \quad ✕ \quad 2}{2}$ | ➡ 3 |

← (A, B), (B, A)를 뽑는 경우는 같은 경우이므로 경우의 수가 반이 된다.

**04** A, B, C, D 4명의 학생이 있을 때, 다음을 구하시오.

(1) 대표 2명을 뽑는 경우의 수

(2) 대표 3명을 뽑는 경우의 수

(3) 대표 3명을 뽑을 때, A가 반드시 뽑히는 경우의 수

**05** 건우를 포함한 학생 5명이 있을 때, 다음을 구하시오.

(1) 대표 2명을 뽑는 경우의 수

(2) 대표 3명을 뽑는 경우의 수

(3) 대표 3명을 뽑을 때, 건우가 반드시 뽑히는 경우의 수

(4) 대표 1명과 부대표 2명을 뽑는 경우의 수

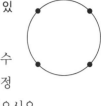

(대표 1명과 부대표 2명을 뽑는 경우의 수)
= (대표 1명을 뽑는 경우의 수)
× (남은 4명 중 부대표 2명을 뽑는 경우의 수)

**06** 남학생 2명, 여학생 3명이 있을 때, 다음을 구하시오.

(1) 대표 2명을 뽑는 경우의 수

(2) 대표 3명을 뽑는 경우의 수

(3) 남학생 대표 1명, 여학생 대표 2명을 뽑는 경우의 수

**07** 오른쪽 그림과 같이 원 위에 4개의 점이 있을 때, 다음을 구하시오.

(1) 아래는 두 점을 연결하여 만들 수 있는 선분의 개수를 구하는 과정이다. □ 안에 알맞은 수를 써넣으시오.

> 4개의 점 중에서 순서에 관계없이 2개의 점을 뽑아 선분을 그으면 되므로
> $\dfrac{\square \times \square}{2} = \square$ (개)

(2) 아래는 세 점을 이어 만들 수 있는 삼각형의 개수를 구하는 과정이다. □ 안에 알맞은 수를 써넣으시오.

> 4개의 점 중에서 순서에 관계없이 3개의 점을 뽑아 삼각형을 만들면 되므로
> $\dfrac{\square \times \square \times \square}{6} = \square$ (개)

원 위의 점을 연결하여 만들 수 있는 선분이나 삼각형의 개수는 자격이 같은 대표를 뽑는 경우의 수와 같아.

**08** 오른쪽 그림과 같이 원 위에 5개의 점이 있을 때, 다음을 구하시오.

(1) 두 점을 연결하여 만들 수 있는 선분의 개수

(2) 세 점을 이어 만들 수 있는 삼각형의 개수

**01** 어느 학교에서 올해 학생 회장 선거에 6명의 후보가 출마하였다. 이 중에서 회장, 부회장, 총무를 각각 1명씩 뽑는 경우의 수를 구하시오.

**02** 미술 동아리의 6명의 학생 중에서 미술 대회에 나갈 대표 2명을 뽑는 경우의 수를 구하시오.

**03** 서로 다른 7권의 책 중에서 3권을 고르는 경우의 수를 구하시오.

**04** 수혁이를 포함한 6명의 학생 중 대표 3명을 뽑을 때, 수혁이가 반드시 뽑히는 경우의 수를 구하시오.

수혁이를 제외한 5명의 학생 중 대표 2명을 뽑는 경우의 수와 같다.

**05** 오른쪽 그림과 같이 원 위에 있는 6개의 점 중에서 두 점을 연결하여 만들 수 있는 선분의 개수를 $a$, 세 점을 이어 만들 수 있는 삼각형의 개수를 $b$라 할 때, $a+b$의 값을 구하시오.

선분의 양 끝 점을 뽑는 경우나 삼각형의 세 꼭짓점을 뽑는 경우 모두 두 점을 뽑는 순서는 관계가 없다.

# 35강 •••• 확률의 뜻과 성질

정답과 해설 _ p.46

## 1. 확률의 뜻

(1) **확률**: 같은 조건에서 실험이나 관찰을 여러 번 반복할 때, 어떤 사건 $A$가 일어나는 상대도수가 일정한 값에 가까워지면 이 일정한 값을 사건 $A$가 일어날 확률이라 한다.

$$(상대도수) = \frac{(그\ 계급의\ 도수)}{(전체\ 도수)}$$

(2) **사건 $A$가 일어날 확률**: 어떤 실험이나 관찰에서 각 경우가 일어날 가능성이 같을 때, 일어나는 모든 경우의 수를 $n$, 사건 $A$가 일어나는 경우의 수를 $a$라 하면 사건 $A$가 일어날 확률 $p$는

➡ $p = \dfrac{(사건\ A가\ 일어나는\ 경우의\ 수)}{(모든\ 경우의\ 수)} = \dfrac{a}{n}$

**한 개의 주사위를 던질 때,**
**3의 배수의 눈이 나올 확률**

3, 6의 2가지 → $\dfrac{2}{6} = \dfrac{1}{3}$
모든 경우의 수 →

---

**01** 모양과 크기가 같은 빨간 공 3개, 파란 공 2개가 들어 있는 주머니에서 한 개의 공을 꺼낼 때, 다음을 구하시오.

(1) 아래는 빨간 공을 꺼낼 확률을 구하는 과정이다. □ 안에 알맞은 수를 써넣으시오.

> 모든 경우의 수는 □,
> 빨간 공을 꺼내는 경우의 수는 □이므로
> 구하는 확률은 □

(2) 파란 공을 꺼낼 확률

**02** 1부터 10까지의 자연수가 각각 하나씩 적힌 10장의 카드 중에서 한 장을 뽑을 때, 다음을 구하시오.

(1) 짝수가 적힌 카드를 뽑을 확률

(2) 3의 배수가 적힌 카드를 뽑을 확률

(3) 8의 약수가 적힌 카드를 뽑을 확률

**03** 서로 다른 동전 두 개를 동시에 던질 때, 다음을 구하시오.

(1) 앞면이 한 개 나올 확률

(2) 모두 뒷면이 나올 확률

(3) 앞면이 한 개 이상 나올 확률

(4) 서로 같은 면이 나올 확률

**04** A, B, C, D, E 5명을 한 줄로 세울 때, 다음을 구하시오.

(1) A가 맨 앞에 설 확률

🔖 쌤 Tip
$(A가\ 맨\ 앞에\ 설\ 확률) = \dfrac{(A가\ 맨\ 앞에\ 서는\ 경우의\ 수)}{(5명이\ 한\ 줄로\ 서는\ 경우의\ 수)}$

(2) A, B가 양 끝에 설 확률

(3) C, D가 이웃하게 설 확률

**05** 1, 2, 3, 4, 5의 숫자가 각각 하나씩 적힌 5장의 카드 중에서 2 장을 뽑아 두 자리 자연수를 만들 때, 다음을 구하시오.

(1) 두 자리 자연수가 홀수일 확률

(2) 두 자리 자연수가 40 이상일 확률

**06** 0, 1, 2, 3, 4, 5의 숫자가 각각 하나씩 적힌 6장의 카드 중에서 2장을 뽑아 두 자리 자연수를 만들 때, 다음을 구하시오.

(1) 두 자리 자연수가 짝수일 확률

(2) 두 자리 자연수가 5의 배수일 확률

**07** 다음을 구하시오.

(1) 4명의 학생 A, B, C, D 중에서 회장 1명, 부회장 1명을 뽑을 때, A가 회장으로 뽑힐 확률

(2) 우주를 포함한 학생 5명 중에서 대표 3명을 뽑을 때, 우주가 대표로 뽑힐 확률

## 2. 확률의 성질

(1) 어떤 사건이 일어날 확률을 $p$라 하면 $0 \leq p \leq 1$이다.

(2) 반드시 일어나는 사건의 확률은 1이다.

(3) 절대로 일어나지 않는 사건의 확률은 0이다.

**예** 한 개의 주사위를 던질 때
  6 이하의 눈의 수가 나올 확률 ➡ 1
  7 이상의 눈이 나올 확률 ➡ 0

$$0 \leq (확률) \leq 1$$

절대로 일어나지 ┘       └ 반드시 일어나는
않는 사건의 확률          사건의 확률

**08** 오른쪽 그림과 같이 모양과 크기가 같은 빨간 공 2개, 파란 공 3개가 들어 있는 주머니에서 한 개의 공을 꺼낼 때, 다음을 구하시오.

(1) 빨간 공이 나올 확률

(2) 노란 공이 나올 확률

(3) 공이 나올 확률

**09** 1부터 10까지의 자연수가 각각 하나씩 적힌 10장의 카드 중에서 한 장을 뽑을 때, 다음을 구하시오.

(1) 카드에 적힌 수가 짝수일 확률

(2) 카드에 적힌 수가 20 이상일 확률

(3) 카드에 적힌 수가 10 이하인 자연수일 확률

## **3.** 어떤 사건이 일어나지 않을 확률

사건 $A$가 일어날 확률을 $p$라 하면

$$(\text{사건 } A \text{가 일어나지 않을 확률}) = 1 - p$$

**예** 한 개의 주사위를 던질 때 1의 눈이 나오지 않을 확률

➡ $1 - \dfrac{1}{6} = \dfrac{5}{6}$
　　↳ 1의 눈이 나올 확률

**참고** '~하지 않을 확률', '~가 아닐 확률', '적어도 ~일 확률' 등의 표현이 있는 문제는 사건이 일어나지 않을 확률을 이용하여 푼다.

### (사건 $A$가 일어나지 않을 확률) =1−(사건 $A$가 일어날 확률)

↳ 사건 $A$가 일어날 확률과 일어나지 않을 확률의 합은 항상 1이다.

---

**10**  다음을 구하시오.

(1) 수민이가 어느 문제를 맞힐 확률이 $\dfrac{1}{3}$일 때, 맞히지 못할 확률

**쌤 Tip**
(문제를 맞히지 못할 확률)＝1−(문제를 맞힐 확률)

(2) 어느 기차역에서 기차가 제시간에 출발할 확률이 $\dfrac{4}{5}$일 때, 제시간에 출발하지 않을 확률

(3) 명중률이 $\dfrac{7}{10}$인 선수가 활을 쏠 때, 명중하지 못할 확률

(4) 어느 축구팀이 경기에서 이길 확률이 $\dfrac{3}{8}$일 때, 경기에서 질 확률 (단, 비기는 경우는 없다.)

**11**  서로 다른 두 개의 주사위를 동시에 던질 때, 다음을 구하시오.

(1) 나오는 두 눈의 수의 합이 5가 아닐 확률

---

(2) 두 눈의 수의 합이 3 이상일 확률

**쌤 Tip**
두 눈의 수의 합이 3 이상이 아닐 확률을 구하는 것이 더 간단하므로
(합이 3 이상일 확률)＝1−(합이 3 미만일 확률)을 이용해.

(3) 나오는 두 눈의 수가 서로 다를 확률

**12** 서로 다른 두 개의 동전을 동시에 던질 때, 다음을 구하시오.

(1) 두 개 모두 앞면이 나올 확률

(2) 적어도 하나는 뒷면이 나올 확률

**쌤 Tip**
(적어도 하나는 뒷면이 나온다.)＝(뒷면이 한 개 이상 나온다.)
이므로
(적어도 하나는 뒷면이 나올 확률)＝1−(모두 앞면이 나올 확률)
로 구해.

**13** 다음을 구하시오.

(1) 남학생 3명, 여학생 4명 중에서 대표 2명을 뽑을 때, 적어도 1명은 남학생이 뽑힐 확률

(2) 서로 다른 두 개의 주사위를 동시에 던질 때, 적어도 하나는 짝수의 눈이 나올 확률

(3) 빨간 공 4개, 파란 공 3개가 들어 있는 주머니에서 2개의 공을 동시에 꺼낼 때, 적어도 하나는 빨간 공일 확률

(4) 2개의 ○, × 문제에 임의로 답을 쓸 때, 적어도 한 문제는 맞힐 확률

**01** 서로 다른 두 개의 주사위를 동시에 던질 때, 나오는 두 눈의 수의 합이 5일 확률을 구하시오.

$$\frac{(두 눈의 수의 합이 5일 확률)}{}$$
$$=\frac{(두 눈의 수의 합이 5인 경우의 수)}{(모든 경우의 수)}$$

**02** 5개의 문자 S, M, I, L, E를 일렬로 나열할 때, 모음끼리 이웃하게 나열할 확률을 구하시오.

**03** 어떤 사건 $A$가 일어날 확률을 $p$, 일어나지 않을 확률을 $q$라고 할 때, 다음 중 항상 옳은 것을 모두 고르면? (정답 2개)

① $0<p<1$
② $p=1-q$
③ $p=1$이면 $q=0$이다.
④ $q=1$이면 사건 $A$는 반드시 일어난다.
⑤ 사건 $A$가 반드시 일어나는 사건이면 $p=0$이다.

**04** 1부터 20까지의 자연수가 각각 하나씩 적힌 20장의 카드 중에서 한 장을 임의로 뽑을 때, 5의 배수가 아닌 카드가 나올 확률을 구하시오.

**05** 서로 다른 3개의 동전을 동시에 던질 때, 적어도 하나는 앞면이 나올 확률을 구하시오.

$$(적어도 하나는 앞면이 나올 확률)$$
$$=1-(모두 뒷면이 나올 확률)$$

# 36강 ••• 확률의 계산

## 1. 확률의 덧셈

동일한 실험이나 관찰에서 두 사건 $A$, $B$가 동시에 일어나지 않을 때, 사건 $A$가 일어날 확률을 $p$, 사건 $B$가 일어날 확률을 $q$라 하면

➡ (사건 $A$ 또는 사건 $B$가 일어날 확률)$= p + q$

예 한 개의 주사위를 던질 때, 2의 배수의 눈이 나오거나 5의 약수의 눈이 나올 확률은

(2의 배수의 눈이 나올 확률)$+$(5의 약수의 눈이 나올 확률)

$= \dfrac{3}{6} + \dfrac{2}{6} = \dfrac{5}{6}$

사건 $A$   또는 이거나   사건 $B$일 확률 ➡ $p + q$
확률 $p$           확률 $q$

---

**01** 오른쪽 그림과 같이 모양과 크기가 같은 빨간 공 4개, 파란 공 3개, 노란 공 2개가 들어 있는 주머니에서 한 개를 꺼낼 때, 다음을 구하시오.

(1) 빨간 공이 나올 확률

(2) 파란 공이 나올 확률

(3) 노란 공이 나올 확률

(4) 빨간 공 또는 파란 공이 나올 확률

샘 Tip
(빨간 공 또는 파란 공이 나올 확률)
$=$(빨간 공이 나올 확률)$+$(파란 공이 나올 확률)

(5) 파란 공 또는 노란 공이 나올 확률

---

**02** 1부터 12까지의 자연수가 각각 하나씩 적힌 12개의 공이 들어 있는 주머니에서 한 개를 꺼낼 때, 다음을 구하시오.

(1) 3의 배수가 적힌 공이 나올 확률

(2) 5의 배수가 적힌 공이 나올 확률

(3) 3의 배수 또는 5의 배수가 적힌 공이 나올 확률

---

**03** 서로 다른 두 개의 주사위를 동시에 던질 때, 다음을 구하시오.

(1) 두 눈의 수의 합이 4일 확률

(2) 두 눈의 수의 합이 8일 확률

(3) 두 눈의 수의 합이 4 또는 8일 확률

---

 **04** 다음을 구하시오.

(1) 사물함 속에 수학 공책 3권, 국어 공책 2권, 과학 공책 1권이 있다. 이 중에서 한 권을 꺼낼 때, 수학 공책 또는 과학 공책이 나올 확률

(2) A, B, C, D 4개의 문자를 한 줄로 나열할 때, A 또는 B가 맨 앞에 올 확률

(3) 아래 표는 지우네 반 학생 25명이 가입한 동아리를 조사하여 나타낸 것이다. 지우네 반 학생 중 한 명을 뽑을 때, 그 학생이 논술반 또는 줄넘기반일 확률

| 동아리(반) | 논술 | 미술 | 수영 | 줄넘기 |
|---|---|---|---|---|
| 학생 수(명) | 4 | 7 | 5 | 9 |

### 2. 확률의 곱셈 <sup>up+</sup>

두 사건 $A$, $B$가 서로 영향을 주지 않을 때, 사건 $A$가 일어날 확률을 $p$, 사건 $B$가 일어날 확률을 $q$라 하면

➡ (사건 $A$와 사건 $B$가 동시에 일어날 확률)$= p \times q$

**예** 한 개의 주사위를 두 번 던질 때, 첫 번째에는 2의 배수의 눈이 나오고 두 번째에는 5의 약수의 눈이 나올 확률은

(2의 배수의 눈이 나올 확률) $\times$ (5의 약수의 눈이 나올 확률)
$= \dfrac{3}{6} \times \dfrac{2}{6} = \dfrac{1}{6}$

동시에
사건 $A$ 그리고 사건 $B$일 확률 ➡ $p \times q$
확률 $p$   ~하고 나서   확률 $q$

**05** 오른쪽 그림과 같이 A 주머니에는 흰 공 2개, 검은 공 3개가 들어 있고, B 주머니에는 흰 공 3개, 검은 공 1개가 들어 있다. A 주머니와 B 주머니에서 공을 각각 한 개씩 꺼낼 때, 다음을 구하시오.

A       B

(1) A 주머니에서 흰 공이 나올 확률

(2) B 주머니에서 흰 공이 나올 확률

(3) 두 주머니에서 모두 흰 공이 나올 확률

**06** 동전 한 개와 주사위 한 개를 동시에 던질 때, 다음을 구하시오.

(1) 동전은 앞면이 나올 확률

(2) 주사위에서 6의 약수의 눈이 나올 확률

(3) 동전은 앞면이 나오고 주사위에서 6의 약수의 눈이 나올 확률

**쌤 Tip**
(동전은 앞면이 나오고 주사위에서 6의 약수의 눈이 나올 확률)
= (동전은 앞면이 나올 확률)
  × (주사위에서 6의 약수의 눈이 나올 확률)

**07** 한 개의 주사위를 두 번 던질 때, 다음을 구하시오.

(1) 첫 번째에는 4의 약수의 눈이 나올 확률

(2) 두 번째에는 3의 배수의 눈이 나올 확률

(3) 첫 번째에는 4의 약수의 눈이 나오고 두 번째에는 3의 배수의 눈이 나올 확률

**08** 자유투 성공 확률이 $\dfrac{3}{4}$인 어느 농구 선수가 있다. 다음을 구하시오.

(1) 자유투를 두 번 던질 때, 두 번 모두 성공할 확률

(2) 자유투를 두 번 던질 때, 두 번 모두 실패할 확률

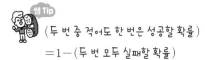
(실패할 확률)＝1－(성공할 확률)

(3) 자유투를 두 번 던질 때, 적어도 한 번은 성공할 확률

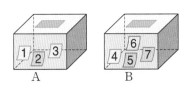
(두 번 중 적어도 한 번은 성공할 확률)
＝1－(두 번 모두 실패할 확률)

**09** 아래 그림과 같이 A 상자에는 1, 2, 3이 각각 하나씩 적힌 카드 3장이 들어 있고, B 상자에는 4, 5, 6, 7이 각각 하나씩 적힌 카드 4장이 들어 있다. 다음을 구하시오.

(1) A, B 두 상자에서 카드를 각각 하나씩 뽑을 때, 카드에 적힌 두 수 모두 소수일 확률

(2) A, B 두 상자에서 카드를 각각 하나씩 뽑을 때, 카드에 적힌 두 수의 곱이 홀수일 확률

(3) A, B 두 상자에서 카드를 각각 하나씩 뽑을 때, 카드에 적힌 두 수의 곱이 짝수일 확률

**10** 준수를 포함한 4명의 남학생과 수진이를 포함한 5명의 여학생이 있다. 다음을 구하시오.

(1) 남학생 대표 1명과 여학생 대표 1명을 뽑을 때, 준수와 수진이가 각각 대표로 뽑힐 확률

(2) 남학생 대표 1명과 여학생 대표 1명을 뽑을 때, 준수와 수진이가 모두 뽑히지 않을 확률

(3) 남학생 대표 1명과 여학생 대표 1명을 뽑을 때, 준수와 수진이 중 적어도 한 명이 대표로 뽑힐 확률

**11** 다음을 구하시오.

(1) 명중률이 각각 $\dfrac{3}{4}$, $\dfrac{5}{6}$인 두 사격 선수가 총을 한 번씩 쏠 때, 적어도 한 명은 명중할 확률

(2) 오늘 비가 올 확률이 $\dfrac{2}{5}$, 내일 비가 올 확률이 $\dfrac{1}{4}$일 때, 오늘과 내일 중 적어도 하루는 비가 올 확률

(3) 혜빈이와 주호가 학교에 지각할 확률이 각각 $\dfrac{1}{10}$, $\dfrac{2}{9}$일 때, 두 사람 중 적어도 한 명은 지각할 확률

**01** 서로 다른 두 개의 주사위를 동시에 던질 때, 나오는 눈의 수의 차가 2 또는 5가 될 확률을 구하시오.

**02** 1, 2, 3, 4의 숫자가 각각 하나씩 적힌 4장의 카드에서 2장을 뽑아 두 자리 자연수를 만들 때, 그 수가 7의 배수 또는 8의 배수일 확률을 구하시오.

4장의 카드로 7의 배수와 8의 배수를 각각 만들어 확률을 각각 구해본다.

**03** 오른쪽 그림과 같이 5등분된 원판을 두 번 돌렸을 때, 첫 번째 나온 수는 홀수이고, 두 번째 나온 수는 2의 배수일 확률을 구하시오. (단, 바늘은 경계선에서 멈추지 않는다.)

**04** A, B 두 사람이 약속 장소에 나올 확률이 각각 $\frac{1}{3}$, $\frac{3}{5}$일 때, 두 사람이 만나지 못할 확률을 구하시오.

두 사람 모두 약속 장소에 나와야만 두 사람은 만날 수 있다.

**05** 두 양궁 선수 A, B가 과녁판의 10점을 맞힐 확률은 각각 $\frac{7}{10}$, $\frac{3}{5}$이라 할 때, 두 선수 A, B 중 적어도 한 명은 10점을 맞힐 확률을 구하시오.

(적어도 한 명은 10점을 맞힐 확률)
=1-(둘 다 10점을 맞히지 못할 확률)

# 37강 ··· 연속하여 뽑는 경우의 확률

## 1. 꺼낸 것을 다시 넣고 연속하여 뽑는 경우의 확률

처음에 뽑은 것을 나중에 다시 뽑을 수 있으므로 처음과 나중의 조건이 같다.

**(처음에 사건 A가 일어날 확률)**
**= (나중에 사건 A가 일어날 확률)**

**01** 오른쪽 그림과 같이 흰 공 3개와 검은 공 2개가 들어 있는 주머니에서 연속하여 1개씩 두 번 공을 꺼낼 때, 다음을 구하시오.
(단, 꺼낸 공은 다시 넣는다.)

(1) 아래는 두 번 모두 흰 공이 나올 확률을 구하는 과정이다. □ 안에 알맞은 수를 써넣으시오.

처음 꺼낸 공이 흰 공일 확률은 $\dfrac{\Box}{3+2}=\Box$

두 번째 꺼낸 공이 흰 공일 확률은

$\dfrac{\Box}{3+2}=\Box$ ── 처음에 꺼낸 공을 다시 넣었으므로 처음 공을 꺼낼 때와 조건이 같다.

따라서 두 번 모두 흰 공이 나올 확률은

$\Box \times \Box = \Box$

(2) 두 번 모두 검은 공이 나올 확률

(3) 첫 번째에는 흰 공, 두 번째에는 검은 공이 나올 확률

(4) 적어도 한 번은 흰 공이 나올 확률

**02** 상자 안에 1부터 10까지의 숫자가 각각 하나씩 적힌 10장의 카드가 들어 있다. 이 상자에서 연속하여 1개씩 두 번 카드를 꺼낼 때, 다음을 구하시오. (단, 꺼낸 카드는 다시 넣는다.)

(1) 두 번 모두 소수가 적힌 카드를 꺼낼 확률

(2) 두 번 모두 4의 배수가 적힌 카드를 꺼낼 확률

(3) 첫 번째는 소수, 두 번째는 4의 배수가 적힌 카드를 꺼낼 확률

(4) 적어도 하나는 소수가 적힌 카드를 꺼낼 확률

**03** 주머니 속에 3개의 당첨 제비를 포함하여 10개의 제비가 들어 있다. 이 주머니에서 A와 B가 차례로 1개씩 제비를 뽑을 때, 다음을 구하시오. (단, 뽑은 제비는 다시 넣는다.)

(1) A, B 모두 당첨 제비를 뽑을 확률

(2) A, B 모두 당첨 제비를 뽑지 못할 확률

(3) A만 당첨 제비를 뽑을 확률

(4) A, B 중 적어도 한 명은 당첨 제비를 뽑을 확률

정답과 해설 _ p.50

## 2. 꺼낸 것을 다시 넣지 않고 연속하여 뽑는 경우의 확률 UP⁺

처음에 뽑은 것을 나중에 다시 뽑을 수 없으므로 처음과 나중의 조건이 다르다.

> **참고** 처음에 뽑은 것을 고려하여 나중에 뽑을 때의 전체 개수와 사건의 경우의 수를 조정한다.

### (처음에 사건 A가 일어날 확률) ≠ (나중에 사건 A가 일어날 확률)

**04** 오른쪽 그림과 같이 흰 공 3개와 검은 공 2개가 들어 있는 주머니에서 연속하여 1개씩 두 번 공을 꺼낼 때, 다음을 구하시오.
(단, 꺼낸 공은 다시 넣지 않는다.)

(1) 아래는 두 번 모두 흰 공이 나올 확률을 구하는 과정이다. □ 안에 알맞은 수를 써넣으시오.

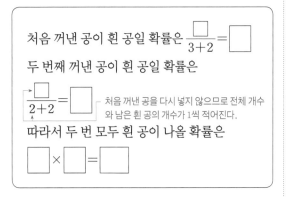

처음 꺼낸 공이 흰 공일 확률은 $\dfrac{\square}{3+2} = \square$

두 번째 꺼낸 공이 흰 공일 확률은

$\dfrac{\square}{2+2} = \square$ ← 처음 꺼낸 공을 다시 넣지 않으므로 전체 개수와 남은 흰 공의 개수가 1씩 적어진다.

따라서 두 번 모두 흰 공이 나올 확률은

$\square \times \square = \square$

(2) 두 공 모두 검은 공이 나올 확률

(3) 첫 번째에는 흰 공, 두 번째에는 검은 공이 나올 확률

(4) 적어도 하나는 흰 공이 나올 확률

(5) 두 번째에 흰 공이 나올 확률

 **쌤 Tip**
( 두 번째에 흰 공이 나올 확률 )
＝( 흰 공, 흰 공이 나올 확률 )＋( 검은 공, 흰 공이 나올 확률 )

**05** 상자 안에 1부터 10까지의 숫자가 각각 하나씩 적힌 10장의 카드가 들어 있다. 이 상자에서 연속하여 1개씩 두 번 카드를 꺼낼 때, 다음을 구하시오. (단, 꺼낸 카드는 다시 넣지 않는다.)

(1) 두 번 모두 소수가 적힌 카드를 꺼낼 확률

(2) 두 번 모두 4의 배수가 적힌 카드를 꺼낼 확률

(3) 첫 번째는 소수, 두 번째는 4의 배수가 적힌 카드를 꺼낼 확률

(4) 적어도 하나는 소수가 적힌 카드를 꺼낼 확률

**06** 주머니 속에 3개의 당첨 제비를 포함하여 10개의 제비가 들어 있다. 이 주머니에서 A와 B가 차례로 1개씩 제비를 뽑을 때, 다음을 구하시오. (단, 뽑은 제비는 다시 넣지 않는다.)

(1) A, B 모두 당첨 제비를 뽑을 확률

(2) A, B 모두 당첨 제비를 뽑지 못할 확률

(3) A만 당첨 제비를 뽑을 확률

(4) A, B 중 적어도 한 명은 당첨 제비를 뽑을 확률

(5) B가 당첨 제비를 뽑을 확률

**01** 오른쪽 그림과 같이 빨간 공 2개와 파란 공 4개가 들어 있는 주머니에서 한 개의 공을 꺼내어 확인하고 다시 넣은 후 한 개의 공을 또 꺼낼 때, 두 개 모두 파란 공일 확률을 구하시오.

처음 꺼낸 공을 다시 넣으므로 두 번째 꺼낼 때 처음과 조건이 변하지 않는다.

**02** 1부터 9까지의 자연수가 각각 하나씩 적힌 9장의 카드가 들어 있는 상자에서 한 장을 꺼내어 수를 확인하고 다시 넣은 후 한 장의 카드를 또 꺼낼 때, 첫 번째에는 홀수, 두 번째에는 6의 약수가 적힌 카드가 나올 확률을 구하시오.

**03** 당첨 제비 4개를 포함한 12개의 제비 중에서 정준이와 지효가 차례로 1개씩 제비를 뽑을 때, 지효만 당첨 제비를 뽑을 확률을 구하시오. (단, 꺼낸 제비는 다시 넣지 않는다.)

(지효만 당첨 제비를 뽑을 확률)
=(정준이가 당첨 제비를 뽑지 못할 확률)×(지효가 당첨 제비를 뽑을 확률)

**04** 10개의 제품 중 2개의 불량품이 들어 있는 어느 상자에서 다윤이와 강우가 차례로 1개씩 제품을 꺼낼 때, 다윤이 것만 불량품일 확률을 구하시오. (단, 꺼낸 제품은 다시 넣지 않는다.)

**01** 서로 다른 두 개의 주사위를 동시에 던질 때, 다음을 구하시오.

(1) 두 눈의 수의 합이 7인 경우의 수

(2) 두 눈의 수의 차가 3인 경우의 수

(3) 두 눈의 수의 곱이 6인 경우의 수

(4) 두 눈의 수의 곱이 20 이상인 경우의 수

**02** 1부터 20까지의 자연수가 각각 하나씩 적힌 20장의 카드 중에서 한 장의 카드를 꺼낼 때, 다음을 구하시오.

(1) 5의 배수 또는 7의 배수가 나오는 경우의 수

(2) 6의 배수 또는 20의 약수가 나오는 경우의 수

(3) 4의 배수 또는 5의 배수가 나오는 경우의 수

(4) 짝수이거나 9의 배수가 나오는 경우의 수

**03** 한 개의 주사위를 두 번 던질 때, 다음을 구하시오.

(1) 두 눈의 수가 모두 짝수인 경우의 수

(2) 첫 번째는 소수의 눈이 나오고, 두 번째는 6의 약수의 눈이 나오는 경우의 수

(3) 첫 번째는 홀수의 눈이 나오고, 두 번째는 3의 배수의 눈이 나오는 경우의 수

**04** 가현, 미영, 상진, 기진, 다솜 5명을 한 줄로 세울 때, 다음을 구하시오.

(1) 5명을 한 줄로 세우는 경우의 수

(2) 가현이를 맨 뒤에 세우는 경우의 수

(3) 다솜이와 상진이를 양 끝에 세우는 경우의 수

(4) 미영이와 기진이를 이웃하게 세우는 경우의 수

(5) 상진이와 기진이가 이웃하고 기진이가 상진이의 뒤에 서는 경우의 수

정답과 해설 _ p.51

**05** 0, 1, 2, 3, 4, 5의 숫자가 각각 하나씩 적힌 6장의 카드 중에서 3장을 뽑아 세 자리 자연수를 만들 때, 다음을 구하시오.

(1) 모든 경우의 수

(2) 짝수인 경우의 수

(3) 5의 배수인 경우의 수

(4) 200 이하이거나 400 이상인 경우의 수

**06** 주현, 태호, 서윤, 예나, 준희 5명이 있을 때, 다음을 구하시오.

(1) 회장 1명, 부회장 1명, 총무 1명을 뽑는 경우의 수

(2) 회장 1명, 부회장 1명, 총무 1명을 뽑을 때, 주현이가 회장으로 뽑히는 경우의 수

(3) 대표 3명을 뽑는 경우의 수

(4) 대표 3명을 뽑을 때, 예나가 반드시 뽑히는 경우의 수

**07** 1부터 15까지의 자연수가 각각 하나씩 적힌 15장의 카드 중에서 한 장을 뽑을 때, 다음을 구하시오.

(1) 홀수가 적힌 카드를 뽑을 확률

(2) 4의 배수가 적힌 카드를 뽑을 확률

(3) 12의 약수가 적힌 카드를 뽑을 확률

**08** 남학생 2명, 여학생 3명을 한 줄로 세울 때, 다음을 구하시오.

(1) 남학생 2명이 양 끝에 설 확률

(2) 여학생끼리 이웃하게 설 확률

**09** 서로 다른 두 개의 주사위를 동시에 던질 때, 다음을 구하시오.

(1) 두 눈의 수의 합이 2 미만일 확률

(2) 두 눈의 수의 차가 6 이상일 확률

(3) 두 눈의 수의 합이 12 이하일 확률

(4) 두 눈의 수의 곱이 36 이하일 확률

38강 _ 중단원 연산 마무리  141

**10** 다음을 구하시오.

(1) 1부터 20까지의 자연수가 각각 하나씩 적힌 20장의 카드 중 한 장을 뽑을 때, 5의 배수가 나오지 않을 확률

(2) A, B, C, D 4명의 학생 중 대표 2명을 뽑을 때, A가 뽑히지 않을 확률

(3) 3개의 ○, × 문제에 임의로 답할 때, 적어도 한 문제는 맞힐 확률

(4) 서로 다른 두 개의 주사위를 동시에 던질 때, 적어도 한 개는 3의 배수의 눈이 나올 확률

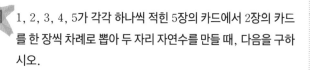
(사건 $A$가 일어나지 않을 확률)=1-(사건 $A$가 일어날 확률)
(적어도 하나는 ~일 확률)=1-(모두 ~가 아닐 확률)

 **11** 1, 2, 3, 4, 5가 각각 하나씩 적힌 5장의 카드에서 2장의 카드를 한 장씩 차례로 뽑아 두 자리 자연수를 만들 때, 다음을 구하시오.

(1) 두 자리 자연수가 4의 배수 또는 5의 배수일 확률

(2) 20보다 작거나 35보다 클 확률

**12** 오른쪽 그림과 같이 각 면에 1부터 8까지의 자연수가 각각 하나씩 적힌 정팔면체 모양의 주사위를 두 번 던질 때, 다음을 구하시오.

(1) 첫 번째 나온 눈의 수가 홀수이고, 두 번째 나온 눈의 수가 4의 약수일 확률

(2) 두 눈의 수의 곱이 짝수일 확률

**13** 아래 그림과 같이 A 주머니에는 모양과 크기가 같은 빨간 공 4개, 파란 공 3개가 들어 있고, B 주머니에는 모양과 크기가 같은 빨간 공 2개, 파란 공 5개가 들어 있다. A, B 두 주머니에서 각각 공을 한 개씩 꺼낼 때, 다음을 구하시오.

A      B

(1) 같은 색의 공을 꺼낼 확률

(2) 다른 색의 공을 꺼낼 확률

(3) 적어도 한 개는 빨간 공일 확률

(4) 적어도 한 개는 파란 공일 확률

**14** 5장의 당첨권을 포함하여 20장의 응모권이 들어 있는 상자에서 도윤이와 지수가 차례로 1장씩 뽑을 때, 다음을 구하시오. (단, 뽑은 응모권은 다시 넣는다.)

(1) 도윤이와 지수가 모두 당첨권을 뽑을 확률

(2) 도윤이와 지수 모두 당첨권을 뽑지 못할 확률

(3) 둘 중 적어도 한 명은 당첨권을 뽑을 확률

(4) 도윤이만 당첨권을 뽑을 확률

**15** 주머니에 사과 맛 사탕이 7개, 포도 맛 사탕이 5개, 오렌지 맛 사탕이 3개가 들어 있다. 2개의 사탕을 연속하여 꺼낼 때, 다음을 구하시오. (단, 꺼낸 사탕은 다시 넣지 않는다.)

(1) 두 개 모두 사과 맛 사탕이 나올 확률

(2) 두 개 모두 포도 맛 사탕이 나오지 않을 확률

(3) 첫 번째에 포도 맛 사탕이 나오고, 두 번째에 오렌지 맛 사탕이 나올 확률

(4) 적어도 하나는 오렌지 맛 사탕이 나올 확률

**16** 50원짜리 동전 4개, 100원짜리 동전 10개, 500원짜리 동전 2개를 사용하여 1200원을 지불하는 방법의 수를 구하시오.

**17** 오른쪽 그림과 같이 원 위에 7개의 점이 있다. 두 점을 이어 만들 수 있는 선분의 개수를 $a$, 세 점을 이어 만들 수 있는 삼각형의 개수를 $b$라 할 때, $a+b$의 값을 구하시오.

**18** 어떤 문제를 민성이가 맞힐 확률은 $\frac{1}{2}$, 하연이가 맞힐 확률은 $\frac{3}{5}$이라 할 때, 민성이와 하연이 중 한 명만 이 문제를 맞힐 확률을 구하시오.

**19** 모양과 크기가 같은 흰 구슬 10개와 검은 구슬 5개가 들어 있는 주머니에서 한 개의 구슬을 꺼내 색을 확인한 후 다시 넣고, 처음 꺼낸 구슬과 같은 색의 구슬을 한 개 더 넣은 다음 다시 한 개의 구슬을 꺼낼 때, 두 번째 꺼낸 구슬이 흰 구슬일 확률을 구하시오.

나만의 비법 노트

힘수 연산으로 **수학** 기초 체력 UP!

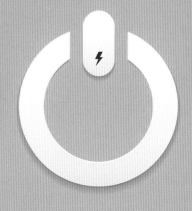

힘이 붙는 **수학** 연산

# 정답과 해설

## 중등 2-2

금성출판사

## 푸르넷 에듀 소개

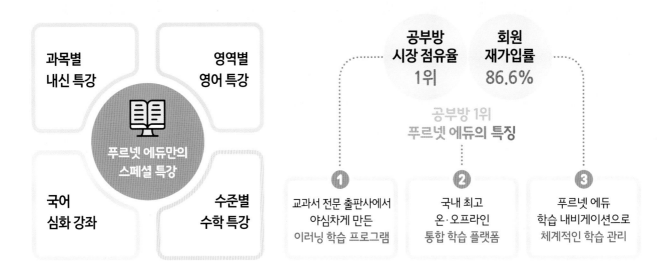

과목별
내신 특강

영역별
영어 특강

푸르넷 에듀만의
스페셜 특강

국어
심화 강좌

수준별
수학 특강

공부방
시장 점유율
1위

회원
재가입률
86.6%

공부방 1위
푸르넷 에듀의 특징

**1** 교과서 전문 출판사에서
야심차게 만든
이러닝 학습 프로그램

**2** 국내 최고
온·오프라인
통합 학습 플랫폼

**3** 푸르넷 에듀
학습 내비게이션으로
체계적인 학습 관리

## 푸르넷 에듀 상품

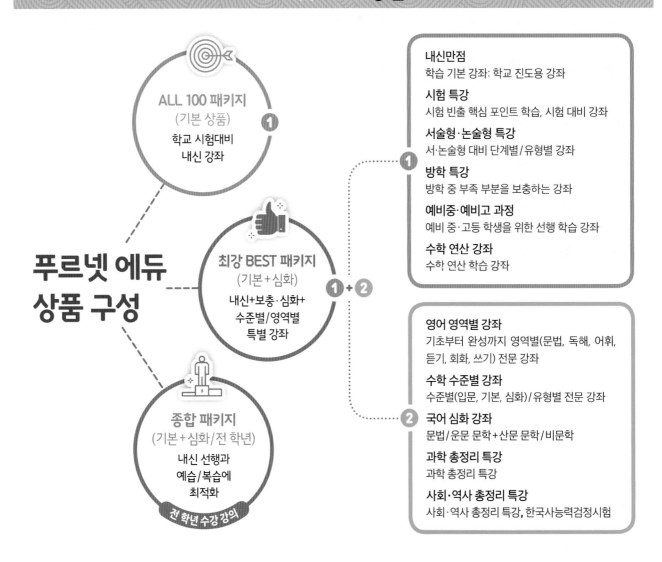

**푸르넷 에듀
상품 구성**

**ALL 100 패키지**
(기본 상품)
**1**
학교 시험대비
내신 강좌

**최강 BEST 패키지**
(기본+심화)
**1** + **2**
내신+보충·심화+
수준별/영역별
특별 강좌

**종합 패키지**
(기본+심화/전 학년)
내신 선행과
예습/복습에
최적화
전 학년 수강 강의

**1**

**내신만점**
학습 기본 강좌: 학교 진도용 강좌

**시험 특강**
시험 빈출 핵심 포인트 학습, 시험 대비 강좌

**서술형·논술형 특강**
서·논술형 대비 단계별/유형별 강좌

**방학 특강**
방학 중 부족 부분을 보충하는 강좌

**예비중·예비고 과정**
예비 중·고등 학생을 위한 선행 학습 강좌

**수학 연산 강좌**
수학 연산 학습 강좌

**2**

**영어 영역별 강좌**
기초부터 완성까지 영역별(문법, 독해, 어휘,
듣기, 회화, 쓰기) 전문 강좌

**수학 수준별 강좌**
수준별(입문, 기본, 심화)/유형별 전문 강좌

**국어 심화 강좌**
문법/운문 문학+산문 문학/비문학

**과학 총정리 특강**
과학 총정리 특강

**사회·역사 총정리 특강**
사회·역사 총정리 특강, 한국사능력검정시험

정답과
해설

중등 **2-2**

# 정답과 해설

## IV 삼각형과 사각형의 성질

**1.** ㄴ, ㄷ

**2.** △ABC≡△IGH (ASA 합동)

**3.** (1) 25° (2) 150°

**4.** (1) 평행사변형 (2) 직사각형 (3) 마름모 (4) 정사각형

**5.** ∠$x$=85°, ∠$y$=60°

**6.** 70°

**01** (1) 108, 8, 36 (2) 54, 5, 63

**02** (1) 5 (2) 7 (3) 6

**03** CAD, $\overline{AD}$, SAS, B

**04** (1) 55° (2) 100° (3) 115°

**05** $\overline{CD}$, ADC, 90

**06** (1) 3 (2) 10 (3) 4

**07** (1) $x$=20, $y$=90 (2) $x$=7, $y$=90
  (3) $x$=6, $y$=25 (4) $x$=55, $y$=3
  (5) $x$=8, $y$=50 (6) $x$=8, $y$=60

**08** CAD, C, ADC, ASA

**09** (1) 4 (2) 5 (3) 7

**10** 180, 75, C, 75

**11** ∠$x$=70°, ∠$y$=30°

**12** 180, 72, 72, 36, 36, 72    **13** ∠$x$=24°, ∠$y$=72°

**04** (1) △ABC가 $\overline{AB}$=$\overline{AC}$인 이등변삼각형이므로
$$∠x=\frac{1}{2}\times(180°-70°)=55°$$

(2) △ABC가 $\overline{CA}$=$\overline{CB}$인 이등변삼각형이므로
$$∠x=180°-2\times40°=100°$$

(3) △ABC가 $\overline{AB}$=$\overline{AC}$인 이등변삼각형이므로
$$∠ACB=\frac{1}{2}\times(180°-50°)=65°$$
$$∴ ∠x=180°-65°=115°$$

**06** (2) $\overline{BC}$=2$\overline{BD}$=2×5=10(cm)    ∴ $x$=10
  (3) $\overline{BD}$=$\frac{1}{2}$$\overline{BC}$=$\frac{1}{2}$×8=4(cm)    ∴ $x$=4

**07** (1) $\overline{BC}$=2$\overline{DC}$=2×10=20(cm)    ∴ $x$=20
  $\overline{AD}$⊥$\overline{BC}$에서 ∠ADC=90°    ∴ $y$=90

(2) $\overline{BD}$=$\frac{1}{2}$$\overline{BC}$=$\frac{1}{2}$×14=7(cm)    ∴ $x$=7
  $\overline{AD}$⊥$\overline{BC}$에서 ∠ADC=90°    ∴ $y$=90

(3) $\overline{AC}$=$\overline{AB}$=6 cm이므로 $x$=6
  △ADC에서
  ∠ACD=∠ABD=65°, ∠ADC=90°이므로
  ∠DAC=180°-(65°+90°)=25°    ∴ $y$=25

(4) △ABD에서 ∠ADB=90°이므로
  ∠ABD=180°-(35°+90°)=55°    ∴ $x$=55
  $\overline{DC}$=$\frac{1}{2}$$\overline{BC}$=$\frac{1}{2}$×6=3(cm)    ∴ $y$=3

(5) $\overline{DC}$=$\overline{BD}$=8 cm이므로 $x$=8
  △ABD에서 ∠BAD=∠CAD=40°,
  ∠ADB=90°이므로
  ∠ABD=180°-(40°+90°)=50°    ∴ $y$=50

(6) $\overline{BC}$=2$\overline{BD}$=2×4=8(cm)    ∴ $x$=8
  △ADC에서 ∠DAC=∠DAB=30°,
  ∠ADC=90°이므로
  ∠ACD=180°-(30°+90°)=60°    ∴ $y$=60

**09** (1) △ABC에서 ∠B=∠C=65°이므로
  $\overline{AC}$=$\overline{AB}$=4 cm    ∴ $x$=4

(2) △ABC에서 ∠BAC=40°-20°=20°이므로
  ∠A=∠C
  $\overline{BC}$=$\overline{BA}$=5 cm이므로 $x$=5

(3) △ACD에서 ∠ACB=30°+30°=60°=∠B이므로
  $\overline{AC}$=$\overline{AB}$=7 cm
  또 △ACD에서 $\overline{CD}$=$\overline{CA}$=7 cm이므로 $x$=7

**11** △ABC에서 $\overline{AB}$=$\overline{AC}$이므로
$$∠x=∠ABC=\frac{1}{2}\times(180°-40°)=70°$$
△ABD에서 $\overline{DA}$=$\overline{DB}$이므로
∠ABD=∠A=40°
$$∴ ∠y=∠ABC-∠ABD=70°-40°=30°$$

**13** △ABC에서 $\overline{AB}$=$\overline{AC}$이므로
$$∠x=\frac{1}{2}\times48°=24°$$
△DBC에서 ∠$y$=48°+24°=72°

**01** 58°    **02** $x$=20, $y$=3    **03** 7 cm    **04** 4
**05** 105°

**01** △ABC가 $\overline{\text{AB}}=\overline{\text{AC}}$인 이등변삼각형이므로

$\angle x=\dfrac{1}{2}\times(180°-64°)=58°$

**02** △ABD에서 $\angle$ADB$=90°$이므로

$\angle$BAD$=180°-(70°+90°)=20°$ ∴ $x=20$

$\overline{\text{DC}}=\dfrac{1}{2}\overline{\text{BC}}=\dfrac{1}{2}\times6=3\,(\text{cm})$ ∴ $y=3$

**03** △ABC에서

$\angle$ACB$=180°-(110°+35°)=35°=\angle$B

이므로 $\overline{\text{AC}}=\overline{\text{AB}}=7\,\text{cm}$

**04** △ABD에서 $\angle$ADC$=25°+25°=50°=\angle$C

△ADC에서 $\overline{\text{AD}}=\overline{\text{AC}}=4\,\text{cm}$ ∴ $x=4$

**05** △ABC에서 $\overline{\text{AB}}=\overline{\text{AC}}$이므로

$\angle$ABC$=\angle$ACB$=\dfrac{1}{2}\times(180°-80°)=50°$

△DBC에서 $\angle$DBC$=\dfrac{1}{2}\times50°=25°$이므로

$\angle x=180°-(25°+50°)=105°$

---

**2강 · 직각삼각형의 합동**  `12~14쪽`

**01** E, D, ASA

**02** $\overline{\text{EF}}$, E, EDF, RHA

**03** 이등변, E, EAC, ASA

**04** $\overline{\text{DF}}$, $\overline{\text{FE}}$, DFE, RHS

**05** △DEF≡△LJK (RHA 합동),

△GHI≡△MNO (RHS 합동)

**06** 60

**07** (1) 6  (2) 7

**08** (1) 20 cm²  (2) 98 cm²

**09** (1) $x=7$, $y=20$  (2) $x=3$, $y=27$

**10** (1) $x=2$, $y=34$  (2) $x=63$, $y=27$

**11** $\overline{\text{OP}}$, POR, RHA, $\overline{\text{PQ}}$

**12** (1) $x=10$, $y=5$  (2) $x=6$, $y=3$

**13** $\overline{\text{OP}}$, $\overline{\text{PR}}$, RHS, BOP

**14** (1) 25°  (2) 55°

---

**05** (ⅰ) △DEF와 △LJK에서

$\angle$D$=\angle$L (직각), $\overline{\text{EF}}=\overline{\text{JK}}$ (빗변),

$\angle$E$=90°-30°=60°=\angle$J

∴ △DEF≡△LJK (RHA 합동)

(ⅱ) △GHI와 △MNO에서

$\angle$H$=\angle$N (직각), $\overline{\text{GI}}=\overline{\text{MO}}$ (빗변), $\overline{\text{GH}}=\overline{\text{MN}}=4\,\text{cm}$

∴ △GHI≡△MNO (RHS 합동)

**06** △ABC와 △DEF에서

$\angle$C$=\angle$F, $\overline{\text{AB}}=\overline{\text{DE}}$, $\overline{\text{BC}}=\overline{\text{EF}}=3\,\text{cm}$이므로

△ABC≡△DEF (RHS 합동)

따라서 $\angle$E$=\angle$B$=180°-(30°+90°)=60°$이므로

$x=60$

**07** (1) △ADB≡△CEA (RHA 합동)이므로

$\overline{\text{AE}}=\overline{\text{BD}}=6\,\text{cm}$ ∴ $x=6$

(2) △ADB≡△CEA (RHA 합동)이므로

$\overline{\text{AD}}=\overline{\text{CE}}=5\,\text{cm}$, $\overline{\text{AE}}=\overline{\text{BD}}=2\,\text{cm}$

따라서 $\overline{\text{DE}}=\overline{\text{DA}}+\overline{\text{AE}}=7\,(\text{cm})$이므로 $x=7$

**08** (1) △ADB≡△CEA (RHA 합동)이므로

$\overline{\text{AE}}=\overline{\text{BD}}=8\,\text{cm}$

∴ △ACE$=\dfrac{1}{2}\times8\times5=20\,(\text{cm}^2)$

(2) △ADB≡△CEA (RHA 합동)이므로

$\overline{\text{AD}}=\overline{\text{CE}}=9\,\text{cm}$, $\overline{\text{AE}}=\overline{\text{BD}}=5\,\text{cm}$

따라서 $\overline{\text{DE}}=\overline{\text{DA}}+\overline{\text{AE}}=14\,(\text{cm})$이므로

$\square$DBCE$=\dfrac{1}{2}\times(5+9)\times14=98\,(\text{cm}^2)$

**09** (1) △BDE≡△BCE (RHA 합동)이므로

$\overline{\text{BD}}=\overline{\text{BC}}=7\,\text{cm}$ ∴ $x=7$

$\angle$B$=180°-(50°+90°)=40°$이므로

$\angle$DBE$=\dfrac{1}{2}\angle$B$=20°$ ∴ $y=20$

(2) △AED≡△ACD (RHA 합동)이므로

$\overline{\text{CD}}=\overline{\text{ED}}=3\,\text{cm}$ ∴ $x=3$

$\angle$A$=180°-(36°+90°)=54°$이므로

$\angle$DAC$=\dfrac{1}{2}\angle$A$=27°$ ∴ $y=27$

**10** (1) △ABD≡△AED (RHS 합동)이므로

$\overline{\text{DE}}=\overline{\text{DB}}=2\,\text{cm}$ ∴ $x=2$

$\angle$BAE$=2\angle$BAD$=56°$이므로 △ABC에서

$\angle$C$=180°-(56°+90°)=34°$ ∴ $y=34$

(2) △AED≡△ACD (RHS 합동)이고

$\angle$A$=180°-(36°+90°)=54°$이므로

$\angle$EAD$=\dfrac{1}{2}\angle$A$=\dfrac{1}{2}\times54°=27°$ ∴ $y=27$

또 △ADC에서 $\angle$DAC$=27°$이므로

$\angle$ADC$=180°-(27°+90°)=63°$ ∴ $x=63$

**12** (1) △AOP≡△BOP (RHA 합동)이므로
$\overline{OA}=\overline{OB}=10$ cm ∴ $x=10$
$\overline{PB}=\overline{PA}=5$ cm ∴ $y=5$
(2) △AOP≡△BOP (RHA 합동)이므로
$\overline{OA}=\overline{OB}=12$ cm에서 $2x=12$ ∴ $x=6$
$\overline{PB}=\overline{PA}=8$ cm에서 $3y-1=8$ ∴ $y=3$

**14** (1) △AOP≡△BOP (RHS 합동)이므로
$\angle x=\angle AOP=25°$
(2) △AOP≡△BOP (RHS 합동)이므로
$\angle AOP=\angle BOP=35°$
△AOP에서 $\angle x=180°-(90°+35°)=55°$

**15쪽**

| | |
|---|---|
| **01** $x=5$, $y=58$ | **02** $124°$ |
| **03** $9$ cm | **04** $7$ cm |
| **05** $18$ cm | |

**01** $\angle C=\angle F$ (직각), $\overline{AB}=\overline{DE}$ (빗변), $\overline{AC}=\overline{DF}$이므로
△ABC≡△DEF (RHS 합동)
따라서 $\overline{EF}=\overline{BC}=5$ cm이므로 $x=5$
$\angle D=\angle A=32°$이므로 △DFE에서
$\angle E=180°-(90°+32°)=58°$ ∴ $y=58$

**02** △ADM과 △CEM에서
$\angle ADM=\angle CEM$ (직각), $\overline{AM}=\overline{CM}$ (빗변), $\overline{DM}=\overline{EM}$
이므로 △ADM≡△CEM (RHS 합동)
따라서 △ABC에서 $\angle A=\angle C=28°$이므로
$\angle ABC=180°-(28°+28°)=124°$

**03** △ADB≡△CEA (RHA 합동)이므로
$\overline{DA}=\overline{EC}=5$ cm
∴ $\overline{BD}=\overline{AE}=14-5=9$(cm)

**04** △ABC와 △CDE에서
$\angle B=\angle D$ (직각), $\overline{AC}=\overline{CE}$ (빗변),
$\angle A=90°-\angle ACB=\angle ECD$
△ABC≡△CDE (RHA 합동)
따라서 $\overline{BC}=\overline{DE}=3$ cm, $\overline{CD}=\overline{AB}=4$ cm이므로
$\overline{BD}=\overline{BC}+\overline{CD}=7$(cm)

**05** △PCO와 △PDO에서
$\angle PCO=\angle PDO$ (직각), $\overline{OP}$는 공통 (빗변),
$\angle COP=\angle DOP$이므로 △PCO≡△PDO (RHA 합동)
따라서 $\overline{OC}=\overline{OD}=6$ cm, $\overline{PD}=\overline{PC}=3$ cm이므로
사각형 CODP의 둘레의 길이는
$6+6+3+3=18$(cm)

**3강 + 삼각형의 외심** 16~18쪽

| | |
|---|---|
| **01** (1) × (2) ○ (3) ○ (4) × (5) × (6) ○ (7) ○ | |
| **02** (1) 3 (2) 10 (3) 6 | |
| **03** (1) 25° (2) 100° (3) 20° | |
| **04** (1) 3 (2) 4 (3) 10 | |
| **05** (1) 55° (2) 70° (3) 84° (4) 33° | |
| **06** (1) 35° (2) 30° (3) 20° (4) 20° | |
| **07** (1) 110° (2) 120° (3) 65° (4) 52° | |
| **08** (1) $\angle x=35°$, $\angle y=100°$ | |
| (2) $\angle x=35°$, $\angle y=110°$ | |
| (3) $\angle x=55°$, $\angle y=110°$ | |
| (4) $\angle x=70°$, $\angle y=140°$ | |
| (5) $\angle x=75°$, $\angle y=150°$ | |

**01** (6) △AOC는 $\overline{OA}=\overline{OC}$인 이등변삼각형이므로
$\angle OAF=\angle OCF$
(7) △OBE와 △OCE에서
$\angle OEB=\angle OEC$, $\overline{OE}$는 공통, $\overline{BE}=\overline{CE}$이므로
△OBE≡△OCE (SAS 합동)

**02** (1) $\overline{CD}=\overline{BD}=3$ cm이므로 $x=3$
(2) $\overline{AB}=2\overline{AD}=2×5=10$(cm)이므로 $x=10$
(3) $\overline{OC}=\overline{OA}=6$ cm이므로 $x=6$

**03** (1) △OBC는 $\overline{OB}=\overline{OC}$인 이등변삼각형이므로
$\angle OBC=\angle OCB=25°$ ∴ $\angle x=25°$
(2) △ABO는 $\overline{OA}=\overline{OB}$인 이등변삼각형이므로
$\angle OAB=\angle OBA=40°$
따라서 $\angle AOB=180°-2×40°=100°$이므로
$\angle x=100°$
(3) △AOC는 $\overline{OA}=\overline{OC}$인 이등변삼각형이므로
$\angle OAC=\angle OCA$
따라서 $\angle OCA=\dfrac{1}{2}×(180°-140°)=20°$이므로
$\angle x=20°$

**04** (1) 점 M이 직각삼각형 ABC의 외심이므로
$\overline{AM}=\overline{MC}=3$ cm    ∴ $x=3$

(2) 점 M이 직각삼각형 ABC의 외심이므로
$\overline{AM}=\dfrac{1}{2}\overline{BC}=\dfrac{1}{2}\times 8=4\,(cm)$    ∴ $x=4$

(3) 점 M이 직각삼각형 ABC의 외심이므로
$\overline{AB}=2\overline{MC}=2\times 5=10\,(cm)$    ∴ $x=10$

**05** (1) 점 M이 직각삼각형 ABC의 외심이므로
△AMC는 $\overline{MA}=\overline{MC}$인 이등변삼각형이다.
∠MAC=∠C=35°이므로
$\angle x=90°-35°=55°$

(2) 점 M이 직각삼각형 ABC의 외심이므로
△MBC는 $\overline{MB}=\overline{MC}$인 이등변삼각형이다.
∠MCB=∠B=20°이므로
$\angle x=90°-20°=70°$

(3) 점 M이 직각삼각형 ABC의 외심이므로
△ABM은 $\overline{MA}=\overline{MB}$인 이등변삼각형이다.
∠MAB=∠B=42°이므로 △ABM에서
$\angle x=42°+42°=84°$

(4) 점 M이 직각삼각형 ABC의 외심이므로
△AMC는 $\overline{MA}=\overline{MC}$인 이등변삼각형이다.
$\angle A=\dfrac{1}{2}\times(180°-66°)=57°$이므로 △ABC에서
$\angle x=180°-(57°+90°)=33°$

**06** (1) $\angle x+30°+25°=90°$이므로 $\angle x=35°$

(2) $\angle x+20°+40°=90°$이므로 $\angle x=30°$

(3) $\angle x+20°+50°=90°$이므로 $\angle x=20°$

(4) $26°+44°+\angle x=90°$이므로 $\angle x=20°$

**07** (1) $\angle x=2\times 55°=110°$

(2) $\angle x=2\times 60°=120°$

(3) $\angle x=\dfrac{1}{2}\times 130°=65°$

(4) △OBC에서 ∠BOC=180°−2×38°=104°이므로
$\angle x=\dfrac{1}{2}\times 104°=52°$

**08** (1) $40°+15°+\angle x=90°$이므로 $\angle x=35°$
∠C=35°+15°=50°이므로 $\angle y=2\times 50°=100°$

(2) $35°+\angle x+20°=90°$이므로 $\angle x=35°$
∠A=35°+20°=55°이므로 $\angle y=2\times 55°=110°$

(3) 오른쪽 그림과 같이 $\overline{OA}$를 그으면
∠BAO=32°, ∠OAC=23°
∴ $\angle x=32°+23°=55°$
$\angle y=2\angle BAC=110°$

(4) 오른쪽 그림과 같이 $\overline{OC}$를 그으면
∠OCA=40°, ∠OCB=30°
∴ $\angle x=40°+30°=70°$
$\angle y=2\angle ACB=140°$

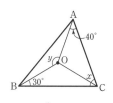

(5) 오른쪽 그림과 같이 $\overline{OB}$를 그으면
∠ABO=32°, ∠OBC=43°
∴ $\angle x=32°+43°=75°$
$\angle y=2\angle ABC=150°$

**힘수 만점**

19쪽

| **01** ②, ⑤ | **02** 32 cm | **03** 5 cm | **04** (1) 70° (2) 130° |

**01** ② 점 O가 △ABC의 외심이므로 $\overline{OA}=\overline{OB}=\overline{OC}$

⑤ △OAM과 △OBM에서 점 O가 △ABC의 외심이므로
$\overline{AM}=\overline{BM}$, ∠AMO=∠BMO, $\overline{OM}$은 공통
∴ △OAM≡△OBM (SAS 합동)

**02** 점 O가 △ABC의 외심이므로
$\overline{AD}=\overline{DB}$, $\overline{BE}=\overline{EC}$, $\overline{CF}=\overline{FA}$
따라서 △ABC의 둘레의 길이는
$\overline{AB}+\overline{BC}+\overline{CA}=2(\overline{AD}+\overline{BE}+\overline{FA})$
$=2\times(5+5+6)=32\,(cm)$

**03** 점 O가 직각삼각형 ABC의 외심이므로
점 O는 빗변 BC의 중점이다.
∴ $\overline{OA}=\overline{OB}=\overline{OC}$
즉, △OAC는 $\overline{OA}=\overline{OC}$인 이등변삼각형이고 ∠OCA=60°
이므로 △OAC는 정삼각형이다.
따라서 외접원의 반지름의 길이는 5 cm이다.

**04** (1) △OBC는 $\overline{OB}=\overline{OC}$인 이등변삼각형이므로
∠OCB=∠OBC=20°
∴ ∠BOC=180°−2×20°=140°
∴ $\angle x=\dfrac{1}{2}\times 140°=70°$

(2) ∠BAO=40°이므로 ∠BAC=40°+25°=65°
∴ $\angle x=2\times 65°=130°$

## 4강 ◆ 삼각형의 내심      20~22쪽

**01** (1) $55°$ (2) $63°$

**02** (1) ○ (2) × (3) ○ (4) ○ (5) × (6) ○

**03** (1) 27 (2) 28 (3) 25 (4) 37 (5) 2 (6) 5

**04** (1) 2, 20 (2) 3, 32

**05** (1) $34°$ (2) $25°$ (3) $30°$

**06** (1) $129°$ (2) $68°$ (3) $70°$ (4) $38°$

**07** (1) $122°$ (2) $117°$

**08** (1) 9 (2) 7

**09** (1) 15 cm (2) 20 cm

---

**01** (1) $\angle OAP=90°$이므로 $\triangle OAP$에서
$\angle x=180°-(90°+35°)=55°$

(2) $\triangle OBA$는 $\overline{OB}=\overline{OA}$인 이등변삼각형이므로
$\angle OAB=\angle OBA=27°$
$\angle OAP=90°$
$\therefore \angle x=90°-27°=63°$

**02** (6) $\triangle ICE$와 $\triangle ICF$에서
$\angle IEC=\angle IFC=90°$, $\overline{IC}$는 공통,
$\angle ICE=\angle ICF$이므로
$\triangle ICE\equiv\triangle ICF$ (RHA 합동)

**03** (1) $\angle ICB=\angle ICA=27°$이므로 $x=27$

(2) $\angle IBA=\angle IBC=28°$이므로 $x=28$

(3) $\angle IBC=\angle IBA=25°$이므로 $\triangle IBC$에서
$\angle ICB=180°-(130°+25°)=25°$
$\angle ICA=\angle ICB=25°$이므로 $x=25$

(4) $\angle IAB=\angle IAC=35°$이므로 $\triangle IAB$에서
$\angle ABI=180°-(35°+108°)=37°$
$\angle IBC=\angle ABI=37°$이므로 $x=37$

(5) $\overline{ID}=\overline{IE}=2$ cm이므로 $x=2$

(6) $\overline{IE}=\overline{ID}=5$ cm이므로 $x=5$

**04** (1) $\overline{ID}=\overline{IE}=2$ cm, $\angle IBE=\angle IBD=20°$

(2) $\overline{IE}=\overline{ID}=3$ cm, $\angle ICA=\angle ICB=32°$

**05** (1) $\angle x+24°+32°=90°$이므로 $\angle x=34°$

(2) $40°+\angle x+25°=90°$이므로 $\angle x=25°$

(3) $35°+25°+\angle x=90°$이므로 $\angle x=30°$

**06** (1) $\angle x=90°+\dfrac{1}{2}\times78°=129°$

(2) $90°+\dfrac{1}{2}\angle x=124°$이므로 $\dfrac{1}{2}\angle x=34°$
$\therefore \angle x=68°$

---

(3) $\triangle IBC$에서 $\angle BIC=180°-(25°+30°)=125°$
$90°+\dfrac{1}{2}\angle x=125°$, $\dfrac{1}{2}\angle x=35°$ $\therefore \angle x=70°$

(4) $\angle BIC=90°+\dfrac{1}{2}\times64°=122°$이므로
$\triangle IBC$에서 $\angle x=180°-(20°+122°)=38°$

**07** (1) 점 O가 $\triangle ABC$의 외심이므로
$\angle BAC=\dfrac{1}{2}\times128°=64°$
점 I가 $\triangle ABC$의 내심이므로
$\angle x=90°+\dfrac{1}{2}\times64°=122°$

(2) 점 O가 $\triangle ABC$의 외심이므로
$\angle BAC=\dfrac{1}{2}\times108°=54°$
점 I가 $\triangle ABC$의 내심이므로
$\angle x=90°+\dfrac{1}{2}\times54°=117°$

**08** (1) $\triangle DBI$는 $\overline{DI}=\overline{DB}$인 이등변삼각형이므로 $\overline{DI}=5$ cm
$\triangle EIC$는 $\overline{EI}=\overline{EC}$인 이등변삼각형이므로 $\overline{EI}=4$ cm
$\overline{DE}=\overline{DI}+\overline{IE}=9$(cm)이므로 $x=9$

(2) $\triangle DBI$는 $\overline{DI}=\overline{DB}$인 이등변삼각형이므로 $\overline{DI}=6$ cm
$\triangle EIC$는 $\overline{EI}=\overline{EC}$인 이등변삼각형이므로 $\overline{EI}=x$ cm
$\overline{DI}+\overline{IE}=\overline{DE}$이므로 $6+x=13$ $\therefore x=7$

**09** (1) ($\triangle ADE$의 둘레의 길이)$=\overline{AB}+\overline{AC}$
$=9+6=15$(cm)

(2) ($\triangle ADE$의 둘레의 길이)$=\overline{AB}+\overline{AC}$
$=8+12=20$(cm)

## 힘수 만점      23쪽

**01** ①, ③    **02** $x=3$, $y=25$    **03** $28°$    **04** 18 cm

---

**01** ① 점 I는 $\triangle ABC$의 내심이므로 $\overline{BI}$는 $\angle B$의 이등분선이다.
$\therefore \angle DBI=\angle EBI$
③ 점 I는 $\triangle ABC$의 내심이므로 $\overline{ID}=\overline{IE}=\overline{IF}$

**02** $\overline{IF}=\overline{ID}=3$ cm이므로 $x=3$
$\angle IAD=\angle IAF=25°$이므로 $y=25$

**03** $\angle AIB=90°+\dfrac{1}{2}\times76°=128°$
$\triangle IAB$에서 $\angle x=180°-(24°+128°)=28°$

**04** ($\triangle ADE$의 둘레의 길이)$=\overline{AB}+\overline{AC}$
$=10+8=18$(cm)

**5강** ✦ 삼각형의 내심과 내접원　　　　　24~25쪽

01 (1) 7 (2) 9 (3) 5 (4) 14 (5) 8 (6) 12 (7) 5 (8) 9

02 (1) 48 cm² (2) 84 cm²

03 (1) 72 (2) 22 (3) $\frac{4}{3}$ (4) 2

04 (1) 1 cm (2) 2 cm (3) 2 cm (4) 3 cm

---

01 (1) $\overline{BD}=\overline{BE}=7$ cm이므로 $x=7$

(2) $\overline{AF}=\overline{AD}=3$ cm, $\overline{CF}=\overline{CE}=6$ cm이므로
$\overline{AC}=\overline{AF}+\overline{FC}=3+6=9$(cm)　∴ $x=9$

(3) $\overline{AD}=\overline{AF}=x$ cm, $\overline{BD}=\overline{BE}=6$ cm이므로
$x+6=11$　∴ $x=5$

(4) $\overline{AF}=\overline{AD}=6$ cm, $\overline{CF}=\overline{CE}=x$ cm이므로
$6+x=20$　∴ $x=14$

(5) $\overline{CE}=\overline{CF}=3$ cm, $\overline{AD}=\overline{AF}=4$ cm,
$\overline{BE}=\overline{BD}=9-4=5$(cm)이므로
$\overline{BC}=\overline{BE}+\overline{EC}=5+3=8$(cm)　∴ $x=8$

(6) $\overline{BE}=\overline{BD}=14-6=8$(cm), $\overline{AF}=\overline{AD}=6$ cm,
$\overline{CE}=\overline{CF}=10-6=4$(cm)이므로
$\overline{BC}=\overline{BE}+\overline{EC}=8+4=12$(cm)　∴ $x=12$

(7) $\overline{BD}=\overline{BE}=x$ cm, $\overline{AF}=\overline{AD}=(9-x)$ cm,
$\overline{CF}=\overline{CE}=(11-x)$ cm

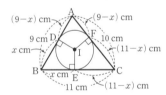

$\overline{AC}=\overline{FA}+\overline{FC}$에서
$10=(9-x)+(11-x)$, $2x=10$　∴ $x=5$

(8) $\overline{AD}=\overline{AF}=(15-x)$ cm, $\overline{CE}=\overline{CF}=x$ cm,
$\overline{BD}=\overline{BE}=(13-x)$ cm

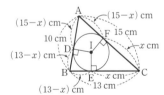

$\overline{AB}=\overline{AD}+\overline{DB}$에서
$10=(15-x)+(13-x)$, $2x=18$　∴ $x=9$

02 (1) $\triangle ABC=\frac{1}{2}\times3\times(10+12+10)=48$(cm²)

(2) $\triangle ABC=\frac{1}{2}\times4\times(13+15+14)=84$(cm²)

03 (1) $\triangle ABC=\frac{1}{2}\times3\times48=72$(cm²)

(2) $22=\frac{1}{2}\times2\times(\triangle ABC$의 둘레의 길이$)$

---

∴ $(\triangle ABC$의 둘레의 길이$)=22$ cm

(3) 내접원의 반지름의 길이를 $r$ cm라 하면
$12=\frac{1}{2}\times r\times(5+5+8)$　∴ $r=\frac{4}{3}$

(4) 내접원의 반지름의 길이를 $r$ cm라 하면
$40=\frac{1}{2}\times r\times(16+14+10)$　∴ $r=2$

04 (1) $\triangle ABC=\frac{1}{2}\times3\times4=6$(cm²)
내접원 I의 반지름의 길이를 $r$ cm라 하면
$6=\frac{1}{2}\times r\times(3+5+4)$　∴ $r=1$
따라서 내접원의 반지름의 길이는 1 cm이다.

(2) $\triangle ABC=\frac{1}{2}\times5\times12=30$(cm²)
내접원 I의 반지름의 길이를 $r$ cm라 하면
$30=\frac{1}{2}\times r\times(5+13+12)$　∴ $r=2$
따라서 내접원의 반지름의 길이는 2 cm이다.

(3) $\triangle ABC=\frac{1}{2}\times8\times6=24$(cm²)
내접원 I의 반지름의 길이를 $r$ cm라 하면
$24=\frac{1}{2}\times r\times(10+8+6)$　∴ $r=2$
따라서 내접원의 반지름의 길이는 2 cm이다.

(4) $\triangle ABC=\frac{1}{2}\times15\times8=60$(cm²)
내접원 I의 반지름의 길이를 $r$ cm라 하면
$60=\frac{1}{2}\times r\times(15+17+8)$　∴ $r=3$
따라서 내접원의 반지름의 길이는 3 cm이다.

**힘수 만점**　　　　　26쪽

01 9 cm　02 4 cm　03 9 cm　04 $\frac{10}{3}$ cm

01 $\overline{AF}=\overline{AD}=3$ cm, $\overline{CE}=\overline{CF}=8-3=5$(cm),
$\overline{BE}=\overline{BD}=4$ cm이므로
$\overline{BC}=\overline{BE}+\overline{CE}=4+5=9$(cm)

02 $\overline{AD}=x$ cm라 하면
$\overline{AF}=\overline{AD}=x$ cm, $\overline{CE}=\overline{CF}=(13-x)$ cm,
$\overline{BE}=\overline{BD}=(10-x)$ cm

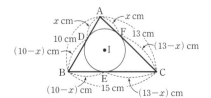

$\overline{BC}=\overline{BE}+\overline{EC}$에서

$15=(10-x)+(13-x)$, $2x=8$, $x=4$

따라서 $\overline{AD}$의 길이는 $4$ cm이다.

**03** 사각형 DBEI는 정사각형이므로 $\overline{BD}=\overline{BE}=\overline{ID}=3$ cm

$\overline{CF}=\overline{CE}=12-3=9(\text{cm})$, $\overline{AD}=\overline{AF}=15-9=6(\text{cm})$

$\therefore \overline{AB}=\overline{AD}+\overline{DB}=6+3=9(\text{cm})$

**04** 내접원의 반지름의 길이를 $r$ cm라 하면

$60=\dfrac{1}{2}\times r\times 36$  $\therefore r=\dfrac{10}{3}$

따라서 내접원의 반지름의 길이는 $\dfrac{10}{3}$ cm이다.

---

**6강 중단원 연산 마무리** ◆  27~29쪽

**01** (1) $88°$ (2) $124°$  **02** (1) $4$ cm (2) $50°$

**03** (1) $7$ (2) $5$  **04** $102°$

**05** △ABC≡△RPQ (RHS 합동),

△DEF≡△KJL (RHA 합동)

**06** (1) ○ (2) ○ (3) ○ (4) ○ (5) ×

**07** (1) $14$ cm (2) $43°$  **08** $65°$

**09** (1) × (2) ○ (3) ○ (4) × (5) ○

**10** (1) $x=6$, $y=90$ (2) $x=10$, $y=30$

**11** $50°$  **12** (1) $108°$ (2) $110°$

**13** (1) ○ (2) × (3) ○ (4) ×

**14** (1) $20°$ (2) $28°$ (3) $40°$

**15** $13$ cm  **16** (1) $56°$ (2) $118°$  **17** $18$ cm

**18** $30$ cm  **19** (1) $50°$ (2) $3$ cm  **20** $50$ cm²

**21** $6$ cm²

---

**01** (1) △ABC가 $\overline{AB}=\overline{AC}$인 이등변삼각형이므로

$\angle x=180°-2\times 46°=88°$

(2) △ABC가 $\overline{CA}=\overline{CB}$인 이등변삼각형이므로

$\angle ABC=\angle BAC=62°$

$\therefore \angle x=2\times 62°=124°$

**02** (1) $\overline{BD}=\dfrac{1}{2}\overline{BC}=\dfrac{1}{2}\times 8=4(\text{cm})$

(2) $\overline{AD}$는 ∠A의 이등분선이므로 $\angle ADC=90°$이고,

$\angle DAC=\dfrac{1}{2}\angle A=40°$이므로 △ADC에서

$\angle ACD=180°-(40°+90°)=50°$

**03** (1) △ABC에서 $\angle A=\angle C$이므로

$\overline{BC}=\overline{BA}=7$ cm  $\therefore x=7$

(2) △ABC에서 $\angle B=180°-(72°+54°)=54°$이므로

$\overline{AC}=\overline{AB}=5$ cm  $\therefore x=5$

**04** △ABC에서 $\overline{AB}=\overline{AC}$이므로

$\angle ABC=\angle ACB=68°$

△BCD에서 $\angle DBC=\dfrac{1}{2}\times 68°=34°$이므로

$\angle x=34°+68°=102°$

**05** (i) △ABC와 △RPQ에서 $\angle B=\angle P=90°$, $\overline{AC}=\overline{RQ}$,

$\overline{AB}=\overline{RP}$이므로 △ABC≡△RPQ (RHS 합동)

(ii) △DEF와 △KJL에서 $\angle E=\angle J=90°$, $\overline{DF}=\overline{KL}$,

$\angle D=180°-(90°+35°)=55°$에서 $\angle D=\angle K$이므로

△DEF≡△KJL (RHA 합동)

**06** 각각의 조건이 주어질 때, 두 삼각형은 다음의 합동 조건을 만족한다.

(1) RHS 합동  (2) SAS 합동

(3) RHA 합동  (4) ASA 합동

**07** (1) △AMC와 △BMD에서

$\angle ACM=\angle BDM$ (직각), $\overline{AM}=\overline{BM}$ (빗변),

$\angle AMC=\angle BMD$ (맞꼭지각)이므로

△AMC≡△BMD (RHA 합동)

$\therefore \overline{BD}=\overline{AC}=14(\text{cm})$

(2) △BMD에서 $\angle BMD=180°-(47°+90°)=43°$이므로

$\angle AMC=\angle BMD=43°$

**08** △AED≡△ACD (RHS 합동)이고

$\angle A=180°-(40°+90°)=50°$이므로

△ADC에서 $\angle DAC=\dfrac{1}{2}\angle A=25°$

$\therefore \angle x=180°-(25°+90°)=65°$

**09** (2) 점 O가 △ABC의 외심이므로 $\overline{OA}=\overline{OB}=\overline{OC}$

(3) △OBC에서 $\overline{OB}=\overline{OC}$이므로 $\angle OBD=\angle OCD$

(5) △OAE와 △OCE에서 $\angle OEA=\angle OEC=90°$,

$\overline{OA}=\overline{OC}$, $\overline{OE}$는 공통이므로

△OAE≡△OCE (RHS 합동)

**10** (2) $\overline{OC}=\overline{OA}=10$ cm이므로 $x=10$

△OAB는 $\overline{OA}=\overline{OB}$인 이등변삼각형이므로

$\angle OAB=\angle OBA=30°$  $\therefore y=30$

**11** 점 O가 △ABC의 외심이므로 $\overline{OA}=\overline{OB}$

△ABO에서 $\angle BAO=\angle ABO=40°$

외심 O가 변 BC 위에 있으므로 $\angle BAC=90°$

$\therefore \angle OAC=\angle BAC-\angle BAO=90°-40°=50°$

**12** (1) $\angle x = 2\angle A = 2 \times 54° = 108°$

(2) $\angle OBC = \angle OCB = 15°$이므로

$\angle B = 40° + 15° = 55°$

$\therefore \angle x = 2\angle B = 2 \times 55° = 110°$

**13** (1) 점 I가 $\triangle ABC$의 내심이므로 $\overline{ID} = \overline{IE} = \overline{IF}$

(3) 점 I가 $\triangle ABC$의 내심이므로 $\overline{IB}$는 $\angle B$의 이등분선이다.

$\therefore \angle IBD = \angle IBE$

**14** (1) $\angle IBA = \angle IBC$이므로 $\angle x = 20°$

(2) $\angle x + 24° + 38° = 90°$    $\therefore \angle x = 28°$

(3) $90° + \dfrac{1}{2}\angle x = 110°$, $\dfrac{1}{2}\angle x = 20°$    $\therefore \angle x = 40°$

**15** $\overline{BC} /\!/ \overline{DE}$이므로 $\angle DIB = \angle IBC$이고 점 I가 $\triangle ABC$의 내심

이므로 $\angle DBI = \angle IBC$

따라서 $\angle DBI = \angle DIB$이므로 $\overline{DB} = \overline{DI}$

마찬가지로 $\overline{EI} = \overline{EC}$

$(\triangle ADE$의 둘레의 길이$) = \overline{AD} + \overline{DE} + \overline{AE}$

$= \overline{AD} + \overline{DI} + \overline{EI} + \overline{AE}$

$= \overline{AB} + \overline{AC}$

$= 5 + 8 = 13\,(\text{cm})$

**16** (1) 점 O가 $\triangle ABC$의 외심이므로

$\angle BAC = \dfrac{1}{2} \times 112° = 56°$

(2) 점 I가 $\triangle ABC$의 내심이므로

$\angle BIC = 90° + \dfrac{1}{2} \times 56° = 118°$

**17** $\overline{BE} = \overline{BD} = 14 - 4 = 10\,(\text{cm})$, $\overline{AF} = \overline{AD} = 4\,\text{cm}$,

$\overline{CE} = \overline{CF} = 12 - 4 = 8\,(\text{cm})$이므로

$\overline{BC} = \overline{BE} + \overline{EC} = 10 + 8 = 18\,(\text{cm})$

**18** $72 = \dfrac{1}{2} \times 3 \times (\overline{AB} + \overline{BC} + 18)$

$\overline{AB} + \overline{BC} + 18 = 48$    $\therefore \overline{AB} + \overline{BC} = 30\,(\text{cm})$

**19** (1) $\angle BAC = \angle DAC = 65°$ (접은 각),

$\angle BCA = \angle CAD = 65°$ (엇각)이므로

$\angle BAC = \angle BCA$이다.

따라서 $\triangle ABC$에서 $\angle ABC = 180° - 2 \times 65° = 50°$

(2) $\triangle ABC$는 $\overline{BA} = \overline{BC}$인 이등변삼각형이므로 $\overline{AB} = 3\,\text{cm}$

**20** $\angle BDA = \angle AEC = 90°$, $\overline{BA} = \overline{AC}$,

$\angle DBA = 90° - \angle DAB = \angle EAC$이므로

$\triangle DBA \equiv \triangle EAC$ (RHA 합동)

$\overline{AE} = \overline{BD} = 6\,\text{cm}$이므로 $\overline{EC} = \overline{AD} = 10 - 6 = 4\,(\text{cm})$

따라서 $\square DBCE$의 넓이는

$\dfrac{1}{2} \times (6+4) \times 10 = 50\,(\text{cm}^2)$

**21** 사각형 IECF는 정사각형이므로 $\overline{CE} = \overline{CF} = \overline{IE} = 1\,\text{cm}$

$\overline{AD} = \overline{AF} = 3 - 1 = 2\,(\text{cm})$, $\overline{BE} = \overline{BD} = 5 - 2 = 3\,(\text{cm})$

따라서 $\overline{BC} = \overline{BE} + \overline{EC} = 3 + 1 = 4\,(\text{cm})$이므로

$\triangle ABC = \dfrac{1}{2} \times 4 \times 3 = 6\,(\text{cm}^2)$

---

**7강 ✛ 평행사변형의 뜻과 성질**　　30~32쪽

**01** (1) $65°$, $40°$  (2) $70°$, $27°$  (3) $30°$, $40°$  (4) $70°$, $35°$

**02** (1) $70°$  (2) $80°$  (3) $85°$  (4) $115°$

**03** (1) ○  (2) ×  (3) ○  (4) ○  (5) ○

**04** (1) $x=4$, $y=6$  (2) $x=6$, $y=8$

(3) $x=7$, $y=6$  (4) $x=4$, $y=2$

**05** (1) $60°$, $120°$  (2) $70°$, $110°$

(3) $100°$, $35°$  (4) $60°$, $55°$

**06** (1) $x=3$, $y=5$  (2) $x=6$, $y=7$

(3) $x=3$, $y=5$  (4) $x=7$, $y=6$

**07** DAE, $\overline{BA}$, 4, 7, 3, 3

**08** (1) 2  (2) 3  (3) 4  (4) 3

**09** 180, 1, 60, 60

**10** (1) $135°$  (2) $72°$  (3) $80°$

**01** (1) $\overline{AB} /\!/ \overline{DC}$이므로 $\angle x = 65°$ (엇각)

$\overline{AD} /\!/ \overline{BC}$이므로 $\angle y = 40°$ (엇각)

(2) $\overline{AB} /\!/ \overline{DC}$이므로 $\angle x = 70°$ (엇각)

$\overline{AD} /\!/ \overline{BC}$이므로 $\angle y = 27°$ (엇각)

(3) $\overline{AD} /\!/ \overline{BC}$이므로 $\angle x = 30°$ (엇각)

$\overline{AB} /\!/ \overline{DC}$이므로 $\angle y = 40°$ (엇각)

(4) $\overline{AB} /\!/ \overline{DC}$이므로 $\angle x = 70°$ (엇각)

$\overline{AD} /\!/ \overline{BC}$이므로 $\angle y = 35°$ (엇각)

**02** (1) $\overline{AB} /\!/ \overline{DC}$이므로 $\angle ACD = \angle BAC = 80°$ (엇각)

$\triangle OCD$에서 $\angle x = 180° - (30° + 80°) = 70°$

(2) $\overline{AB} /\!/ \overline{DC}$이므로 $\angle ACD = \angle BAC = 75°$ (엇각)

$\triangle OCD$에서 $\angle x = 180° - (25° + 75°) = 80°$

(3) $\overline{AB} /\!/ \overline{DC}$이므로 $\angle BDC = \angle ABD = 25°$ (엇각)

$\triangle OCD$에서 $\angle x = 25° + 60° = 85°$

(4) $\overline{AD} /\!/ \overline{BC}$이므로 $\angle ADB = \angle DBC = 30°$ (엇각)

$\triangle AOD$에서 $\angle x = 85° + 30° = 115°$

**04** (1) $\overline{AB}=\overline{DC}=4$ cm이므로 $x=4$

$\overline{AD}=\overline{BC}=6$ cm이므로 $y=6$

(2) $\overline{DC}=\overline{AB}=6$ cm이므로 $x=6$

$\overline{BC}=\overline{AD}=8$ cm이므로 $y=8$

(3) $\overline{AB}=\overline{DC}=7$ cm이므로 $x=7$

$\overline{AD}=\overline{BC}$이므로 $13=2y+1$   $\therefore y=6$

(4) $\overline{AB}=\overline{DC}$이므로 $x=2x-4$   $\therefore x=4$

$\overline{AD}=\overline{BC}$이므로 $y+3=2y+1$   $\therefore y=2$

**05** (1) $\angle B=\angle D$이므로 $\angle x=60°$

$\angle A=\angle C$이므로 $\angle y=120°$

(2) $\angle B=\angle D$이므로 $\angle x=70°$

$\angle B+\angle C=180°$이므로

$\angle y=180°-70°=110°$

(3) $\angle A=\angle C$이므로 $\angle x=100°$

$\angle B+\angle C=180°$이므로

$\angle y=180°-(45°+100°)=35°$

(4) $\angle B=\angle D$이므로 $\angle x=60°$

$\triangle ABC$에서 $\angle y=180°-(65°+60°)=55°$

**06** (1) $\overline{OA}=\overline{OC}=3$ cm이므로 $x=3$

$\overline{OD}=\overline{OB}=5$ cm이므로 $y=5$

(2) $\overline{OC}=\overline{OA}=6$ cm이므로 $x=6$

$\overline{OB}=\dfrac{1}{2}\overline{BD}=\dfrac{1}{2}\times14=7$ (cm)이므로 $y=7$

(3) $\overline{OA}=\overline{OC}$이므로 $2x=6$   $\therefore x=3$

$\overline{OD}=\dfrac{1}{2}\overline{BD}=\dfrac{1}{2}\times10=5$ (cm)이므로 $y=5$

(4) $\overline{OA}=\overline{OC}$이므로 $5=x-2$   $\therefore x=7$

$\overline{OB}=\overline{OD}$이므로 $2y-5=7$, $2y=12$   $\therefore y=6$

**08** (1) $\angle AEB=\angle EBC$ (엇각)이므로 $\angle ABE=\angle AEB$

따라서 $\triangle ABE$는 이등변삼각형이므로

$\overline{AE}=\overline{AB}=3$ cm

이때 $\overline{AD}=\overline{BC}=5$ cm이므로

$\overline{ED}=\overline{AD}-\overline{AE}=5-3=2$ (cm)   $\therefore x=2$

(2) $\angle DEA=\angle EAB$ (엇각)이므로 $\angle DAE=\angle DEA$

따라서 $\triangle AED$는 이등변삼각형이므로

$\overline{DE}=\overline{DA}=7$ cm

이때 $\overline{DC}=\overline{AB}=10$ cm이므로

$\overline{EC}=\overline{DC}-\overline{DE}=10-7=3$ (cm)   $\therefore x=3$

(3) $\overline{AD}\,/\!/\,\overline{BC}$이므로 $\angle AEB=\angle EBC$ (엇각)

$\overline{AB}\,/\!/\,\overline{FC}$이므로 $\angle ABE=\angle F$ (엇각)

또 $\angle AEB=\angle FED$ (맞꼭지각)이므로

$\triangle ABE$와 $\triangle FED$는 이등변삼각형이다.

$\overline{AE}=\overline{AB}=8$ cm, $\overline{ED}=\overline{DF}$이고,

$\overline{AD}=\overline{BC}=12$ cm이므로

$\overline{ED}=\overline{AD}-\overline{AE}=12-8=4$ (cm)

$\therefore x=4$

(4) $\overline{AD}\,/\!/\,\overline{BC}$이므로 $\angle DAE=\angle AEB$ (엇각)

$\overline{AB}\,/\!/\,\overline{DF}$이므로 $\angle BAE=\angle F$ (엇각)

또 $\angle AEB=\angle FEC$ (맞꼭지각)이므로

$\triangle ABE$와 $\triangle CEF$는 이등변삼각형이다.

$\overline{BE}=\overline{AB}=5$ cm, $\overline{EC}=\overline{CF}$이고,

$\overline{BC}=\overline{AD}=8$ cm이므로

$\overline{EC}=\overline{BC}-\overline{BE}=8-5=3$ (cm)

$\therefore x=3$

**10** (1) $\angle A+\angle B=180°$이므로

$\angle A=\dfrac{3}{4}\times180°=135°$

$\therefore \angle x=\angle A=135°$

(2) $\angle A+\angle B=180°$이므로

$\angle B=\dfrac{2}{5}\times180°=72°$

$\therefore \angle x=\angle D=\angle B=72°$

(3) $\angle A+\angle B=180°$이므로

$\angle A=\dfrac{4}{9}\times180°=80°$

$\therefore \angle x=\angle C=\angle A=80°$

 **힘수 만점** 33쪽

| **01** $103°$ | **02** (1) $x=9$, $y=60$  (2) $x=3$, $y=2$ |
|---|---|
| **03** 2 cm | **04** $144°$ |

**01** $\overline{AB}\,/\!/\,\overline{DC}$이므로 $\angle ABD=\angle BDC=35°$

$\triangle ABO$에서 $\angle AOD=68°+35°=103°$

**02** (1) $\overline{BC}=\overline{AD}=9$ cm이므로 $x=9$

$\angle D=\angle B=60°$이므로 $y=60$

(2) $\overline{OA}=\overline{OC}$이므로 $6=3y$   $\therefore y=2$

$\overline{OB}=\overline{OD}$이므로 $4=x+1$   $\therefore x=3$

**03** $\overline{AD}\,/\!/\,\overline{BC}$이므로 $\angle AEB=\angle EBC$ (엇각)

$\triangle ABE$는 $\overline{AE}=\overline{AB}$인 이등변삼각형이므로 $\overline{AE}=5$ cm

$\overline{AD}=\overline{BC}=7$ cm이므로

$\overline{ED}=\overline{AD}-\overline{AE}=7-5=2$ (cm)

**04** $\angle A+\angle B=180°$이므로

$\angle A=\dfrac{4}{5}\times180°=144°$

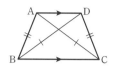

**8강 ✦ 평행사변형이 되는 조건**　34~35쪽

**01** (1) $\overline{DC}$, $\overline{BC}$　(2) $\overline{DC}$, $\overline{BC}$　(3) ∠C, ∠D
　(4) $\overline{OC}$, $\overline{OD}$　(5) $\overline{BC}$, $\overline{BC}$

**02** (1) ×　(2) ○　(3) ○　(4) ○

**03** (1) $x=65$, $y=30$　(2) $x=8$, $y=5$　(3) $x=130$, $y=50$
　(4) $x=4$, $y=3$　(5) $x=7$, $y=65$

**04** EDF, DFC, DFB　**05** $\overline{BF}$, $\overline{BC}$, $\overline{BF}$

**06** $\overline{OC}$, $\overline{OD}$, $\overline{OF}$

**02** (2) ∠B=∠D이고 ∠C=360°−(120°+60°+60°)=120°
　이므로 ∠A=∠C
　따라서 두 쌍의 대각의 크기가 같으므로 □ABCD는 평행
　사변형이다.
　(3) 두 대각선이 서로를 이등분하므로 □ABCD는 평행사변
　형이다.
　(4) ∠BAC=∠ACD이므로 $\overline{AB}$∥$\overline{DC}$
　따라서 한 쌍의 대변이 평행하고 그 길이가 같으므로
　□ABCD는 평행사변형이다.

**03** (1) $\overline{AB}$∥$\overline{DC}$이어야 하므로 ∠ACD=∠BAC=65°
　∴ $x=65$
　$\overline{AD}$∥$\overline{BC}$이어야 하므로 ∠DBC=∠ADB=30°
　∴ $y=30$
　(2) $\overline{BC}=\overline{AD}=8$ cm이어야 하므로 $x=8$
　$\overline{DC}=\overline{AB}=5$ cm이어야 하므로 $y=5$
　(3) ∠D=∠B=50°이어야 하므로 $y=50$
　∠A=∠C이어야 하므로
　∠A=$\frac{1}{2}$×(360°−2×50°)=130°　∴ $x=130$
　(4) $\overline{OA}=\overline{OC}=4$ cm이어야 하므로 $x=4$
　$\overline{OB}=\overline{OD}=3$ cm이어야 하므로 $y=3$
　(5) $\overline{AB}=\overline{DC}=7$ cm이어야 하므로 $x=7$
　$\overline{AB}$∥$\overline{DC}$이어야 하므로 ∠ACD=∠BAC=65°
　∴ $y=65$

**힘수 만점**　36쪽

**01** ㄱ, ㄴ, ㄷ　**02** (1) $x=42$, $y=40$　(2) $x=3$, $y=25$
**03** ③　**04** ①

**01** ㄱ. 두 쌍의 대변의 길이가 각각 같으므로 □ABCD는 평행
　　사변형이다.
　ㄴ. 두 쌍의 대각의 크기가 각각 같으므로 □ABCD는 평행
　　사변형이다.

ㄷ. 한 쌍의 대변이 평행하고 그 길이가 같으므로 □ABCD
　는 평행사변형이다.

ㄹ. 오른쪽 그림의 □ABCD는
　$\overline{AC}=\overline{BD}$, $\overline{AB}=\overline{DC}$이지만 평
　행사변형이 아니다.

**02** (1) $\overline{AB}$∥$\overline{DC}$이어야 하므로 ∠ABD=∠BDC=42°
　∴ $x=42$
　$\overline{AD}$∥$\overline{BC}$이어야 하므로 ∠ACB=∠DAC=40°
　∴ $y=40$
　(2) $\overline{AD}=\overline{BC}$이어야 하므로 $5x−1=14$, $5x=15$
　∴ $x=3$
　$\overline{AD}$∥$\overline{BC}$이어야 하므로 ∠DBC=∠ADB=25°
　∴ $y=25$

**03** ∠AEF=∠CFE=90°이므로
　$\overline{AE}$∥$\boxed{CF}$　……㉠
　∠AEB=∠CFD=90°,
　$\overline{AB}=\boxed{CD}$, ∠ABE=∠$\boxed{CDF}$ (엇각)이므로
　△ABE≡△$\boxed{CDF}$ (RHA 합동)
　∴ $\overline{AE}=\boxed{CF}$　……㉡
　㉠, ㉡에서 □AECF는 한 쌍의 대변이 평행하고 그 길이가
　같으므로 평행사변형이다.
　따라서 옳지 않은 것은 ③이다.

**04** $\overline{AH}$∥$\overline{FC}$이고 $\overline{AH}=\overline{FC}$이므로 □AFCH는 평행사변형이
　다.　∴ $\overline{AP}$∥$\overline{QC}$　……㉠
　$\overline{AE}$∥$\overline{GC}$이고 $\overline{AE}=\overline{GC}$이므로 □AECG는 평행사변형이
　다.　∴ $\overline{AQ}$∥$\overline{PC}$　……㉡
　㉠, ㉡에서 □APCQ는 두 쌍의 대변이 각각 평행하므로 평행
　사변형이다.

**9강 ✦ 평행사변형의 넓이**　37~38쪽

**01** (1) 4 cm²　(2) 4 cm²　(3) 2 cm²　(4) 2 cm²
　(5) 4 cm²　(6) 4 cm²

**02** (1) 10 cm²　(2) 6 cm²　(3) 16 cm²　(4) 14 cm²

**03** (1) 12 cm²　(2) 14 cm²　(3) 9 cm²　(4) 25 cm²

**04** (1) 12 cm²　(2) 19 cm²　(3) 30 cm²　(4) 7 cm²　(5) 44 cm²

**01** (1) △ABC=$\frac{1}{2}$□ABCD=4(cm²)
　(2) △ABD=$\frac{1}{2}$□ABCD=4(cm²)
　(3) △ABO=$\frac{1}{4}$□ABCD=2(cm²)

(4) $\triangle AOD = \dfrac{1}{4} \square ABCD = 2(cm^2)$

(5) $\triangle ABO + \triangle DOC = 2 \times \dfrac{1}{4} \square ABCD = 4(cm^2)$

(6) $\triangle AOD + \triangle BOC = 2 \times \dfrac{1}{4} \square ABCD = 4(cm^2)$

**02** (1) $\square ABCD = 2\triangle ABC = 10(cm^2)$

(2) $\triangle AOD = \dfrac{1}{2}\triangle ABC = 6(cm^2)$

(3) $\square ABCD = 4\triangle ABO = 16(cm^2)$

(4) $\triangle ABO + \triangle OCD = 2\triangle AOD = 14(cm^2)$

**03** (1) $\triangle AOP \equiv \triangle COQ$ (ASA 합동)이므로
$\triangle AOP = \triangle COQ$
$\therefore \triangle POD + \triangle COQ = \triangle POD + \triangle AOP$
$\qquad = \triangle AOD = \dfrac{1}{4}\square ABCD$
$\qquad = \dfrac{1}{4} \times 48 = 12(cm^2)$

(2) $\triangle PBO \equiv \triangle QDO$ (ASA 합동)이므로
$\triangle PBO = \triangle QDO$
$\therefore \triangle AOP + \triangle DOQ = \triangle AOP + \triangle POB$
$\qquad = \triangle AOB = \dfrac{1}{4}\square ABCD$
$\qquad = \dfrac{1}{4} \times 56 = 14(cm^2)$

(3) $\triangle POD \equiv \triangle QOB$ (ASA 합동)이므로
$\triangle POD = \triangle QOB$
$\therefore \triangle AOP + \triangle QOB = \triangle AOP + \triangle POD$
$\qquad = \triangle AOD = \dfrac{1}{4}\square ABCD$
$\qquad = \dfrac{1}{4} \times 36 = 9(cm^2)$

(4) $\triangle AOP \equiv \triangle COQ$ (ASA 합동)이므로
$\triangle AOP = \triangle COQ$
$\therefore \triangle AOP + \triangle DOQ = \triangle QOC + \triangle DOQ$
$\qquad = \triangle DOC = \dfrac{1}{4}\square ABCD$
$\qquad = \dfrac{1}{4} \times 100 = 25(cm^2)$

**04** (1) $\triangle PAB + \triangle PCD = \triangle PBC + \triangle PDA$이므로
$\triangle PAB + 8 = 14 + 6$
$\therefore \triangle PAB = 12(cm^2)$

(2) $\triangle PAB + \triangle PCD = \triangle PBC + \triangle PDA$이므로
$20 + 7 = 8 + \triangle PDA$
$\therefore \triangle PDA = 19(cm^2)$

(3) $\triangle PAB + \triangle PCD = \dfrac{1}{2}\square ABCD$이므로
$\triangle PAB + \triangle PCD = \dfrac{1}{2} \times 60 = 30(cm^2)$

(4) $\triangle PBC + \triangle PDA = \dfrac{1}{2}\square ABCD$이므로
$18 + \triangle PDA = \dfrac{1}{2} \times 50$
$\therefore \triangle PDA = 7(cm^2)$

(5) $\square ABCD = 2(\triangle PBC + \triangle PDA)$
$\qquad = 2 \times (10 + 12) = 44(cm^2)$

39쪽

**01** 28 cm² **02** 20 cm² **03** 15 cm² **04** 13 cm²

**01** $\square ABCD = 4\triangle AOB = 4 \times 7 = 28(cm^2)$

**02** $\triangle AOD + \triangle BOC = 2 \times \dfrac{1}{4}\square ABCD = 20(cm^2)$

**03** $\triangle AOP \equiv \triangle COQ$ (ASA 합동)이므로
$\triangle AOP = \triangle COQ$
$\therefore \triangle BOC + \triangle AOP + \triangle DOQ$
$\qquad = \triangle BOC + \triangle COQ + \triangle DOQ$
$\qquad = \triangle BCD = \dfrac{1}{2}\square ABCD$
$\qquad = \dfrac{1}{2} \times 30 = 15(cm^2)$

**04** $\triangle PAB + \triangle PCD = \triangle PBC + \triangle PDA$이므로
$\triangle PAB + 20 = 15 + 18$
$\therefore \triangle PAB = 13(cm^2)$

**10강** 직사각형, 마름모의 뜻과 성질 40~42쪽

**01** (1) × (2) ○ (3) ○ (4) ○ (5) × (6) ○
**02** (1) $x = 30, y = 60$ (2) $x = 6, y = 12$
　　(3) $x = 7, y = 35$ (4) $x = 116, y = 58$
**03** 180, 90, 직사각형
**04** (1) ○ (2) ○ (3) × (4) ○ (5) × (6) ○ (7) ×
**05** (1) 90 (2) 5 (3) 6
**06** (1) ○ (2) ○ (3) × (4) ○ (5) ×
**07** (1) $x = 7, y = 110$ (2) $x = 4, y = 3$
　　(3) $x = 6, y = 90$ (4) $x = 4, y = 35$
　　(5) $x = 65, y = 90$
**08** $\overline{DC}, \overline{AD}$, 마름모
**09** (1) ○ (2) ○ (3) × (4) × (5) × (6) ○
**10** (1) 4 (2) 90 (3) 35, 55

**02** (1) △BCD에서

$∠DBC=180°-(60°+90°)=30°$   ∴ $x=30$

△OBC에서 $\overline{OB}=\overline{OC}$이므로 $∠OCB=∠OBC=30°$

△ABC에서

$∠BAC=180°-(90°+30°)=60°$   ∴ $y=60$

(2) $\overline{OB}=\overline{OA}=6$ cm이므로 $x=6$

$\overline{AC}=2\overline{AO}=2×6=12(cm)$이므로 $y=12$

(3) $\overline{OD}=\overline{OC}=7$ cm이므로 $x=7$

△BCD에서 $∠DBC=180°-(55°+90°)=35°$

∴ $y=35$

(4) △OBC에서 $\overline{OB}=\overline{OC}$이므로

$∠OBC=∠OCB=32°$

$∠AOD=∠BOC=180°-2×32°=116°$이므로

$x=116$

△DBC에서

$∠BDC=180°-(32°+90°)=58°$   ∴ $y=58$

**04** (2) $∠A+∠B=180°$에서 $∠A=∠B$이면 $∠A=∠B=90°$

이므로 평행사변형 ABCD는 직사각형이 된다.

(6) $\overline{OB}=\overline{OC}$이면 $\overline{BD}=\overline{AC}$이므로 평행사변형 ABCD는 직사각형이 된다.

**05** (1) $∠A=∠B=∠C=∠D$이어야 하므로

$∠A=90°$

(2) $\overline{BD}=\overline{AC}$이어야 하므로 $\overline{BD}=5$ cm

(3) $\overline{BD}=2\overline{OD}=6(cm)$이고, $\overline{AC}=\overline{BD}$이어야 하므로

$\overline{AC}=6$ cm

**07** (1) △ABD에서 $\overline{AB}=\overline{AD}=7$ cm이므로 $x=7$

$∠ADB=∠CBD=35°$ (엇각)이므로 △ABD에서

$∠BAD=180°-2×35°=110°$   ∴ $y=110$

(2) $\overline{OB}=\frac{1}{2}\overline{BD}=\frac{1}{2}×8=4(cm)$이므로 $x=4$

$\overline{OC}=\overline{OA}=3$ cm이므로 $y=3$

(3) 마름모의 두 대각선은 서로를 수직이등분하므로

$x=6$, $y=90$

(4) $\overline{OB}=\overline{OD}=4$ cm이므로 $x=4$

△ABC에서 $\overline{BA}=\overline{BC}$이므로 $∠BCA=∠BAC=55°$

△OBC에서 $∠BOC=90°$이므로

$∠CBO=180°-(55°+90°)=35°$   ∴ $y=35$

(5) △ABD에서 $\overline{AB}=\overline{AD}$이므로

$∠ADB=∠ABD=25°$

△AOD에서 $∠AOD=90°$이므로

$∠OAD=180°-(90°+25°)=65°$   ∴ $x=65$

$∠COD=90°$이므로 $y=90$

**09** (2) $∠ACB=∠DAC$ (엇각)이므로

$∠BAC=∠ACB$

따라서 △ABC는 $\overline{BA}=\overline{BC}$인 이등변삼각형이므로 평행사변형 ABCD는 마름모가 된다.

**10** (1) $\overline{AD}=\overline{AB}$이어야 하므로 $\overline{AD}=4$ cm

(2) $\overline{AC}⊥\overline{BD}$이어야 하므로 $∠AOB=90°$

(3) $\overline{AB}=\overline{AD}$이어야 하므로 △ABD는 이등변삼각형이어야 한다. 따라서 $∠ADB=∠ABD=35°$

또 $∠AOD=90°$이어야 하므로 △AOD에서

$∠OAD=180°-(35°+90°)=55°$

**01** $x=10$, $y=54$   **02** ④   **03** $x=8$, $y=35$

**04** 9 cm²   **05** ①, ③

**01** $\overline{BD}=\overline{AC}=2\overline{OC}=2×5=10(cm)$이므로 $x=10$

△OBC에서 $\overline{OB}=\overline{OC}$이므로 $∠OCB=∠OBC=36°$

△ABC에서 $∠ABC=90°$이므로

$∠BAC=180°-(90°+36°)=54°$   ∴ $y=54$

**02** ㄴ. $\overline{AC}=2\overline{OA}=16(cm)$이므로 $\overline{AC}=\overline{BD}$

두 대각선의 길이가 같으므로 평행사변형 ABCD는 직사각형이 된다.

ㄷ. $∠A=90°$이면 평행사변형 ABCD는 직사각형이 된다.

따라서 직사각형이 될 조건은 ㄴ, ㄷ이다.

**03** $\overline{DA}=\overline{DC}=8$ cm이므로 $x=8$

△DAC는 이등변삼각형이므로 $∠CAD=∠ACD=55°$

△AOD에서 $∠AOD=90°$이므로

$∠ADO=180°-(55°+90°)=35°$   ∴ $y=35$

**04** △BOC는 $∠BOC=90°$인 직각삼각형이고,

$\overline{OC}=\overline{OA}=3$ cm, $\overline{OB}=\frac{1}{2}\overline{BD}=6(cm)$이므로

$△BOC=\frac{1}{2}×6×3=9(cm^2)$

**05** 평행사변형의 이웃하는 두 변의 길이가 같거나 두 대각선이 수직으로 만나면 마름모가 되므로 마름모가 되는 조건은 ①, ③이다.

**11강 + 정사각형, 등변사다리꼴의 뜻과 성질** 44~46쪽

**01** (1)○ (2)○ (3)× (4)○ (5)○ (6)○
**02** (1) $x=5$, $y=90$ (2) $x=6$, $y=90$
　　(3) $x=8$, $y=45$ (4) $x=6$, $y=45$
**03** (1)○ (2)× (3)○ (4)× (5)× (6)○
**04** (1) 6 (2) 90
**05** (1)× (2)○ (3)○ (4)× (5)×
**06** (1) 90 (2) 4
**07** (1)× (2)○ (3)○ (4)○ (5)×
**08** (1) $x=4$, $y=75$ (2) $x=9$, $y=65$
　　(3) $x=10$, $y=72$ (4) $x=115$, $y=65$
**09** 35, 35, 70, 70
**10** (1) $50°$ (2) $34°$　**11** $\overline{AD}$, 5, $\overline{AB}$, 8, 13
**12** (1) 6 (2) 14

**02** (1) $\overline{OD}=\overline{OB}=5$ cm이므로 $x=5$
　　$\angle BOC=90°$이므로 $y=90$
　(2) $\overline{BD}=\overline{AC}=2\overline{AO}=2\times3=6$(cm)이므로 $x=6$
　　$\angle AOD=90°$이므로 $y=90$
　(3) $\overline{AC}=\overline{BD}=2\overline{BO}=2\times4=8$(cm)이므로 $x=8$
　　△ABC에서 $\angle ABC=90°$이고 $\overline{AB}=\overline{BC}$이므로
　　$\angle BAC=\dfrac{1}{2}\times(180°-90°)=45°$　∴ $y=45$
　(4) $\overline{OD}=\overline{OA}=6$ cm이므로 $x=6$
　　△ABC에서 $\angle ABC=90°$이고 $\overline{AB}=\overline{BC}$이므로
　　$\angle ACB=\dfrac{1}{2}\times(180°-90°)=45°$　∴ $y=45$

**03** (3) $\angle AOB+\angle BOC=180°$이므로
　　$\angle AOB=\angle BOC$이면 $\angle AOB=\angle BOC=90°$
　　즉, $\overline{AC}\perp\overline{BD}$이므로 직사각형 ABCD는 정사각형이 된다.

**04** (1) $\overline{AD}=\overline{DC}$이어야 하므로 $\overline{AD}=6$ cm
　(2) $\overline{AC}\perp\overline{BD}$이어야 하므로 $\angle AOB=90°$

**06** (2) $\overline{AC}=\overline{BD}$이어야 하므로 $\overline{AC}=8$ cm
　　∴ $\overline{OA}=\dfrac{1}{2}\overline{AC}=4$(cm)

**08** (1) $\overline{DC}=\overline{AB}=4$ cm이므로 $x=4$
　　$\angle C=\angle B=75°$이므로 $y=75$
　(2) $\overline{AB}=\overline{DC}=9$ cm이므로 $x=9$
　　$\overline{AD}\,/\!/\,\overline{BC}$이므로 $\angle ACB=\angle DAC=40°$ (엇각)
　　$\angle C=40°+25°=65°$이고 $\angle B=\angle C$이므로 $y=65$
　(3) $\overline{BD}=\overline{AC}=4+6=10$(cm)이므로 $x=10$
　　$\angle C=\angle B=72°$이므로 $y=72$

　(4) $\angle A+\angle B=180°$이므로 $\angle A=180°-65°=115°$
　　∴ $x=115$
　　$\angle C=\angle B=65°$이므로 $y=65$

**10** (1) $\overline{AD}\,/\!/\,\overline{BC}$이므로 $\angle ADB=\angle DBC=25°$ (엇각)
　　△ABD에서 $\overline{AB}=\overline{AD}$이므로
　　$\angle ABD=\angle ADB=25°$
　　$\angle B=\angle C$이므로 $\angle x=25°+25°=50°$
　(2) $\overline{AD}\,/\!/\,\overline{BC}$이므로 $\angle ADB=\angle DBC=\angle x$ (엇각)
　　△ABD에서 $\overline{AB}=\overline{AD}$이므로
　　$\angle ABD=\angle ADB=\angle x$
　　$\angle B=\angle C$이므로 $\angle C=2\angle x$
　　△DBC에서
　　$78°+\angle x+2\angle x=180°$
　　$3\angle x=102°$　∴ $\angle x=34°$

**12** (1) 점 A를 지나고 $\overline{DC}$와 평행한 직선이 $\overline{BC}$와 만나는 점을 E라 하자.

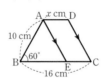

　　△ABE는 정삼각형이므로 $\overline{BE}=\overline{AB}=10$ cm
　　$\overline{EC}=\overline{BC}-\overline{BE}=16-10=6$(cm)
　　□AECD는 평행사변형이므로 $\overline{AD}=\overline{EC}=6$ cm
　　∴ $x=6$
　(2) 점 D를 지나고 $\overline{AB}$와 평행한 직선이 $\overline{BC}$와 만나는 점을 E라 하자.

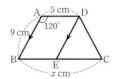

　　□ABED는 평행사변형이므로 $\overline{BE}=\overline{AD}=5$ cm
　　$\overline{DC}=\overline{AB}=9$ cm이고 △DEC는 정삼각형이므로
　　$\overline{EC}=\overline{DC}=9$ cm
　　따라서 $\overline{BC}=\overline{BE}+\overline{EC}=5+9=14$(cm)이므로
　　$x=14$

**힘수 만점** 47쪽

**01** $x=6$, $y=90$　**02** 18 cm$^2$　**03** ③, ⑤
**04** $85°$　**05** 4

**01** $\overline{BD}=\overline{AC}=12$ cm이고 $\overline{OD}=\dfrac{1}{2}\overline{BD}=\dfrac{1}{2}\times12=6(\text{cm})$이므로 $x=6$

$\angle AOD=90^\circ$이므로 $y=90$

**02** $\overline{OB}=\overline{OA}=3$ cm이고 $\angle AOB=90^\circ$이므로

$\square ABCD=4\triangle AOB=4\times\left(\dfrac{1}{2}\times3\times3\right)=18(\text{cm}^2)$

**03** ① $\overline{AC}=\overline{BD}$, $\angle ABC=90^\circ$이면 평행사변형 ABCD는 직사각형이 된다.

② $\overline{AB}=\overline{BC}$, $\overline{AC}\perp\overline{BD}$이면 평행사변형 ABCD는 마름모가 된다.

③ $\overline{AB}=\overline{BC}$이면 평행사변형 ABCD는 마름모가 된다. 또 $\overline{OB}=\overline{OC}$이면 마름모 ABCD는 정사각형이 된다.

④ $\overline{AC}\perp\overline{BD}$, $\overline{OA}=\overline{OC}$이면 평행사변형 ABCD는 마름모가 된다.

⑤ $\angle ABC=90^\circ$이면 평행사변형 ABCD는 직사각형이 된다. 또 $\overline{AC}\perp\overline{BD}$이면 직사각형 ABCD는 정사각형이 된다.

**04** $\overline{AD}\,/\!/\,\overline{BC}$이므로 $\angle ADB=\angle DBC=25^\circ$(엇각)

$\triangle ABD$에서 $\angle ABD=180^\circ-(110^\circ+25^\circ)=45^\circ$

이때 $\angle B=45^\circ+25^\circ=70^\circ$이므로 $\angle C=\angle B=70^\circ$

$\triangle DBC$에서 $\angle x=180^\circ-(25^\circ+70^\circ)=85^\circ$

**05** 점 A를 지나고 $\overline{DC}$와 평행한 직선이 $\overline{BC}$와 만나는 점을 E라 하자.

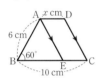

$\triangle ABE$는 정삼각형이므로 $\overline{BE}=\overline{AB}=6$ cm

$\overline{EC}=\overline{BC}-\overline{BE}=10-6=4(\text{cm})$

$\square AECD$는 평행사변형이므로 $\overline{AD}=\overline{EC}=4$ cm

$\therefore x=4$

---

**12강** 여러 가지 사각형 사이의 관계     48~49쪽

**01** (1) ㄱ (2) ㄴ (3) ㄷ, ㄹ (4) ㅁ, ㅂ (5) ㅁ, ㅂ (6) ㄷ, ㄹ

**02** (1) ㄷ, ㄹ, ㅁ, ㅂ (2) ㅁ, ㅂ (3) ㄹ, ㅂ (4) ㄷ, ㄹ, ㅁ, ㅂ
    (5) ㄴ, ㄹ, ㅂ (6) ㅁ, ㅂ (7) ㄷ, ㄹ, ㅁ, ㅂ

**03** (1) 직사각형 (2) 마름모 (3) 직사각형 (4) 마름모
    (5) 정사각형

**04** (1) ○ (2) × (3) ○ (4) × (5) ○ (6) × (7) ×

**05** DHE, SAS, $\overline{GH}$

**06** (1) 평행사변형 (2) 평행사변형 (3) 마름모
    (4) 직사각형 (5) 정사각형 (6) 마름모

---

**힘수 만점**     50쪽

**01** ②, ④    **02** ②    **03** ③    **04** ㄴ, ㄷ, ㅁ
**05** 24 cm

**01** ② $\overline{AB}=\overline{BC}$인 평행사변형 ABCD는 마름모이다.
    ④ $\overline{AC}\perp\overline{BD}$인 직사각형 ABCD는 정사각형이다.

**02** ② 두 대각선의 길이가 같은 사다리꼴은 등변사다리꼴일 수도 있다.

**03** 조건 (가), (나)를 만족하는 $\square ABCD$는 평행사변형이다.
또 조건 (다)를 만족하는 평행사변형 ABCD는 직사각형이다.

**04** 마름모의 각 변의 중점을 연결하여 만든 사각형 ABCD는 직사각형이다.
직사각형 ABCD에 대한 설명으로 옳은 것은 ㄴ, ㄷ, ㅁ이다.

**05** 직사각형의 각 변의 중점을 연결하여 만든 사각형은 마름모이므로 $\square EFGH$의 둘레의 길이는
$4\times6=24(\text{cm})$

---

**13강** 평행선과 삼각형의 넓이     51~52쪽

**01** (1) 15 cm$^2$ (2) 45 cm$^2$

**02** (1) $\triangle DBC$ (2) $\triangle ACD$ (3) $\triangle DOC$

**03** (1) 12 cm$^2$ (2) 49 cm$^2$

**04** (1) $\triangle ACE$ (2) $\triangle AED$ (3) $\triangle FCE$ (4) $\triangle ABE$

**05** (1) 28 cm$^2$ (2) 9 cm$^2$ (3) 24 cm$^2$

**06** (1) 8 cm$^2$ (2) 20 cm$^2$ (3) 25 cm$^2$

**07** (1) 9 cm$^2$ (2) 8 cm$^2$ (3) 100 cm$^2$

**01** (1) $\triangle DBC=\triangle ABC=\dfrac{1}{2}\times6\times5=15(\text{cm}^2)$

(2) $\triangle ABC=\triangle DBC=\dfrac{1}{2}\times9\times10=45(\text{cm}^2)$

**02** (3) $\triangle ABD=\triangle ACD$이므로
$\triangle ABO=\triangle ABD-\triangle AOD$
$\quad\quad\;\;=\triangle ACD-\triangle AOD=\triangle DOC$

**03** (1) $\triangle ABO=\triangle ABD-\triangle AOD$
$\quad\quad\quad\;\;=\triangle ACD-\triangle AOD$
$\quad\quad\quad\;\;=20-8=12(\text{cm}^2)$

(2) $\triangle DOC=\triangle DBC-\triangle OBC$
$\quad\quad\quad\;\;=\triangle ABC-\triangle OBC$
$\quad\quad\quad\;\;=30-18=12(\text{cm}^2)$

$\therefore\square ABCD=\triangle ABC+\triangle AOD+\triangle DOC$
$\quad\quad\quad\quad\quad\;\;=30+7+12=49(\text{cm}^2)$

**04** (3) △ACD=△ACE이므로

△AFD=△ACD−△ACF

=△ACE−△ACF=△FCE

(4) △ACD=△ACE이므로

□ABCD=△ABC+△ACD

=△ABC+△ACE=△ABE

**05** (1) △ACD=△ACE이므로

△ABE=△ABC+△ACE

=△ABC+△ACD

=□ABCD=28(cm²)

(2) △ACD=△ACE=△ABE−△ABC

=25−16=9(cm²)

(3) △ABC=□ABCD−△ACD

=□ABCD−△ACE

=35−11=24(cm²)

**06** (1) $\triangle ABP=\dfrac{2}{3}\triangle ABC=\dfrac{2}{3}\times12=8(cm^2)$

(2) $\triangle ABP=\dfrac{2}{3}\triangle PBC=\dfrac{2}{3}\times30=20(cm^2)$

(3) $\triangle ABC=\dfrac{5}{4}\triangle APC=\dfrac{5}{4}\times20=25(cm^2)$

**07** (1) △DBC=△ABC=27(cm²)이므로

$\triangle DOC=\dfrac{1}{3}\triangle DBC=\dfrac{1}{3}\times27=9(cm^2)$

(2) $\triangle DOC=\dfrac{2}{5}\triangle OBC=\dfrac{2}{5}\times50=20(cm^2)$,

△ABO=△DOC=20(cm²)이므로

$\triangle AOD=\dfrac{2}{5}\triangle ABO=\dfrac{2}{5}\times20=8(cm^2)$

(3) $\triangle DOC=\dfrac{2}{3}\triangle OBC=\dfrac{2}{3}\times36=24(cm^2)$,

△ABO=△DOC=24(cm²)이므로

$\triangle AOD=\dfrac{2}{3}\triangle ABO=\dfrac{2}{3}\times24=16(cm^2)$

∴ □ABCD=△AOD+△ABO+△OBC+△DOC

=16+24+36+24=100(cm²)

**힘수 만점**                                      53쪽

---
**01** ㄱ, ㄴ, ㄷ   **02** 34 cm²   **03** 47 cm²   **04** 42 cm²

**05** 9 cm²

---

**01** ㄷ. △ABO=△ABD−△AOD

=△ACD−△AOD=△DOC

ㄹ. △AOD=△OBC인지는 알 수 없다.

따라서 옳은 것은 ㄱ, ㄴ, ㄷ이다.

**02** △DOC=△ABO=16 cm²이므로

△OBC=△DBC−△DOC

=50−16=34(cm²)

**03** △ACD=△ACE=13 cm²이므로

□ABCD=△ABC+△ACD

=34+13=47(cm²)

**04** △ACD=△ACE이므로

□ABCD=△ABC+△ACD

=△ABC+△ACE

=△ABE

$=\dfrac{1}{2}\times(7+7)\times6=42(cm^2)$

**05** $\triangle ADC=\dfrac{1}{2}\square ABCD=\dfrac{1}{2}\times54=27(cm^2)$

$\therefore \triangle AEC=\dfrac{1}{3}\triangle ADC=\dfrac{1}{3}\times27=9(cm^2)$

---
**14강 중단원 연산 마무리**                          54~56쪽

---
**01** ∠x=42°, ∠y=40°   **02** 7, 110, 6   **03** 80°

**04** 140°   **05** (1) ×  (2) ○  (3) ×  (4) ○

**06** x=5, y=8   (2) x=4, y=2

**07** $\overline{CF}$, SAS, $\overline{GF}$, GDH, $\overline{GH}$

**08** (1) 4 cm²  (2) 8 cm²   **09** 17 cm²

**10** (1) x=8, y=112  (2) x=9, y=32

(3) x=90, y=6  (4) x=7, y=35

**11** 37 cm

**12** (1) ㄴ, ㄷ, ㅁ, ㅂ  (2) ㄱ, ㄹ  (3) ㄱ, ㄹ  (4) ㄴ, ㄷ, ㅁ, ㅂ

**13** (1) 직사각형  (2) 마름모  (3) 직사각형  (4) 마름모

(5) 정사각형

**14** (1) ㅁ  (2) ㄱ, ㄹ, ㅁ  (3) ㄴ, ㄷ, ㅁ

(4) ㄱ, ㄴ, ㄷ, ㄹ, ㅁ  (5) ㄱ, ㄹ, ㅁ

**15** 22 cm²

**16** (1) 16 cm²  (2) 16 cm²  (3) 32 cm²  (4) 72 cm²

**17** 6 cm   **18** 10 cm²   **19** ①, ④

---

**01** $\overline{AB}\,/\!/\,\overline{DC}$이므로 ∠x=42° (엇각)

$\overline{AD}\,/\!/\,\overline{BC}$이므로 ∠y=40° (엇각)

**02** $\overline{BC}=\overline{AD}=7$ cm

$\angle C=\angle A=110°$

$\overline{OA}=\dfrac{1}{2}\overline{AC}=\dfrac{1}{2}\times 12=6\,(cm)$

**03** $\overline{AD}/\!/\overline{BC}$이므로 $\angle FBC=\angle AFB=50°$ (엇각)

$\angle ABF=\angle FBC=50°$이므로 $\triangle ABF$에서

$\angle A=180°-(50°+50°)=80°$

$\therefore \angle C=\angle A=80°$

**04** $\angle A+\angle B=180°$이므로

$\angle B=\dfrac{7}{9}\times 180°=140°$

$\therefore \angle x=\angle B=140°$

**05** (1) 오른쪽 그림과 같이 대변의 길이가 같지 않으므로 □ABCD는 평행사변형이 아니다.

(2) $\angle D=360°-(120°+120°+60°)$
$=60°$

에서 두 쌍의 대각의 크기가 각각 같으므로 □ABCD는 평행사변형이다.

(3) 오른쪽 그림과 같이 평행한 대변의 길이가 아닌 다른 한 쌍의 대변의 길이가 같으므로 □ABCD는 평행사변형이라고 할 수 없다.

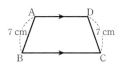

(4) 두 대각선이 서로 다른 것을 이등분하므로 □ABCD는 평행사변형이다.

**06** (1) $\overline{OA}=\overline{OC}=5$ cm이어야 하므로 $x=5$

$\overline{OD}=\overline{OB}=8$ cm이어야 하므로 $y=8$

(2) $\overline{AD}=\overline{BC}$이어야 하므로 $3x-2=10$ $\therefore x=4$

$\overline{AB}=\overline{DC}$이어야 하므로 $8=5y-2$ $\therefore y=2$

**08** (1) $\triangle AOD=\dfrac{1}{4}$□$ABCD=4\,(cm^2)$

(2) $\triangle ABO+\triangle DOC=\dfrac{1}{2}$□$ABCD=8\,(cm^2)$

**09** $\triangle PAB+\triangle PCD=\dfrac{1}{2}\times$□$ABCD=17\,(cm^2)$

**10** (1) $\overline{OA}=\overline{OD}=\dfrac{1}{2}\overline{BD}=8\,(cm)$이므로 $x=8$

$\overline{AD}/\!/\overline{BC}$이므로 $\angle OAD=\angle OCB=34°$ (엇각)

$\triangle AOD$는 $\overline{OA}=\overline{OD}$인 이등변삼각형이므로

$\angle ODA=\angle OAD=34°$에서

$\angle AOD=180°-2\times 34°=112°$ $\therefore y=112$

(2) $\overline{OD}=\overline{OB}=9$ cm이므로 $x=9$

$\overline{AB}/\!/\overline{CD}$이므로 $\angle BAC=\angle ACD=58°$

$\triangle ABO$에서 $\angle AOB=90°$이므로

$\angle ABO=180°-(58°+90°)=32°$ $\therefore y=32$

(3) $\angle AOB=90°$이므로 $x=90$

$\overline{OA}=\dfrac{1}{2}\overline{BD}=6\,(cm)$이므로 $y=6$

(4) $\overline{AB}=\overline{DC}$이므로 $x=7$

$\overline{AD}/\!/\overline{BC}$이므로 $\angle ACB=\angle DAC=40°$

$\angle B=\angle C$이므로

$75°=\angle ACD+40°$, $\angle ACD=35°$ $\therefore y=35$

**11** 오른쪽 그림과 같이 점 A를 지나고 $\overline{DC}$와 평행한 직선이 $\overline{BC}$와 만나는 점을 E라 하자.

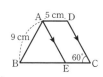

$\triangle ABE$는 정삼각형이므로 $\overline{BE}=\overline{AB}=9$ cm

□AECD는 평행사변형이므로 $\overline{EC}=\overline{AD}=5$ cm

$\overline{BC}=\overline{BE}+\overline{EC}=9+5=14\,(cm)$

$\overline{DC}=\overline{AB}=9$ cm

따라서 등변사다리꼴 ABCD의 둘레의 길이는

$9+14+9+5=37\,(cm)$

**14** (1) 평행사변형 ABCD ⇨ 평행사변형 EFGH
⇨ ㅁ

(2) 직사각형 ABCD ⇨ 마름모 EFGH
⇨ ㄱ, ㄹ, ㅁ

(3) 마름모 ABCD ⇨ 직사각형 EFGH
⇨ ㄴ, ㄷ, ㅁ

(4) 정사각형 ABCD ⇨ 정사각형 EFGH
⇨ ㄱ, ㄴ, ㄷ, ㄹ, ㅁ

(5) 등변사다리꼴 ABCD ⇨ 마름모 EFGH
⇨ ㄱ, ㄹ, ㅁ

**15** $\triangle ACD=\triangle ACE$이므로

$\triangle ABE=\triangle ABC+\triangle ACE$
$=\triangle ABC+\triangle ACD$
$=$□$ABCD=22\,(cm^2)$

**16** (1) $\triangle DOC=2\triangle AOD=2\times 8=16\,(cm^2)$

(2) $\triangle ABO=\triangle DOC=16\,(cm^2)$

(3) $\triangle OBC=2\triangle ABO=2\times 16=32\,(cm^2)$

(4) □$ABCD=\triangle AOD+\triangle ABO+\triangle OBC+\triangle DOC$
$=8+16+32+16=72\,(cm^2)$

**17** $\triangle BFE$와 $\triangle CDE$에서

$\overline{BE}=\overline{CE}$, $\angle FBE=\angle DCE$ (엇각),

$\angle BEF=\angle CED$ (맞꼭지각)이므로

$\triangle BFE\equiv\triangle CDE$ (ASA 합동)

$\therefore \overline{BF}=\overline{CD}=3\,(cm)$

또 $\overline{AB}=\overline{DC}=3(cm)$이므로

$\overline{AF}=\overline{AB}+\overline{BF}=3+3=6(cm)$

**18** $\overline{AM}\,/\!/\,\overline{BN}$, $\overline{AM}=\overline{BN}$이므로 □ABNM은 평행사변형이고

$\overline{MD}\,/\!/\,\overline{NC}$, $\overline{MD}=\overline{NC}$이므로 □MNCD는 평행사변형이다.

따라서 $\triangle MPN=\dfrac{1}{4}$□ABNM, $\triangle MNQ=\dfrac{1}{4}$□MNCD이므로

□MPNQ$=\triangle MPN+\triangle MNQ$

$\qquad\quad =\dfrac{1}{4}$□ABNM$+\dfrac{1}{4}$□MNCD

$\qquad\quad =\dfrac{1}{4}($□ABNM$+$□MNCD$)$

$\qquad\quad =\dfrac{1}{4}$□ABCD$=\dfrac{1}{4}\times40=10(cm^2)$

**19** ② 한 내각의 크기가 90°인 평행사변형은 직사각형이다.

③ 두 대각선의 길이가 같은 평행사변형은 직사각형이다.

⑤ 이웃하는 두 내각의 크기가 같은 마름모는 정사각형이다.

---

# V 닮음과 피타고라스 정리

 점검 · · · · · · · · · · · · · · · · · · · · · · · 59쪽

**1.** (1) 10  (2) 16  (3) 20  (4) $\dfrac{18}{7}$

**2.** $\angle x=65°$, $\angle y=40°$

**3.** $x=110$, $y=5$, $z=7$

**4.** $\triangle ABC\varpropto\triangle DEF$ (ASA 합동)

**5.** (1) $72\pi\ cm^3$  (2) $15\ cm^3$

**6.** (1) 둔  (2) 직  (3) 예

## 15강+ 닮음과 닮은 도형의 성질                60~61쪽

**01** (1) 점 D  (2) $\overline{EF}$  (3) $\angle F$

**02** (1) 점 E  (2) 점 F  (3) $\overline{FG}$  (4) $\overline{GH}$  (5) $\angle G$  (6) $\angle H$

**03** (1) ○  (2) ×  (3) ×  (4) ○

**04** (1) $\overline{DF}$, $\overline{DF}$, 8, 2  (2) 2, 2, 12  (3) E, 30  (4) C, 30, 100

**05** (1) 4 : 3  (2) 12 cm  (3) 12 cm  (4) 75°  (5) 80°

**06** (1) $\overline{F'G'}$, $\overline{F'G'}$, 12, 4  (2) 4, 4, 24, 8

**07** (1) 1 : 2  (2) 4 cm  (3) 8 cm

**03** (2) 다음 그림의 두 삼각형은 넓이가 $6\ cm^2$로 같지만 닮은 도형은 아니다.

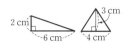

**05** (1) $\overline{BC}:\overline{FG}=20:15=4:3$

(2) $\overline{CD}:\overline{GH}=4:3$이므로

$\overline{CD}:9=4:3$

$\therefore\overline{CD}=12(cm)$

(3) $\overline{AD}:\overline{EH}=4:3$이므로

$16:\overline{EH}=4:3$

$\therefore\overline{EH}=12(cm)$

(4) $\angle C=\angle G=75°$

(5) $\angle F=\angle B=80°$

**07** (1) $\overline{AD}:\overline{EH}=6:12=1:2$

(2) $\overline{AB}:\overline{EF}=1:2$이므로

$\overline{AB}:8=1:2$

$\therefore\overline{AB}=4(cm)$

(3) $\overline{BC}:\overline{FG}=1:2$이므로

$4:\overline{FG}=1:2$

$\therefore\overline{FG}=8(cm)$

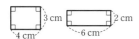
01 ③, ④  02 ⑤  03 30  04 6 cm

01 ③ 다음 그림의 두 직사각형은 넓이가 12 cm²로 같지만 닮은 도형은 아니다.

3 cm  4 cm   2 cm  6 cm

④ 다음 그림의 두 평행사변형은 두 쌍의 대변의 길이가 각각 같지만 닮은 도형은 아니다.

1 cm  2 cm  1 cm  2 cm   1 cm  2 cm  1 cm  2 cm

02 ① 두 사각형의 닮음비는
$\overline{AB}:\overline{EF}=6:9=2:3$이므로
$\overline{AD}:\overline{EH}=2:3$
② $\overline{AD}:\overline{EH}=2:3$이므로
$\overline{AD}:6=2:3$
∴ $\overline{AD}=4$ cm
③ ∠E=∠A=135°
④ ∠B=∠F=70°
⑤ ∠D=360°−(135°+70°+68°)
=87°

03 두 삼각기둥의 닮음비는
$\overline{DE}:\overline{D'E'}=3:6=1:2$
$5:\overline{A'C'}=1:2$이므로 $\overline{A'C'}=10$(cm)
∴ $x=10$
$6:\overline{C'F'}=1:2$이므로 $\overline{C'F'}=12$(cm)
∴ $y=12$
$4:\overline{E'F'}=1:2$이므로 $\overline{E'F'}=8$(cm)
∴ $z=8$
∴ $x+y+z=30$

04 두 원기둥의 닮음비는 밑면의 반지름의 길이의 비와 같으므로 2 : 5이다.
작은 원기둥의 높이를 $x$ cm라 하면
$2:5=x:15$이므로 $5x=30$
∴ $x=6$
따라서 작은 원기둥의 높이는 6 cm이다.

01 (1) 1, 2, 16, 1, 2, 12, 1, 2, SSS
(2) 3, 2, 8, 3, 2, E, 50, SAS
(3) E, 70, F, 50, AA

02 (1) DEF, SSS  (2) DFE, AA  (3) EFD, SAS

03 △ABC∽△PQR, SAS,
△DEF∽△HIG, AA,
△JKL∽△NOM, SSS

04 (1) △ABC∽△DCA, SSS
(2) △ABC∽△AED, SAS
(3) △ABC∽△ADE, AA

05 (1) ○ (2) × (3) ×

06 (1) △ADB, AA  (2) $\frac{9}{2}$

07 (1) △CBD, AA  (2) 15

08 (1) 2 (2) 5 (3) 23

09 (1) △ACD, SAS  (2) 12

10 (1) △EBD, SAS  (2) 15

11 (1) 9 (2) 9 (3) 4

02 (1) △ABC와 △DEF에서
$\overline{AB}:\overline{DE}=6:3=2:1$
$\overline{BC}:\overline{EF}=8:4=2:1$
$\overline{CA}:\overline{FD}=10:5=2:1$
∴ △ABC∽△DEF (SSS 닮음)
(2) △ABC와 △DFE에서
∠B=∠F=20°, ∠C=∠E=85°
∴ △ABC∽△DFE (AA 닮음)
(3) △ABC와 △EFD에서
$\overline{BC}:\overline{FD}=6:9=2:3$
$\overline{CA}:\overline{DE}=4:6=2:3$
∠C=∠D=115°
∴ △ABC∽△EFD (SAS 닮음)

03 (i) △ABC와 △PQR에서
$\overline{AB}:\overline{PQ}=4:6=2:3$
$\overline{CA}:\overline{RP}=6:9=2:3$
∠A=∠P=70°
∴ △ABC∽△PQR (SAS 닮음)
(ii) △DEF와 △HIG에서
∠D=∠H=70°, ∠E=∠I=30°
∴ △DEF∽△HIG (AA 닮음)
(iii) △JKL과 △NOM에서
$\overline{JK}:\overline{NO}=6:3=2:1$

$\overline{KL} : \overline{OM} = 10 : 5 = 2 : 1$

$\overline{LJ} : \overline{MN} = 8 : 4 = 2 : 1$

$\therefore \triangle JKL \backsim \triangle NOM$ (SSS 닮음)

**04** (1) $\triangle ABC$와 $\triangle DCA$에서

$\overline{AB} : \overline{DC} = 6 : 3 = 2 : 1$

$\overline{BC} : \overline{CA} = 8 : 4 = 2 : 1$

$\overline{CA} : \overline{AD} = 4 : 2 = 2 : 1$

$\therefore \triangle ABC \backsim \triangle DCA$ (SSS 닮음)

(2) $\triangle ABC$와 $\triangle AED$에서

$\overline{AB} : \overline{AE} = 10 : 5 = 2 : 1$

$\overline{AC} : \overline{AD} = 8 : 4 = 2 : 1$

$\angle BAC = \angle EAD$ (맞꼭지각)

$\therefore \triangle ABC \backsim \triangle AED$ (SAS 닮음)

(3) $\triangle ABC$와 $\triangle ADE$에서

$\angle A$는 공통, $\angle B = \angle D = 70°$

$\therefore \triangle ABC \backsim \triangle ADE$ (AA 닮음)

**05** (1) $\angle C = 50°$이면 $\triangle ABC$에서

$\angle A = 180° - (100° + 50°) = 30°$

$\angle E = 100°$이면 $\angle A = \angle D$, $\angle B = \angle E$이므로

$\triangle ABC \backsim \triangle DEF$ (AA 닮음)

(2) $\angle F = 60°$이면 $\triangle DEF$에서

$\angle E = 180° - (30° + 60°) = 90°$이므로

$\angle B \neq \angle E$

$\triangle ABC$와 $\triangle DEF$는 닮음인 관계가 아니다.

**06** (1) $\triangle ABC$와 $\triangle ADB$에서

$\angle A$는 공통, $\angle C = \angle B$

$\therefore \triangle ABC \backsim \triangle ADB$ (AA 닮음)

(2) $\triangle ABC$와 $\triangle ADB$의 닮음비는

$\overline{AC} : \overline{AB} = 8 : 6 = 4 : 3$이므로

$\overline{AB} : \overline{AD} = 4 : 3$

$6 : x = 4 : 3$, $4x = 18$ $\therefore x = \dfrac{9}{2}$

**07** (1) $\triangle ABC$와 $\triangle CBD$에서

$\angle B$는 공통, $\angle A = \angle BCD$

$\therefore \triangle ABC \backsim \triangle CBD$ (AA 닮음)

(2) $\triangle ABC$와 $\triangle CBD$의 닮음비는

$\overline{BC} : \overline{BD} = 10 : 5 = 2 : 1$이므로

$\overline{AB} : \overline{CB} = 2 : 1$

$(x+5) : 10 = 2 : 1$, $x + 5 = 20$ $\therefore x = 15$

**08** (1) $\triangle ABC \backsim \triangle ACD$ (AA 닮음)이므로

$\overline{AB} : \overline{AC} = \overline{AC} : \overline{AD}$에서

$8 : 4 = 4 : x$, $8x = 16$ $\therefore x = 2$

(2) $\triangle ABC \backsim \triangle DAC$ (AA 닮음)이므로

$\overline{BC} : \overline{AC} = \overline{AC} : \overline{DC}$에서

$(x+4) : 6 = 6 : 4$, $4(4+x) = 36$, $4+x = 9$

$\therefore x = 5$

(3) $\triangle ABC \backsim \triangle AED$ (AA 닮음)이므로

$\overline{AB} : \overline{AE} = \overline{AC} : \overline{AD}$에서

$(6+12) : 4 = (4+x) : 6$, $4(4+x) = 108$, $4+x = 27$

$\therefore x = 23$

**09** (1) $\triangle ABC$와 $\triangle ACD$에서

$\angle A$는 공통, $\overline{AB} : \overline{AC} = \overline{AC} : \overline{AD} = 3 : 2$

$\therefore \triangle ABC \backsim \triangle ACD$ (SAS 닮음)

(2) $\triangle ABC$와 $\triangle ACD$의 닮음비는 $3 : 2$이므로

$\overline{BC} : \overline{CD} = 3 : 2$

$x : 8 = 3 : 2$, $2x = 24$ $\therefore x = 12$

**10** (1) $\triangle ABC$와 $\triangle EBD$에서

$\angle B$는 공통, $\overline{AB} : \overline{EB} = \overline{BC} : \overline{BD} = 3 : 1$

$\therefore \triangle ABC \backsim \triangle EBD$ (SAS 닮음)

(2) $\triangle ABC$와 $\triangle EBD$의 닮음비는 $3 : 1$이므로

$\overline{AC} : \overline{ED} = 3 : 1$

$x : 5 = 3 : 1$ $\therefore x = 15$

**11** (1) $\triangle ABC \backsim \triangle DBA$ (SAS 닮음)이므로

$\overline{AB} : \overline{DB} = \overline{AC} : \overline{DA}$에서

$12 : 8 = x : 6$, $8x = 72$ $\therefore x = 9$

(2) $\triangle ABC \backsim \triangle DBA$ (SAS 닮음)이므로

$\overline{AB} : \overline{DB} = \overline{AC} : \overline{DA}$에서

$6 : 4 = x : 6$, $4x = 36$ $\therefore x = 9$

(3) $\triangle ABC \backsim \triangle ADE$ (SAS 닮음)이므로

$\overline{AB} : \overline{AD} = \overline{BC} : \overline{DE}$에서

$12 : 8 = 6 : x$, $12x = 48$ $\therefore x = 4$

**힘수 만점** 66쪽

| **01** $\dfrac{16}{3}$ | **02** ③ | **03** 16 cm | **04** 16 |
|---|---|---|---|

**01** $\triangle OAB$와 $\triangle ODC$에서

$\overline{OA} : \overline{OD} = 6 : 4 = 3 : 2$

$\overline{OB} : \overline{OC} = 9 : 6 = 3 : 2$

$\angle AOB = \angle DOC$ (맞꼭지각)

$\therefore \triangle OAB \backsim \triangle ODC$ (SAS 닮음)

따라서 $\overline{AB} : \overline{DC} = 3 : 2$에서

$8 : x = 3 : 2$, $3x = 16$

$\therefore x = \dfrac{16}{3}$

**02** ③ $\overline{AB}=10$ cm, $\overline{DE}=5$ cm이면

△ABC와 △DEF에서

$\overline{AB}:\overline{DE}=10:5=2:1$

$\overline{BC}:\overline{EF}=12:6=2:1$

$\angle B=\angle E=50^\circ$

∴ △ABC∽△DEF (SAS 닮음)

**03** △ABC와 △DBA에서

$\overline{AB}:\overline{DB}=10:5=2:1$

$\overline{BC}:\overline{BA}=(5+15):10=2:1$

$\angle B$는 공통이므로

△ABC∽△DBA (SAS 닮음)

따라서 $\overline{AC}:\overline{DA}=2:1$이므로 $\overline{AC}:8=2:1$

∴ $\overline{AC}=16$(cm)

**04** △ABC와 △AED에서

$\angle ABC=\angle AED$, $\angle A$는 공통이므로

△ABC∽△AED (AA 닮음)

두 삼각형의 닮음비는

$\overline{AB}:\overline{AE}=15:10=3:2$이므로

$\overline{AC}:\overline{AD}=3:2$에서 $(10+x):8=3:2$

$2(10+x)=24$, $10+x=12$ ∴ $x=2$

$\overline{BC}:\overline{ED}=3:2$에서 $y:12=3:2$

$2y=36$ ∴ $y=18$

∴ $y-x=16$

 **17강+ 직각삼각형의 닮음** 　　　　67~68쪽

---

**01** (1) △EBD (2) 11　　**02** (1) △EBD (2) 4

**03** (1) △ACE (2) 5

**04** (1) HBA, HAC (2) $\overline{HB}$, $\overline{HA}$ (3) $\overline{AC}$, $\overline{HA}$

**05** $\overline{BC}$, 8, 4

**06** (1) 3 (2) $\dfrac{32}{5}$ (3) 9 (4) $\dfrac{9}{4}$ (5) 16 (6) 25 (7) $\dfrac{36}{5}$

**07** (1) 20 cm$^2$ (2) 39 cm$^2$

---

**01** (1) △ABC와 △EBD에서

$\angle C=\angle BDE=90^\circ$, $\angle B$는 공통이므로

△ABC∽△EBD (AA 닮음)

(2) 닮음비는 $\overline{BC}:\overline{BD}=(5+7):4=3:1$이므로

$\overline{AB}:\overline{EB}=3:1$, $(x+4):5=3:1$

$x+4=15$ ∴ $x=11$

**02** (1) △ABC와 △EBD에서

$\angle BCA=\angle BDE=90^\circ$, $\angle B$는 공통이므로

△ABC∽△EBD (AA 닮음)

(2) 닮음비는 $\overline{AB}:\overline{EB}=10:(3+5)=5:4$이므로

$\overline{BC}:\overline{BD}=5:4$, $5:x=5:4$, $5x=20$ ∴ $x=4$

**03** (1) △ABD와 △ACE에서

$\angle ADB=\angle AEC=90^\circ$, $\angle A$는 공통이므로

△ABD∽△ACE (AA 닮음)

(2) 닮음비는 $\overline{AB}:\overline{AC}=12:10=6:5$이므로

$\overline{AD}:\overline{AE}=6:5$, $(10-4):x=6:5$

$6x=30$ ∴ $x=5$

**06** (1) $\overline{AB}^2=\overline{BH}\times\overline{BC}$이므로

$6^2=x\times12$ ∴ $x=3$

(2) $\overline{AC}^2=\overline{CH}\times\overline{CB}$이므로

$8^2=x\times10$ ∴ $x=\dfrac{32}{5}$

(3) $\overline{AC}^2=\overline{CH}\times\overline{CB}$이므로

$6^2=3\times(3+x)$, $3+x=12$ ∴ $x=9$

(4) $\overline{AH}^2=\overline{HB}\times\overline{HC}$이므로

$3^2=x\times4$ ∴ $x=\dfrac{9}{4}$

(5) $\overline{BH}^2=\overline{HA}\times\overline{HC}$이므로

$12^2=9x$ ∴ $x=16$

(6) $\overline{AB}\times\overline{AC}=\overline{AH}\times\overline{BC}$이므로

$20\times15=12\times x$ ∴ $x=25$

(7) $\overline{AB}\times\overline{AC}=\overline{AH}\times\overline{BC}$이므로

$9\times12=x\times15$ ∴ $x=\dfrac{36}{5}$

**07** (1) $\overline{AH}^2=\overline{HB}\times\overline{HC}$이므로

$4^2=2\times\overline{HC}$ ∴ $\overline{HC}=8$(cm)

∴ △ABC$=\dfrac{1}{2}\times(2+8)\times4=20$(cm$^2$)

(2) $\overline{AH}^2=\overline{HB}\times\overline{HC}$이므로

$\overline{AH}^2=9\times4$ ∴ $\overline{AH}=6$(cm) ($\because \overline{AH}>0$)

∴ △ABC$=\dfrac{1}{2}\times(9+4)\times6=39$(cm$^2$)

**힘수 만점** 　　　　69쪽

---

**01** $\dfrac{36}{5}$　　**02** 6 cm　　**03** $x=\dfrac{20}{3}$, $y=\dfrac{16}{3}$　　**04** 15

---

**01** △ABC와 △MBD에서

$\angle A=\angle BMD=90^\circ$, $\angle B$는 공통이므로

△ABC∽△MBD (AA 닮음)

$\overline{BM}=\dfrac{1}{2}\overline{BC}=6$(cm)이고

$\overline{AB}:\overline{MB}=\overline{BC}:\overline{BD}$이므로

$10:6=12:x$, $10x=72$ ∴ $x=\dfrac{36}{5}$

**02** △BEA′과 △CA′D에서

$\angle B = \angle C = 90°$

$\angle BEA' + \angle BA'E = 90°$, $\angle BA'E + \angle CA'D = 90°$이므

로 $\angle BEA' = \angle CA'D$

∴ △BEA′ ∽ △CA′D (AA 닮음)

$\overline{BA'} : \overline{CD} = \overline{EB} : \overline{A'C}$이므로

$4 : 8 = 3 : \overline{A'C}$, $4\overline{A'C} = 24$   ∴ $\overline{A'C} = 6(cm)$

**03** $\overline{AC}^2 = \overline{CH} \times \overline{CB}$이므로

$5^2 = 3 \times (3+y)$, $3y+9 = 25$

$3y = 16$   ∴ $y = \dfrac{16}{3}$

$\overline{AB}^2 = \overline{BH} \times \overline{BC}$이므로

$x^2 = \dfrac{16}{3} \times \left(\dfrac{16}{3} + 3\right) = \dfrac{16}{3} \times \dfrac{25}{3}$

∴ $x = \dfrac{20}{3}$ ($\because x > 0$)

**04** $\overline{AH}^2 = \overline{HB} \times \overline{HC}$이므로

$12^2 = \overline{BH} \times 16$   ∴ $\overline{BH} = 9(cm)$

$\overline{AB}^2 = \overline{BH} \times \overline{BC}$이므로

$x^2 = 9 \times (9+16) = 225$   ∴ $x = 15$ ($\because x > 0$)

---

**18강 + 삼각형과 평행선**　　70~71쪽

**01** $\overline{AE}$, 6, 6, 30, 10

**02** (1) 15　(2) 3　(3) 5　(4) 10　(5) 20

**03** (1) 12, $\dfrac{21}{2}$　(2) 6, 27

**04** (1) ○　(2) ○　(3) ×　(4) ○　(5) ○　(6) ×

**05** (1) ×　(2) ○　(3) ×

---

**02** (1) $\overline{AB} : \overline{AD} = \overline{BC} : \overline{DE}$이므로

$15 : 6 = x : 6$, 즉 $5 : 2 = x : 6$

$2x = 30$   ∴ $x = 15$

(2) $\overline{AB} : \overline{AD} = \overline{BC} : \overline{DE}$이므로

$2 : (2+4) = x : 9$, 즉 $1 : 3 = x : 9$

$3x = 9$   ∴ $x = 3$

(3) $\overline{AC} : \overline{AE} = \overline{BC} : \overline{DE}$이므로

$8 : 4 = 10 : x$, 즉 $2 : 1 = 10 : x$

$2x = 10$   ∴ $x = 5$

(4) $\overline{AD} : \overline{DB} = \overline{AE} : \overline{EC}$이므로

$8 : 4 = x : 5$, 즉 $2 : 1 = x : 5$   ∴ $x = 10$

(5) $\overline{AB} : \overline{AD} = \overline{AC} : \overline{AE}$이므로

$9 : 6 = 12 : (x-12)$, 즉 $3 : 2 = 12 : (x-12)$

$3(x-12) = 24$, $x-12 = 8$   ∴ $x = 20$

---

**03** (1) $\overline{AB} : \overline{AD} = \overline{AC} : \overline{AE}$이므로

$x : 8 = 9 : 6$, 즉 $x : 8 = 3 : 2$

$2x = 24$   ∴ $x = 12$

$\overline{AB} : \overline{AD} = \overline{BC} : \overline{DE}$이므로

$12 : 8 = y : 7$, 즉 $3 : 2 = y : 7$

$2y = 21$   ∴ $y = \dfrac{21}{2}$

(2) $\overline{AC} : \overline{AE} = \overline{BC} : \overline{DE}$이므로

$12 : x = 20 : 10$, 즉 $12 : x = 2 : 1$

$2x = 12$   ∴ $x = 6$

$\overline{AD} : \overline{DB} = \overline{AE} : \overline{EC}$이므로

$9 : y = 6 : (6+12)$, 즉 $9 : y = 1 : 3$

∴ $y = 27$

**04** (1) $\overline{AB} : \overline{AD} = 12 : 9 = 4 : 3$

$\overline{AC} : \overline{AE} = 8 : 6 = 4 : 3$

∴ $\overline{AB} : \overline{AD} = \overline{AC} : \overline{AE}$

따라서 $\overline{BC}$와 $\overline{DE}$는 평행하다.

(2) $\overline{AB} : \overline{AD} = 10 : 6 = 5 : 3$

$\overline{AC} : \overline{AE} = 5 : 3$

∴ $\overline{AB} : \overline{AD} = \overline{AC} : \overline{AE}$

따라서 $\overline{BC}$와 $\overline{DE}$는 평행하다.

(3) $\overline{AB} : \overline{AD} = 8 : (8+4) = 2 : 3$

$\overline{AC} : \overline{AE} = 9 : (9+5) = 9 : 14$

∴ $\overline{AB} : \overline{AD} \neq \overline{AC} : \overline{AE}$

따라서 $\overline{BC}$와 $\overline{DE}$는 평행하지 않다.

(4) $\overline{AB} : \overline{AD} = 6 : (6+9) = 2 : 5$

$\overline{AC} : \overline{AE} = 8 : (8+12) = 2 : 5$

∴ $\overline{AB} : \overline{AD} = \overline{AC} : \overline{AE}$

따라서 $\overline{BC}$와 $\overline{DE}$는 평행하다.

(5) $\overline{AB} : \overline{AD} = (12-4) : 4 = 2 : 1$

$\overline{AC} : \overline{AE} = 10 : 5 = 2 : 1$

∴ $\overline{AB} : \overline{AD} = \overline{AC} : \overline{AE}$

따라서 $\overline{BC}$와 $\overline{DE}$는 평행하다.

(6) $\overline{AB} : \overline{AD} = 22 : 10 = 11 : 5$

$\overline{AC} : \overline{AE} = 20 : 11$

∴ $\overline{AB} : \overline{AD} \neq \overline{AC} : \overline{AE}$

따라서 $\overline{BC}$와 $\overline{DE}$는 평행하지 않다.

**05** (1) $\overline{CA} : \overline{CF} = (12+8) : 12 = 5 : 3$,

$\overline{CB} : \overline{CE} = (10+10) : 10 = 2 : 1$에서

$\overline{CA} : \overline{CF} \neq \overline{CB} : \overline{CE}$

따라서 $\overline{AB}$와 $\overline{FE}$는 평행하지 않다.

(2) $\overline{AB} : \overline{AD} = (6+9) : 6 = 5 : 2$,

$\overline{AC} : \overline{AF} = (8+12) : 8 = 5 : 2$에서

$\overline{AB} : \overline{AD} = \overline{AC} : \overline{AF}$

따라서 $\overline{BC}$와 $\overline{DF}$는 평행하다.

(3) $\overline{BC}:\overline{BE}=(10+10):10=2:1$,

$\overline{BA}:\overline{BD}=(9+6):9=5:3$에서

$\overline{BC}:\overline{BE}\neq\overline{BA}:\overline{BD}$

따라서 $\overline{AC}$와 $\overline{DE}$는 평행하지 않다.

 함수 만점 **72쪽**

01 8  02 26 cm  03 ①, ⑤  04 $x=3, y=12$

01 $\overline{AB}:\overline{AD}=\overline{AC}:\overline{AE}$이므로

$15:x=(6+3):6$, 즉 $15:x=3:2$

$3x=30$  ∴ $x=10$

$\overline{AB}:\overline{AD}=\overline{BC}:\overline{DE}$이므로

$15:10=y:12$, 즉 $3:2=y:12$

$2y=36$  ∴ $y=18$

∴ $y-x=8$

02 $\overline{AB}:\overline{AD}=\overline{AC}:\overline{AE}$이므로

$\overline{AB}:4=6:3$, 즉 $\overline{AB}:4=2:1$

∴ $\overline{AB}=8$(cm)

$\overline{AC}:\overline{AE}=\overline{BC}:\overline{DE}$이므로

$6:3=\overline{BC}:6$, 즉 $2:1=\overline{BC}:6$

∴ $\overline{BC}=12$(cm)

따라서 △ABC의 둘레의 길이는

$8+12+6=26$(cm)

03 ① $\overline{AB}:\overline{AD}=15:10=3:2$

$\overline{AC}:\overline{AE}=9:6=3:2$

∴ $\overline{AB}:\overline{AD}=\overline{AC}:\overline{AE}$

따라서 $\overline{BC}$와 $\overline{DE}$는 평행하다.

② $\overline{AB}:\overline{AD}=9:4$

$\overline{AC}:\overline{AE}=(5+6):5=11:5$

∴ $\overline{AB}:\overline{AD}\neq\overline{AC}:\overline{AE}$

따라서 $\overline{BC}$와 $\overline{DE}$는 평행하지 않다.

③ $\overline{AB}:\overline{AD}=7:(7+4)=7:11$

$\overline{AC}:\overline{AE}=9:(9+5)=9:14$

∴ $\overline{AB}:\overline{AD}\neq\overline{AC}:\overline{AE}$

따라서 $\overline{BC}$와 $\overline{DE}$는 평행하지 않다.

④ $\overline{AB}:\overline{AD}=4:10=2:5$

$\overline{AC}:\overline{AE}=7:14=1:2$

∴ $\overline{AB}:\overline{AD}\neq\overline{AC}:\overline{AE}$

따라서 $\overline{BC}$와 $\overline{DE}$는 평행하지 않다.

⑤ $\overline{AB}:\overline{AD}=(18-6):6=2:1$

$\overline{AC}:\overline{AE}=16:8=2:1$

∴ $\overline{AB}:\overline{AD}=\overline{AC}:\overline{AE}$

따라서 $\overline{BC}$와 $\overline{DE}$는 평행하다.

04 $\overline{AB}:\overline{AD}=\overline{BP}:\overline{DQ}$이므로

$(6+x):6=6:4$, 즉 $(6+x):6=3:2$

$2(6+x)=18, 6+x=9$  ∴ $x=3$

$\overline{AB}:\overline{AD}=\overline{AP}:\overline{AQ}$이고, $\overline{AP}:\overline{AQ}=\overline{PC}:\overline{QE}$이므로

$3:2=y:8$

$2y=24$  ∴ $y=12$

**19강+** 삼각형의 두 변의 중점을 연결한 선분의 성질 **73~75쪽**

01 (1) 6  (2) 8  (3) 8  (4) 5

02 (1) 10  (2) 14

03 (1) $x=5, y=8$  (2) $x=2, y=4$  (3) $x=4, y=10$

04 (1) 4  (2) 6  (3) 24 cm

05 (1) 15 cm  (2) 19 cm

06 (1) 42 cm  (2) 44 cm

07 (1) 36 cm  (2) 30 cm

08 $\overline{MN}, \overline{MP}, 14, 7, 7, \overline{PN}, 8, 4, 4$

09 (1) $x=12, y=4$  (2) $x=14, y=9$

10 (1) 20  (2) 16

11 $\overline{MN}, \overline{MQ}, 24, 12, \overline{MP}, 16, 8, 4$

12 (1) 10  (2) 12

01 (1) $\overline{BC}=2\overline{MN}=2\times3=6$(cm)이므로 $x=6$

(2) $\overline{MN}=\dfrac{1}{2}\overline{BC}=\dfrac{1}{2}\times16=8$(cm)이므로 $x=8$

(3) $\overline{BC}=2\overline{MN}=2\times4=8$(cm)이므로 $x=8$

(4) $\overline{MN}=\dfrac{1}{2}\overline{BC}=\dfrac{1}{2}\times10=5$(cm)이므로 $x=5$

02 (1) $\overline{AM}=\overline{MB}, \overline{BC}/\!/\overline{MN}$이므로 $\overline{AN}=\overline{NC}$

$\overline{AN}=\dfrac{1}{2}\overline{AC}=\dfrac{1}{2}\times20=10$(cm)

∴ $x=10$

(2) $\overline{AM}=\overline{MB}, \overline{BC}/\!/\overline{MN}$이므로 $\overline{AN}=\overline{NC}$

$\overline{BC}=2\overline{MN}=2\times7=14$(cm)이므로 $x=14$

03 (1) $\overline{AM}=\overline{MB}, \overline{BC}/\!/\overline{MN}$이므로 $\overline{NC}=\overline{AN}=5$ cm

∴ $x=5$

$\overline{BC}=2\overline{MN}=2\times4=8$(cm)이므로 $y=8$

(2) $\overline{AM}=\overline{MB}, \overline{BC}/\!/\overline{MN}$이므로

$\overline{NC}=\dfrac{1}{2}\overline{AC}=\dfrac{1}{2}\times4=2$(cm)  ∴ $x=2$

$\overline{MN}=\dfrac{1}{2}\overline{BC}=\dfrac{1}{2}\times 8=4(cm)$이므로 $y=4$

(3) $\overline{AM}=\overline{MB}$, $\overline{BC}\,/\!/\,\overline{MN}$이므로

$\overline{AN}=\dfrac{1}{2}\overline{AC}=\dfrac{1}{2}\times 8=4(cm)$   $\therefore x=4$

$\overline{BC}=2\overline{MN}=2\times 5=10(cm)$이므로 $y=10$

**04** (1) $\overline{PR}=\dfrac{1}{2}\overline{BC}=\dfrac{1}{2}\times 8=4(cm)$

$\therefore x=4$

(2) $\overline{AC}=2\overline{PQ}=2\times 3=6(cm)$

$\therefore y=6$

(3) $\overline{AB}=2\overline{QR}=2\times 5=10(cm)$이므로

$\triangle ABC$의 둘레의 길이는

$10+8+6=24(cm)$

**05** (1) ($\triangle PQR$의 둘레의 길이)$=\overline{PQ}+\overline{QR}+\overline{RP}$

$=\dfrac{1}{2}\overline{AC}+\dfrac{1}{2}\overline{AB}+\dfrac{1}{2}\overline{BC}$

$=\dfrac{1}{2}(\overline{AC}+\overline{AB}+\overline{BC})$

$=\dfrac{1}{2}\times 30$

$=15(cm)$

(2) ($\triangle PQR$의 둘레의 길이)$=\overline{PQ}+\overline{QR}+\overline{RP}$

$=\dfrac{1}{2}\overline{AC}+\dfrac{1}{2}\overline{AB}+\dfrac{1}{2}\overline{BC}$

$=\dfrac{1}{2}(\overline{AC}+\overline{AB}+\overline{BC})$

$=\dfrac{1}{2}\times 38$

$=19(cm)$

**06** (1) ($\triangle ABC$의 둘레의 길이)$=\overline{AB}+\overline{BC}+\overline{CA}$

$=2\overline{QR}+2\overline{PR}+2\overline{PQ}$

$=2(\overline{PQ}+\overline{QR}+\overline{RP})$

$=2\times 21$

$=42(cm)$

(2) ($\triangle ABC$의 둘레의 길이)$=\overline{AB}+\overline{BC}+\overline{CA}$

$=2\overline{QR}+2\overline{PR}+2\overline{PQ}$

$=2(\overline{PQ}+\overline{QR}+\overline{RP})$

$=2\times 22$

$=44(cm)$

**07** (1) $\triangle ABC$와 $\triangle ACD$에서

$\overline{EF}=\overline{HG}=\dfrac{1}{2}\overline{AC}=\dfrac{1}{2}\times 20=10(cm)$

$\triangle ABD$와 $\triangle BCD$에서

$\overline{EH}=\overline{FG}=\dfrac{1}{2}\overline{BD}=\dfrac{1}{2}\times 16=8(cm)$

따라서 □EFGH의 둘레의 길이는

$\overline{EF}+\overline{FG}+\overline{GH}+\overline{HE}=10+8+10+8$

$=36(cm)$

(2) $\triangle ABC$와 $\triangle ACD$에서

$\overline{EF}=\overline{HG}=\dfrac{1}{2}\overline{AC}=\dfrac{1}{2}\times 12=6(cm)$

$\triangle ABD$와 $\triangle BCD$에서

$\overline{EH}=\overline{FG}=\dfrac{1}{2}\overline{BD}=\dfrac{1}{2}\times 18=9(cm)$

따라서 □EFGH의 둘레의 길이는

$\overline{EF}+\overline{FG}+\overline{GH}+\overline{HE}=6+9+6+9$

$=30(cm)$

**09** (1) $\overline{AD}\,/\!/\,\overline{BC}$, $\overline{AM}=\overline{MB}$, $\overline{DN}=\overline{NC}$이므로

$\overline{AD}\,/\!/\,\overline{MN}\,/\!/\,\overline{BC}$

$\triangle ABC$에서 $\overline{AM}=\overline{MB}$, $\overline{MP}\,/\!/\,\overline{BC}$이므로

$\overline{BC}=2\overline{MP}=2\times 6=12(cm)$   $\therefore x=12$

$\triangle ACD$에서 $\overline{CN}=\overline{ND}$, $\overline{PN}\,/\!/\,\overline{AD}$이므로

$\overline{PN}=\dfrac{1}{2}\overline{AD}=\dfrac{1}{2}\times 8=4(cm)$   $\therefore y=4$

(2) $\overline{AD}\,/\!/\,\overline{BC}$, $\overline{AM}=\overline{MB}$, $\overline{DN}=\overline{NC}$이므로

$\overline{AD}\,/\!/\,\overline{MN}\,/\!/\,\overline{BC}$

$\triangle ABC$에서 $\overline{AM}=\overline{MB}$, $\overline{MP}\,/\!/\,\overline{BC}$이므로

$\overline{MP}=\dfrac{1}{2}\overline{BC}=\dfrac{1}{2}\times 18=9(cm)$   $\therefore y=9$

$\triangle ACD$에서 $\overline{CN}=\overline{ND}$, $\overline{PN}\,/\!/\,\overline{AD}$이므로

$\overline{AD}=2\overline{PN}=2\times 7=14(cm)$   $\therefore x=14$

**10** (1) $\overline{AD}\,/\!/\,\overline{BC}$, $\overline{AM}=\overline{MB}$, $\overline{DN}=\overline{NC}$이므로

$\overline{AD}\,/\!/\,\overline{MN}\,/\!/\,\overline{BC}$

$\overline{AC}$를 긋고 $\overline{MN}$과 만나는 점을 P

라 하자.

$\triangle ABC$에서 $\overline{AM}=\overline{MB}$,

$\overline{MP}\,/\!/\,\overline{BC}$이므로

$\overline{MP}=\dfrac{1}{2}\times 25=12.5(cm)$

$\triangle ACD$에서 $\overline{CN}=\overline{ND}$, $\overline{PN}\,/\!/\,\overline{AD}$이므로

$\overline{PN}=\dfrac{1}{2}\times 15=7.5(cm)$

$\therefore \overline{MN}=\overline{MP}+\overline{PN}=20(cm)$

$\therefore x=20$

(2) $\overline{AD}\,/\!/\,\overline{BC}$, $\overline{AM}=\overline{MB}$, $\overline{DN}=\overline{NC}$이므로

$\overline{AD}\,/\!/\,\overline{MN}\,/\!/\,\overline{BC}$

$\overline{AC}$를 긋고 $\overline{MN}$과 만나는 점을 P라

하자.

$\triangle ACD$에서 $\overline{CN}=\overline{ND}$, $\overline{PN}\,/\!/\,\overline{AD}$이

므로

$\overline{PN}=\dfrac{1}{2}\times12=6\,(cm)$

$\overline{MP}=\overline{MN}-\overline{PN}=14-6=8\,(cm)$

$\triangle ABC$에서 $\overline{AM}=\overline{MB}$, $\overline{MP}/\!/\overline{BC}$이므로

$\overline{BC}=2\overline{MP}=2\times8=16\,(cm)$

$\therefore x=16$

**12** (1) $\overline{AD}/\!/\overline{BC}$, $\overline{AM}=\overline{MB}$, $\overline{DN}=\overline{NC}$이므로

$\overline{AD}/\!/\overline{MN}/\!/\overline{BC}$

$\triangle ABD$에서 $\overline{AM}=\overline{MB}$, $\overline{MP}/\!/\overline{AD}$이므로

$\overline{MP}=\dfrac{1}{2}\times6=3\,(cm)$

$\triangle ABC$에서 $\overline{AM}=\overline{MB}$, $\overline{MQ}/\!/\overline{BC}$이므로

$\overline{BC}=2\overline{MQ}=2(\overline{MP}+\overline{PQ})=2\times5=10\,(cm)$

$\therefore x=10$

(2) $\overline{AD}/\!/\overline{BC}$, $\overline{AM}=\overline{MB}$, $\overline{DN}=\overline{NC}$이므로

$\overline{AD}/\!/\overline{MN}/\!/\overline{BC}$

$\triangle ABC$에서 $\overline{AM}=\overline{MB}$, $\overline{MQ}/\!/\overline{BC}$이므로

$\overline{MQ}=\dfrac{1}{2}\times20=10\,(cm)$

$\overline{MP}=\overline{MQ}-\overline{PQ}=10-4=6\,(cm)$

$\triangle ABD$에서 $\overline{AM}=\overline{MB}$, $\overline{MP}/\!/\overline{AD}$이므로

$\overline{AD}=2\overline{MP}=2\times6=12\,(cm)$

$\therefore x=12$

**04** $\triangle ABD$와 $\triangle BCD$에서

$\overline{EH}=\overline{FG}=\dfrac{1}{2}\overline{BD}=\dfrac{1}{2}\times10=5\,(cm)$

오른쪽 그림과 같이 $\overline{AC}$를 그으면
$\square ABCD$가 등변사다리꼴이므로 두
대각선의 길이는 같다.

즉, $\overline{AC}=\overline{BD}=10\,cm$

$\triangle ABC$와 $\triangle ACD$에서

$\overline{EF}=\overline{HG}=\dfrac{1}{2}\overline{AC}=\dfrac{1}{2}\times10=5\,(cm)$

따라서 $\square EFGH$의 둘레의 길이는

$\overline{EF}+\overline{FG}+\overline{GH}+\overline{HE}=5+5+5+5$

$=20\,(cm)$

**05** $\overline{AD}/\!/\overline{BC}$, $\overline{AM}=\overline{MB}$, $\overline{DN}=\overline{NC}$이므로

$\overline{AD}/\!/\overline{MN}/\!/\overline{BC}$

$\triangle ABC$에서 $\overline{AM}=\overline{MB}$, $\overline{MP}/\!/\overline{BC}$이므로

$\overline{MP}=\dfrac{1}{2}\times16=8\,(cm)$

$\therefore x=8$

$\triangle ACD$에서 $\overline{DN}=\overline{NC}$, $\overline{PN}/\!/\overline{AD}$이므로

$\overline{AD}=2\times4=8\,(cm)$

$\therefore y=8$

$\therefore x+y=16$

**힘수 만점** 76쪽

| 01 | 13 | 02 | 4 | 03 | 24 cm | 04 | 20 cm | 05 | 16 |

**01** $\overline{AM}=\overline{MB}$, $\overline{BC}/\!/\overline{MN}$이므로

$\overline{AC}=2\overline{AN}=2\times4=8\,(cm)$ $\therefore x=8$

$\overline{MN}=\dfrac{1}{2}\overline{BC}=\dfrac{1}{2}\times10=5\,(cm)$이므로 $y=5$

$\therefore x+y=13$

**02** $\overline{AM}=\overline{MB}$, $\overline{BQ}/\!/\overline{MP}$이고

$\overline{BQ}=\overline{BC}-\overline{QC}=8\,(cm)$이므로

$\overline{MP}=\dfrac{1}{2}\overline{BQ}=\dfrac{1}{2}\times8=4\,(cm)$

$\therefore x=4$

**03** ($\triangle ABC$의 둘레의 길이)$=\overline{AB}+\overline{BC}+\overline{CA}$

$=2\overline{QR}+2\overline{PR}+2\overline{PQ}$

$=2(\overline{PQ}+\overline{QR}+\overline{RP})$

$=2\times12$

$=24\,(cm)$

**20강** 삼각형의 각의 이등분선 77~78쪽

**01** $\overline{AE}$, $\overline{AC}$

**02** (1) $\dfrac{7}{2}$ (2) $\dfrac{5}{2}$ (3) 6 (4) 12 (5) 12 (6) 20

**03** (1) $5:2$ (2) $5:2$ (3) $45\,cm^2$ (4) $10\,cm^2$

**04** $\overline{AC}$, $\overline{AC}$

**05** (1) 6 (2) 8 (3) 8 (4) 12 (5) 4 (6) 15

**06** (1) $3:2$ (2) $3:2$ (3) $40\,cm^2$ (4) $27\,cm^2$

**02** (1) $\overline{AB}:\overline{AC}=\overline{BD}:\overline{CD}$이므로

$4:7=2:x$

$4x=14$

$\therefore x=\dfrac{7}{2}$

(2) $\overline{AB}:\overline{AC}=\overline{BD}:\overline{CD}$이므로

$6:5=3:x$

$6x=15$

$\therefore x=\dfrac{5}{2}$

(3) $\overline{AB}:\overline{AC}=\overline{BD}:\overline{CD}$이므로

$9:6=x:(10-x)$, 즉 $3:2=x:(10-x)$

$2x=3(10-x)$, $2x=30-3x$, $5x=30$

$\therefore x=6$

(4) $\overline{AB}:\overline{AC}=\overline{BD}:\overline{CD}$이므로

$x:15=8:10$, 즉 $x:15=4:5$

$5x=60$

$\therefore x=12$

(5) $\overline{AB}:\overline{AC}=\overline{BD}:\overline{CD}$이므로

$8:x=(10-6):6$, 즉 $8:x=2:3$

$2x=24$

$\therefore x=12$

(6) $\overline{AB}:\overline{AC}=\overline{BD}:\overline{CD}$이므로

$12:x=9:(24-9)$, 즉 $12:x=3:5$

$3x=60$

$\therefore x=20$

03 (1) $\overline{AB}:\overline{AC}=\overline{BD}:\overline{CD}$이므로

$\overline{BD}:\overline{CD}=15:6=5:2$

(2) $\triangle ABD:\triangle ACD=\overline{BD}:\overline{CD}=5:2$

(3) $\triangle ABD:\triangle ACD=5:2$이므로

$\triangle ABD:18=5:2$, $2\triangle ABD=90$

$\therefore \triangle ABD=45(cm^2)$

(4) $\triangle ABD:\triangle ACD=5:2$이므로

$\triangle ACD=\dfrac{2}{7}\triangle ABC=\dfrac{2}{7}\times 35=10(cm^2)$

05 (1) $\overline{AB}:\overline{AC}=\overline{BD}:\overline{CD}$이므로

$9:x=12:8$, 즉 $9:x=3:2$

$3x=18$

$\therefore x=6$

(2) $\overline{AB}:\overline{AC}=\overline{BD}:\overline{CD}$이므로

$10:x=20:(20-4)$, 즉 $10:x=5:4$

$5x=40$

$\therefore x=8$

(3) $\overline{AB}:\overline{AC}=\overline{BD}:\overline{CD}$이므로

$x:5=(6+10):10$, 즉 $x:5=8:5$

$5x=40$

$\therefore x=8$

(4) $\overline{AB}:\overline{AC}=\overline{BD}:\overline{CD}$이므로

$5:4=(3+x):x$

$4(3+x)=5x$, $12+4x=5x$

$\therefore x=12$

(5) $\overline{AB}:\overline{AC}=\overline{BD}:\overline{CD}$이므로

$7:5=(x+10):10$

$5(x+10)=70$, $5x+50=70$, $5x=20$

$\therefore x=4$

(6) $\overline{AB}:\overline{AC}=\overline{BD}:\overline{CD}$이므로

$12:9=20:x$, 즉 $4:3=20:x$

$4x=60$

$\therefore x=15$

06 (1) $\overline{AB}:\overline{AC}=\overline{BD}:\overline{CD}$이므로

$\overline{BD}:\overline{CD}=6:4=3:2$

(2) $\triangle ABD:\triangle ACD=\overline{BD}:\overline{CD}=3:2$

(3) $\triangle ABD:\triangle ACD=3:2$이므로

$60:\triangle ACD=3:2$, $3\triangle ACD=120$

$\therefore \triangle ACD=40(cm^2)$

(4) $\triangle ABD:\triangle ACD=3:2$이므로

$\triangle ABD:18=3:2$, $2\triangle ABD=54$

$\therefore \triangle ABD=27(cm^2)$

힘수 만점

79쪽

| 01 | 5 | 02 | 18 cm² | 03 | 4 | 04 | 28 cm² |
|---|---|---|---|---|---|---|---|

01 $\overline{AB}:\overline{AC}=\overline{BD}:\overline{CD}$이므로

$10:6=x:(8-x)$, 즉 $5:3=x:(8-x)$

$3x=5(8-x)$, $3x=40-5x$, $8x=40$

$\therefore x=5$

02 $\overline{AB}:\overline{AC}=\overline{BD}:\overline{CD}$이므로

$\overline{BD}:\overline{CD}=8:6=4:3$

이때 $\triangle ABD:\triangle ACD=\overline{BD}:\overline{CD}=4:3$이므로

$24:\triangle ADC=4:3$

$4\triangle ADC=72$

$\therefore \triangle ADC=18(cm^2)$

03 $\overline{AB}:\overline{AC}=\overline{BD}:\overline{CD}$이므로

$6:x=12:(12-4)$, 즉 $6:x=3:2$

$3x=12$

$\therefore x=4$

04 $\overline{AB}:\overline{AC}=\overline{BD}:\overline{CD}$이므로

$\overline{BD}:\overline{CD}=7:4$

$\triangle ABD:\triangle ACD=\overline{BD}:\overline{CD}=7:4$

$\triangle ABD:\triangle ACD=7:4$이므로 $\triangle ABD=x$ cm²라 하면

$x:(x-12)=7:4$, $4x=7(x-12)$, $3x=84$

$\therefore x=28$

$\therefore \triangle ABD=28(cm^2)$

**01** 10, 10, 10, 5

**02** (1) 10  (2) 12  (3) 30

**03** (1) $\dfrac{18}{5}$  (2) 14  (3) 33  (4) 5

**04** (1) $x=8$, $y=\dfrac{15}{2}$  (2) $x=10$, $y=12$

**05** (1) 7 cm  (2) 5 cm  (3) 3 cm  (4) 10 cm

**06** (1) 7 cm  (2) 10 cm  (3) 17 cm

**07** (1) 4 cm  (2) 6 cm  (3) 10 cm

**08** (1) 7 cm  (2) 15 cm  (3) 10 cm

**09** $\overline{CD}$, 6, 3, 7, $\overline{EC}$, 7, 7, $\dfrac{24}{7}$

**10** (1) $\dfrac{9}{2}$  (2) 10

**11** (1) $x=5$, $y=6$  (2) $x=\dfrac{40}{9}$, $y=10$

**12** (1) $x=12$, $y=7$  (2) $x=\dfrac{9}{2}$, $y=18$

**02** (1) $3:5=6:x$
　　　$3x=30$　　∴ $x=10$
　　(2) $x:4=(12-3):3$, 즉 $x:4=3:1$
　　　∴ $x=12$
　　(3) $(x-18):18=8:12$, 즉 $(x-18):18=2:3$
　　　$3(x-18)=36$, $x-18=12$　　∴ $x=30$

**03** (1) $9:x=15:6$, 즉 $9:x=5:2$
　　　$5x=18$　　∴ $x=\dfrac{18}{5}$
　　(2) $x:21=8:12$, 즉 $x:21=2:3$
　　　$3x=42$　　∴ $x=14$
　　(3) $20:24=15:(x-15)$, 즉 $5:6=15:(x-15)$
　　　$5(x-15)=90$, $x-15=18$　　∴ $x=33$
　　(4) $x:(15-x)=4:8$, 즉 $x:(15-x)=1:2$
　　　$2x=15-x$, $3x=15$　　∴ $x=5$

**04** (1) $x:6=12:9$, 즉 $x:6=4:3$
　　　$3x=24$　　∴ $x=8$
　　　$12:9=10:y$, 즉 $4:3=10:y$
　　　$4y=30$　　∴ $y=\dfrac{15}{2}$
　　(2) $5:x=6:12$, 즉 $5:x=1:2$이므로 $x=10$
　　　$10:10=12:y$, 즉 $1:1=12:y$이므로 $y=12$

**05** (1) □AGFD가 평행사변형이므로
　　　$\overline{GF}=\overline{AD}=7$(cm)
　　(2) □AHCD가 평행사변형이므로
　　　$\overline{HC}=\overline{AD}=7$(cm)

$∴ \overline{BH}=\overline{BC}-\overline{HC}=12-7=5$(cm)
　　(3) $\triangle$ABH에서 $\overline{AE}:\overline{AB}=\overline{EG}:\overline{BH}$이므로
　　　$9:(9+6)=\overline{EG}:5$, 즉 $3:5=\overline{EG}:5$
　　　$5\overline{EG}=15$　　∴ $\overline{EG}=3$(cm)
　　(4) $\overline{EF}=\overline{EG}+\overline{GF}=3+7=10$(cm)

**06** (1) □AGFD가 평행사변형이므로
　　　$\overline{GF}=\overline{AD}=6$(cm)
　　　□AHCD가 평행사변형이므로
　　　$\overline{HC}=\overline{AD}=6$(cm)
　　　$∴ \overline{BH}=\overline{BC}-\overline{HC}=9-6=3$(cm)
　　　$\triangle$ABH에서 $\overline{AE}:\overline{AB}=\overline{EG}:\overline{BH}$이므로
　　　$2:(2+4)=\overline{EG}:3$, 즉 $1:3=\overline{EG}:3$
　　　$3\overline{EG}=3$　　∴ $\overline{EG}=1$(cm)
　　　$∴ \overline{EF}=\overline{EG}+\overline{GF}=1+6=7$(cm)
　　(2) □AGFD가 평행사변형이므로
　　　$\overline{GF}=\overline{AD}=7$(cm)
　　　□AHCD가 평행사변형이므로
　　　$\overline{HC}=\overline{AD}=7$(cm)
　　　$∴ \overline{BH}=\overline{BC}-\overline{HC}=11-7=4$(cm)
　　　$\triangle$ABH에서 $\overline{AE}:\overline{AB}=\overline{EG}:\overline{BH}$이므로
　　　$6:(6+2)=\overline{EG}:4$, 즉 $3:4=\overline{EG}:4$
　　　$4\overline{EG}=12$　　∴ $\overline{EG}=3$(cm)
　　　$∴ \overline{EF}=\overline{EG}+\overline{GF}=3+7=10$(cm)
　　(3) 오른쪽 그림과 같이 $\overline{DC}$와 평행
　　　한 $\overline{AH}$를 긋고, $\overline{AH}$와 $\overline{EF}$의
　　　교점을 G라 하면 □AGFD가
　　　평행사변형이므로
　　　$\overline{GF}=\overline{AD}=15$(cm)
　　　□AHCD가 평행사변형이므로
　　　$\overline{HC}=\overline{AD}=15$(cm)
　　　$∴ \overline{BH}=\overline{BC}-\overline{HC}=20-15=5$(cm)
　　　$\triangle$ABH에서 $\overline{AE}:\overline{AB}=\overline{EG}:\overline{BH}$이므로
　　　$4:(4+6)=\overline{EG}:5$, 즉 $2:5=\overline{EG}:5$
　　　$5\overline{EG}=10$　　∴ $\overline{EG}=2$(cm)
　　　$∴ \overline{EF}=\overline{EG}+\overline{GF}=2+15=17$(cm)

**07** (1) $\triangle$ABC에서 $\overline{AE}:\overline{AB}=\overline{EG}:\overline{BC}$이므로
　　　$2:(2+6)=\overline{EG}:16$, 즉 $1:4=\overline{EG}:16$
　　　$4\overline{EG}=16$　　∴ $\overline{EG}=4$(cm)
　　(2) $\triangle$ACD에서 $\overline{CG}:\overline{CA}=\overline{GF}:\overline{AD}$이므로
　　　$6:(6+2)=\overline{GF}:8$, 즉 $3:4=\overline{GF}:8$
　　　$4\overline{GF}=24$　　∴ $\overline{GF}=6$(cm)
　　(3) $\overline{EF}=\overline{EG}+\overline{GF}=4+6=10$(cm)

**08** (1) △ABC에서 $\overline{AE}:\overline{AB}=\overline{EG}:\overline{BC}$이므로
$2:(2+3)=\overline{EG}:10$, 즉 $2:5=\overline{EG}:10$
$5\overline{EG}=20$  ∴ $\overline{EG}=4(cm)$
△ACD에서 $\overline{CG}:\overline{CA}=\overline{GF}:\overline{AD}$이므로
$3:(3+2)=\overline{GF}:5$
$5\overline{GF}=15$  ∴ $\overline{GF}=3(cm)$
∴ $\overline{EF}=\overline{EG}+\overline{GF}=4+3=7(cm)$

(2) △ABC에서 $\overline{AE}:\overline{AB}=\overline{EG}:\overline{BC}$이므로
$4:(4+8)=\overline{EG}:21$, 즉 $1:3=\overline{EG}:21$
$3\overline{EG}=21$  ∴ $\overline{EG}=7(cm)$
△ACD에서 $\overline{CG}:\overline{CA}=\overline{GF}:\overline{AD}$이므로
$8:(8+4)=\overline{GF}:12$, 즉 $2:3=\overline{GF}:12$
$3\overline{GF}=24$  ∴ $\overline{GF}=8(cm)$
∴ $\overline{EF}=\overline{EG}+\overline{GF}=7+8=15(cm)$

(3) 오른쪽 그림과 같이 $\overline{AC}$를 긋고,
$\overline{AC}$와 $\overline{EF}$의 교점을 G라 하면
△ABC에서
$\overline{AE}:\overline{AB}=\overline{EG}:\overline{BC}$이므로
$3:(3+4)=\overline{EG}:14$
$7\overline{EG}=42$  ∴ $\overline{EG}=6(cm)$
△ACD에서 $\overline{CG}:\overline{CA}=\overline{GF}:\overline{AD}$이므로
$4:(4+3)=\overline{GF}:7$
$7\overline{GF}=28$  ∴ $\overline{GF}=4(cm)$
∴ $\overline{EF}=\overline{EG}+\overline{GF}=6+4=10(cm)$

**10** (1) △ABE ∽ △CDE (AA 닮음)이므로
$\overline{AE}:\overline{CE}=\overline{AB}:\overline{CD}=6:18=1:3$
즉, $\overline{AC}:\overline{EC}=4:3$
△ABC ∽ △EFC (AA 닮음)이므로
$\overline{AB}:\overline{EF}=\overline{AC}:\overline{EC}$
$6:x=4:3$, $4x=18$  ∴ $x=\dfrac{9}{2}$

(2) △ABC ∽ △EFC (AA 닮음)이므로
$\overline{AC}:\overline{EC}=\overline{AB}:\overline{EF}=15:6=5:2$
즉, $\overline{AE}:\overline{CE}=3:2$
△ABE ∽ △CDE (AA 닮음)이므로
$\overline{AB}:\overline{CD}=\overline{AE}:\overline{CE}$
$15:x=3:2$, $3x=30$  ∴ $x=10$

**11** (1) △ABE ∽ △CDE (AA 닮음)이므로
$\overline{BE}:\overline{DE}=9:18=1:2$
∴ $\overline{BE}:\overline{BD}=1:3$
△BCD에서 $\overline{EF}\,/\!/\,\overline{DC}$이므로
$x:(x+10)=1:3$, $3x=x+10$, $2x=10$  ∴ $x=5$
$y:18=1:3$, $3y=18$  ∴ $y=6$

(2) △ABE ∽ △CDE (AA 닮음)이므로
$\overline{BE}:\overline{DE}=8:10=4:5$
∴ $\overline{BE}:\overline{BD}=4:9$
△BCD에서 $\overline{EF}\,/\!/\,\overline{DC}$이므로
$x:10=4:9$, $9x=40$  ∴ $x=\dfrac{40}{9}$
$(18-y):18=4:9$, $9(18-y)=72$
$18-y=8$  ∴ $y=10$

**12** (1) $\overline{AB}$, $\overline{EF}$, $\overline{CD}$는 모두 $\overline{BC}$와 수직이므로
$\overline{AB}\,/\!/\,\overline{EF}\,/\!/\,\overline{CD}$
△ABC에서 $\overline{AB}\,/\!/\,\overline{EF}$이므로
$14:(14+y)=4:6$, 즉 $14:(14+y)=2:3$
$2(14+y)=42$, $14+y=21$  ∴ $y=7$
△BCD에서 $\overline{EF}\,/\!/\,\overline{DC}$이므로
$7:(7+14)=4:x$, 즉 $1:3=4:x$  ∴ $x=12$

(2) $\overline{AB}$, $\overline{EF}$, $\overline{CD}$는 모두 $\overline{BC}$와 수직이므로
$\overline{AB}\,/\!/\,\overline{EF}\,/\!/\,\overline{CD}$
△ABC에서 $\overline{AB}\,/\!/\,\overline{EF}$이므로
$9:(9+3)=x:6$, 즉 $3:4=x:6$
$4x=18$  ∴ $x=\dfrac{9}{2}$
△BCD에서 $\overline{EF}\,/\!/\,\overline{CD}$이므로
$\dfrac{9}{2}:y=3:(3+9)$, 즉 $\dfrac{9}{2}:y=1:4$
∴ $y=18$

**힘수 만점**  83쪽

| **01** 19 | **02** 5 | **03** $x=9, y=10$ | **04** 35 |

**01** $4:8=x:10$, 즉 $1:2=x:10$이므로
$2x=10$  ∴ $x=5$
$4:8=7:y$, 즉 $1:2=7:y$이므로 $y=14$
∴ $x+y=19$

**02** $12:8=x:6$, 즉 $3:2=x:6$이므로
$2x=18$  ∴ $x=9$
$8:y=6:3$, 즉 $8:y=2:1$이므로
$2y=8$  ∴ $y=4$
∴ $x-y=5$

**03** △ABC에서 $\overline{AE}:\overline{AB}=\overline{EG}:\overline{BC}$이므로

$6:(6+3)=\overline{EG}:15$, 즉 $2:3=\overline{EG}:15$

$3\overline{EG}=30$ ∴ $\overline{EG}=10(cm)$ ∴ $y=10$

$\overline{GF}=\overline{EF}-\overline{EG}=13-10=3(cm)$이고

△ACD에서 $\overline{CG}:\overline{CA}=\overline{GF}:\overline{AD}$이므로

$3:(3+6)=3:\overline{AD}$, 즉 $1:3=3:\overline{AD}$

∴ $\overline{AD}=9(cm)$ ∴ $x=9$

**04** △ABC∽△EFC (AA 닮음)이므로

$\overline{AC}:\overline{EC}=\overline{AB}:\overline{EF}=14:10=7:5$

즉, $\overline{AE}:\overline{CE}=2:5$

△ABE∽△CDE (AA 닮음)이므로

$\overline{AB}:\overline{CD}=\overline{AE}:\overline{CE}$

$14:x=2:5$, $2x=70$ ∴ $x=35$

**22강 ✦ 삼각형의 중선과 무게중심** **84~85쪽**

**01** (1) 3 (2) 4 (3) 10

**02** (1) 6 cm² (2) 3 cm² (3) 3 cm²

**03** (1) 4 (2) 3 (3) 8 (4) 5 (5) 9 (6) 9

**04** (1) $x=9$, $y=6$ (2) $x=7$, $y=14$ (3) $x=4$, $y=6$
(4) $x=7$, $y=12$

**05** (1) 4 (2) 2 (3) 8

**01** (1) $\overline{BD}=\overline{DC}=3(cm)$ ∴ $x=3$

(2) $\overline{BD}=\frac{1}{2}\overline{BC}=\frac{1}{2}\times 8=4(cm)$ ∴ $x=4$

(3) $\overline{BC}=2\overline{DC}=2\times 5=10(cm)$ ∴ $x=10$

**02** (1) $\triangle ABD=\frac{1}{2}\triangle ABC=\frac{1}{2}\times 12=6(cm^2)$

(2) $\triangle EBD=\frac{1}{2}\triangle ABD=\frac{1}{2}\times\frac{1}{2}\triangle ABC$

$=\frac{1}{4}\triangle ABC=\frac{1}{4}\times 12=3(cm^2)$

(3) $\triangle AEC=\frac{1}{2}\triangle ADC=\frac{1}{2}\times\frac{1}{2}\triangle ABC$

$=\frac{1}{4}\triangle ABC=\frac{1}{4}\times 12=3(cm^2)$

**03** (1) 점 G가 △ABC의 무게중심이므로

$\overline{AG}:\overline{GD}=2:1$, $\overline{AG}=2\overline{GD}=2\times 2=4(cm)$

∴ $x=4$

(2) 점 G가 △ABC의 무게중심이므로

$\overline{CG}:\overline{GD}=2:1$, $\overline{GD}=\frac{1}{2}\overline{CG}=\frac{1}{2}\times 6=3(cm)$

∴ $x=3$

(3) 점 G가 △ABC의 무게중심이므로

$\overline{AG}:\overline{AD}=2:3$, $\overline{AG}=\frac{2}{3}\overline{AD}=\frac{2}{3}\times 12=8(cm)$

∴ $x=8$

(4) 점 G가 △ABC의 무게중심이므로

$\overline{AD}:\overline{GD}=3:1$, $\overline{GD}=\frac{1}{3}\overline{AD}=\frac{1}{3}\times 15=5(cm)$

∴ $x=5$

(5) 점 G가 △ABC의 무게중심이므로

$\overline{AD}:\overline{GD}=3:1$, $\overline{AD}=3\overline{GD}=3\times 3=9(cm)$

∴ $x=9$

(6) 점 G가 △ABC의 무게중심이므로

$\overline{AD}:\overline{AG}=3:2$, $\overline{AD}=\frac{3}{2}\overline{AG}=\frac{3}{2}\times 6=9(cm)$

∴ $x=9$

**04** (1) 점 G가 △ABC의 무게중심이므로

$\overline{AD}:\overline{GD}=3:1$, $\overline{AD}=3\overline{GD}=3\times 3=9(cm)$

∴ $x=9$

$\overline{BD}=\overline{CD}=6$ cm이므로 $y=6$

(2) 점 G가 △ABC의 무게중심이므로

$\overline{CG}:\overline{GD}=2:1$

$\overline{GD}=\frac{1}{3}\times 21=7(cm)$ ∴ $x=7$

$\overline{CG}=\frac{2}{3}\times 21=14(cm)$ ∴ $y=14$

(3) 점 G가 △ABC의 무게중심이므로

$\overline{BG}:\overline{GD}=2:1$, $\overline{GD}=\frac{1}{2}\overline{BG}=\frac{1}{2}\times 8=4(cm)$

∴ $x=4$

$\overline{AD}=\frac{1}{2}\overline{AC}=\frac{1}{2}\times 12=6(cm)$이므로

$y=6$

(4) 점 G가 △ABC의 무게중심이므로

$\overline{CG}:\overline{GE}=2:1$, $\overline{GE}=\frac{1}{2}\overline{CG}=\frac{1}{2}\times 14=7(cm)$

∴ $x=7$

$\overline{BG}:\overline{GD}=2:1$, $\overline{BG}=2\overline{GD}=2\times 6=12(cm)$

∴ $y=12$

**05** (1) 점 G가 △ABC의 무게중심이므로

$\overline{AD}:\overline{GD}=3:1$

∴ $\overline{GD}=\frac{1}{3}\overline{AD}=\frac{1}{3}\times 36=12(cm)$

점 G′은 △GBC의 무게중심이므로

$\overline{GD}:\overline{G'D}=3:1$

$\overline{\text{G'D}}=\dfrac{1}{3}\overline{\text{GD}}=\dfrac{1}{3}\times12=4(\text{cm})$

$\therefore x=4$

(2) 점 G가 △ABC의 무게중심이므로

$\overline{\text{AD}}:\overline{\text{GD}}=3:1$

$\therefore \overline{\text{GD}}=\dfrac{1}{3}\overline{\text{AD}}=\dfrac{1}{3}\times9=3(\text{cm})$

점 G'은 △GBC의 무게중심이므로

$\overline{\text{GD}}:\overline{\text{GG'}}=3:2$

$\overline{\text{GG'}}=\dfrac{2}{3}\overline{\text{GD}}=\dfrac{2}{3}\times3=2(\text{cm})$

$\therefore x=2$

(3) 점 G가 △ABC의 무게중심이므로

$\overline{\text{AG}}:\overline{\text{GD}}=2:1$

$\therefore \overline{\text{GD}}=\dfrac{1}{2}\overline{\text{AG}}=\dfrac{1}{2}\times24=12(\text{cm})$

점 G'은 △GBC의 무게중심이므로

$\overline{\text{GD}}:\overline{\text{GG'}}=3:2$

$\overline{\text{GG'}}=\dfrac{2}{3}\overline{\text{GD}}=\dfrac{2}{3}\times12=8(\text{cm})$

$\therefore x=8$

**힘수 만점**      86쪽

**01** 60 cm²    **02** ②    **03** 16    **04** 81 cm

**01** $\triangle\text{AMC}=\dfrac{1}{2}\triangle\text{ADC}=\dfrac{1}{2}\times\dfrac{1}{2}\triangle\text{ABC}$

$=\dfrac{1}{4}\triangle\text{ABC}$

이므로 $\triangle\text{ABC}=4\triangle\text{AMC}=4\times15=60(\text{cm}^2)$

**02** ② 점 G가 △ABC의 무게중심이므로

$\overline{\text{CG}}:\overline{\text{CF}}=2:3$

$\therefore \overline{\text{CG}}=\dfrac{2}{3}\overline{\text{CF}}$

**03** 점 G가 △ABC의 무게중심이므로

$\overline{\text{AG}}:\overline{\text{GD}}=2:1$에서

$\overline{\text{AG}}=2\overline{\text{GD}}=2\times2=4(\text{cm})$    $\therefore a=4$

$\overline{\text{CF}}$가 △ABC의 중선이므로

$\overline{\text{AB}}=2\overline{\text{BF}}=2\times4=8(\text{cm})$    $\therefore b=8$

$\therefore 2a+b=16$

**04** 점 G'이 △GBC의 무게중심이므로

$\overline{\text{GD}}:\overline{\text{GG'}}=3:2$

$\overline{\text{GD}}=\dfrac{3}{2}\overline{\text{GG'}}=\dfrac{3}{2}\times18=27(\text{cm})$

점 G가 △ABC의 무게중심이므로

$\overline{\text{AD}}:\overline{\text{GD}}=3:1$

$\therefore \overline{\text{AD}}=3\overline{\text{GD}}=3\times27=81(\text{cm})$

**23강** ◆ 삼각형의 무게중심의 활용      87~89쪽

**01** (1) 12 cm² (2) 4 cm² (3) 8 cm² (4) 8 cm² (5) 8 cm²

**02** (1) 5 cm² (2) 10 cm² (3) 15 cm² (4) 30 cm²

**03** (1) 15 cm (2) 10 cm (3) 5 cm (4) 10 cm

**04** (1) 5 (2) 12 (3) 18 (4) 21

**05** (1) 2 : 1 (2) 2 : 1 (3) 1 : 1 : 1 (4) 6 cm²
    (5) 4 cm² (6) 2 cm² (7) 4 cm²

**06** (1) 12 cm² (2) 12 cm² (3) 18 cm² (4) 36 cm²

**07** (1) 24 cm² (2) 4 cm² (3) 8 cm² (4) 6 cm² (5) 18 cm²

**01** (1) $\triangle\text{ABD}=\dfrac{1}{2}\triangle\text{ABC}=\dfrac{1}{2}\times24=12(\text{cm}^2)$

(2) $\triangle\text{GBD}=\dfrac{1}{6}\triangle\text{ABC}=\dfrac{1}{6}\times24=4(\text{cm}^2)$

(3) $\triangle\text{AGC}=\dfrac{1}{3}\triangle\text{ABC}=\dfrac{1}{3}\times24=8(\text{cm}^2)$

(4) $\square\text{AFGE}=\triangle\text{AFG}+\triangle\text{AGE}$

$=\dfrac{1}{6}\triangle\text{ABC}+\dfrac{1}{6}\triangle\text{ABC}$

$=\dfrac{1}{3}\triangle\text{ABC}=\dfrac{1}{3}\times24=8(\text{cm}^2)$

(5) $\triangle\text{FBG}+\triangle\text{EGC}=\dfrac{1}{6}\triangle\text{ABC}+\dfrac{1}{6}\triangle\text{ABC}$

$=\dfrac{1}{3}\triangle\text{ABC}=\dfrac{1}{3}\times24=8(\text{cm}^2)$

**02** (1) $\triangle\text{AGE}=\triangle\text{GDC}=5(\text{cm}^2)$

(2) $\triangle\text{AGC}=2\triangle\text{GDC}=10(\text{cm}^2)$

(3) $\triangle\text{AFG}+\triangle\text{GBD}+\triangle\text{EGC}=3\triangle\text{GDC}=15(\text{cm}^2)$

(4) $\triangle\text{ABC}=6\triangle\text{GDC}=6\times5=30(\text{cm}^2)$

**03** (1) $\overline{\text{BO}}=\dfrac{1}{2}\overline{\text{BD}}=\dfrac{1}{2}\times30=15(\text{cm})$

(2) 점 P는 △ABC의 무게중심이므로

$\overline{\text{BP}}=\dfrac{2}{3}\overline{\text{BO}}=\dfrac{2}{3}\times15=10(\text{cm})$

(3) 점 P는 △ABC의 무게중심이므로

$$\overline{PO}=\frac{1}{3}\overline{BO}=\frac{1}{3}\times15=5(cm)$$

(4) $\overline{PQ}=\frac{1}{3}\overline{BD}=\frac{1}{3}\times30=10(cm)$

**04** (1) $\overline{PQ}=\frac{1}{3}\overline{BD}=\frac{1}{3}\times15=5(cm)$　　∴ $x=5$

(2) $\overline{BD}=3\overline{PQ}=3\times4=12(cm)$　　∴ $x=12$

(3) 점 P는 △ABC의 무게중심이므로

$$\overline{BO}=3\overline{PO}=3\times3=9(cm)$$

$$\overline{BD}=2\overline{BO}=2\times9=18(cm)$$　　∴ $x=18$

(4) 점 P는 △ABC의 무게중심이므로

$$\overline{BO}=\frac{3}{2}\overline{BP}=\frac{3}{2}\times7=\frac{21}{2}(cm)$$

$$\overline{BD}=2\overline{BO}=2\times\frac{21}{2}=21(cm)$$　　∴ $x=21$

**05** (1) 점 P는 △ABC의 무게중심이므로

$$\overline{BP}:\overline{PO}=2:1$$

(2) 점 Q는 △ACD의 무게중심이므로

$$\overline{DQ}:\overline{QO}=2:1$$

(3) $\overline{BP}:\overline{PQ}:\overline{QD}=1:1:1$

(4) $△ABC=\frac{1}{2}\square ABCD=\frac{1}{2}\times24=12(cm^2)$이므로

$$△ABO=\frac{1}{2}△ABC=\frac{1}{2}\times12=6(cm^2)$$

(5) 점 P는 △ABC의 무게중심이므로

$$△ABP=\frac{1}{3}△ABC=\frac{1}{3}\times\frac{1}{2}\square ABCD$$

$$=\frac{1}{6}\times24=4(cm^2)$$

(6) $\overline{BP}:\overline{PO}=2:1$이므로

$$△APO=\frac{1}{2}△ABP=\frac{1}{2}\times4=2(cm^2)$$

(7) $\overline{BP}:\overline{PQ}=1:1$이므로 △APQ=△ABP=4(cm²)

**06** (1) △AQD=△ABP=12(cm²)

(2) △APQ=△ABP=12(cm²)

(3) $△ABO=\frac{3}{2}△ABP=\frac{3}{2}\times12=18(cm^2)$

(4) △ACD=3△ABP=3×12=36(cm²)

**07** (1) □AMCN=△AMC+△ACN

$$=\frac{1}{2}△ABC+\frac{1}{2}△ACD$$

$$=\frac{1}{2}\times\frac{1}{2}\square ABCD+\frac{1}{2}\times\frac{1}{2}\square ABCD$$

$$=\frac{1}{2}\square ABCD$$

$$=\frac{1}{2}\times48=24(cm^2)$$

(2) 점 Q는 △ACD의 무게중심이므로

$$△QND=\frac{1}{6}△ACD=\frac{1}{6}\times\frac{1}{2}\square ABCD$$

$$=\frac{1}{12}\square ABCD=\frac{1}{12}\times48=4(cm^2)$$

(3) 점 Q는 △ACD의 무게중심이므로

$$\square QOCN=\frac{1}{3}△ACD=\frac{1}{3}\times\frac{1}{2}\square ABCD$$

$$=\frac{1}{6}\square ABCD=\frac{1}{6}\times48=8(cm^2)$$

(4) 오른쪽 그림과 같이 $\overline{DM}$을 그으면

$$△MCN=\frac{1}{2}△DMC$$

$$=\frac{1}{2}\times\frac{1}{2}△BCD$$

$$=\frac{1}{4}\times\frac{1}{2}\square ABCD$$

$$=\frac{1}{8}\square ABCD$$

$$=\frac{1}{8}\times48=6(cm^2)$$

(5) △AMN=□AMCN−△MCN

$$=24-6=18(cm^2)$$

**힘수 만점**　　90쪽

| **01** 6 cm² | **02** 54 cm² | **03** 5 | **04** 5 cm² |

**01** □AFGE=△AFG+△AGE

$$=\frac{1}{6}△ABC+\frac{1}{6}△ABC$$

$$=\frac{1}{3}△ABC$$

$$=\frac{1}{3}\times18=6(cm^2)$$

**02** 점 G′이 △GBC의 무게중심이므로

△GBC=3△GBG′=3×6=18(cm²)

점 G가 △ABC의 무게중심이므로

△ABC=3△GBC=3×18=54(cm²)

**03** $\overline{PQ}=\frac{1}{3}\overline{BD}=\frac{1}{3}\times15=5(cm)$　　∴ $x=5$

**04** 점 P가 △ACD의 무게중심이므로

$$△AOP=\frac{1}{6}△ACD=\frac{1}{6}\times\frac{1}{2}\square ABCD$$

$$=\frac{1}{12}\times60=5(cm^2)$$

## 24강 ✚ 도형에서의 닮음비

01 (1) $3:2$ (2) $3:2$ (3) $9:4$ (4) $20$ cm (5) $24$ cm$^2$

02 (1) $1:3$ (2) $1:3$ (3) $1:9$ (4) $18$ cm (5) $6$ cm$^2$

03 (1) $3:4$ (2) $9:16$ (3) $27$ cm$^2$ (4) $21$ cm$^2$

04 (1) $10$ cm$^2$ (2) $32$ cm$^2$

05 (1) $2:1$ (2) $4:1$ (3) $8:1$ (4) $21$ cm$^2$ (5) $64$ cm$^3$

06 (1) $3:5$ (2) $3:5$ (3) $9:25$ (4) $27:125$
　　(5) $36$ cm$^2$ (6) $125$ cm$^3$

07 (1) 겉넓이의 비: $1:9$, 부피의 비: $1:27$
　　(2) 겉넓이의 비: $9:16$, 부피의 비: $27:64$
　　(3) 겉넓이의 비: $9:4$, 부피의 비: $27:8$

---

01 (1) □ABCD와 □EFGH의 닮음비는
　　$\overline{BC}:\overline{FG}=9:6=3:2$

(2) □ABCD와 □EFGH의 둘레의 길이의 비는 닮음비와 같으므로 $3:2$

(3) □ABCD와 □EFGH의 닮음비가 $3:2$이므로 넓이의 비는 $3^2:2^2=9:4$

(4) □ABCD와 □EFGH의 둘레의 길이의 비가 $3:2$이므로 □EFGH의 둘레의 길이를 $x$ cm라 하면
　　$3:2=30:x$, $3x=60$ ∴ $x=20$
　　따라서 □EFGH의 둘레의 길이는 $20$ cm이다.

(5) □ABCD와 □EFGH의 넓이의 비는 $9:4$이므로 □EFGH의 넓이를 $x$ cm$^2$라 하면
　　$54:x=9:4$, $9x=216$ ∴ $x=24$
　　따라서 □EFGH의 넓이는 $24$ cm$^2$이다.

02 (1) 두 원 O, O′의 반지름의 길이의 비가 $1:3$이므로 두 원의 닮음비는 $1:3$이다.

(2) 두 원 O, O′의 둘레의 길이의 비는 닮음비와 같으므로 $1:3$이다.

(3) 두 원 O, O′의 닮음비가 $1:3$이므로 두 원 O, O′의 넓이의 비는 $1^2:3^2=1:9$이다.

(4) 두 원 O, O′의 둘레의 길이의 비는 $1:3$이므로 원 O′의 둘레의 길이를 $x$ cm라 하면
　　$1:3=6:x$ ∴ $x=18$
　　따라서 원 O′의 둘레의 길이는 $18$ cm이다.

(5) 두 원 O, O′의 넓이의 비는 $1:9$이므로 원 O의 넓이를 $x$ cm$^2$라 하면
　　$x:54=1:9$, $9x=54$ ∴ $x=6$
　　따라서 원 O의 넓이는 $6$ cm$^2$이다.

03 (1) △ADE와 △ABC의 닮음비는
　　$\overline{AD}:\overline{AB}=9:(9+3)=3:4$

(2) △ADE와 △ABC의 닮음비가 $3:4$이므로 넓이의 비는 $3^2:4^2=9:16$이다.

(3) △ADE와 △ABC의 넓이의 비가 $9:16$이므로 △ADE의 넓이를 $x$ cm$^2$라 하면
　　$x:48=9:16$, $16x=432$ ∴ $x=27$
　　따라서 △ADE의 넓이는 $27$ cm$^2$이다.

(4) □DBCE = △ABC − △ADE
　　　　　 $=48-27=21$(cm$^2$)

04 (1) △ADE∽△ABC (AA 닮음)이고 닮음비는 $1:2$이므로 넓이의 비는 $1^2:2^2=1:4$이다.
　　따라서 △ADE$:40=1:4$, $4$△ADE$=40$
　　∴ △ADE$=10$(cm$^2$)

(2) △ADE∽△ABC (AA 닮음)이고 닮음비는 $6:10=3:5$이므로 넓이의 비는 $3^2:5^2=9:25$이다.
　　따라서 $18:$△ABC$=9:25$, $9$△ABC$=450$
　　∴ △ABC$=50$(cm$^2$)
　　∴ □DBCE = △ABC − △ADE $=50-18=32$(cm$^2$)

05 (1) 두 삼각뿔 P, Q의 닮음비는 $6:3=2:1$

(2) 두 삼각뿔 P, Q의 닮음비가 $2:1$이므로 겉넓이의 비는 $2^2:1^2=4:1$

(3) 두 삼각뿔 P, Q의 닮음비가 $2:1$이므로 부피의 비는 $2^3:1^3=8:1$

(4) 겉넓이의 비가 $4:1$이므로 삼각뿔 Q의 겉넓이를 $x$ cm$^2$라 하면
　　$84:x=4:1$, $4x=84$ ∴ $x=21$
　　따라서 삼각뿔 Q의 겉넓이는 $21$ cm$^2$이다.

(5) 부피의 비가 $8:1$이므로 삼각뿔 P의 부피를 $x$ cm$^3$라 하면
　　$x:8=8:1$
　　∴ $x=64$
　　따라서 삼각뿔 P의 부피는 $64$ cm$^3$이다.

06 (1) 두 원기둥 P, Q의 닮음비는 $6:10=3:5$

(2) 두 원기둥 P, Q의 닮음비가 $3:5$이므로 밑면의 둘레의 길이의 비는 $3:5$

(3) 두 원기둥 P, Q의 닮음비가 $3:5$이므로 겉넓이의 비는 $3^2:5^2=9:25$

(4) 두 원기둥 P, Q의 닮음비가 $3:5$이므로 부피의 비는 $3^3:5^3=27:125$

(5) 두 원기둥 P, Q의 겉넓이의 비가 $9:25$이므로 원기둥 P의 겉넓이를 $x$ cm$^2$라 하면
　　$x:100=9:25$, $25x=900$ ∴ $x=36$
　　따라서 원기둥 P의 겉넓이는 $36$ cm$^2$이다.

(6) 두 원기둥 P, Q의 부피의 비가 $27:125$이므로 원기둥 Q의 부피를 $x$ cm$^3$라 하면

$27 : x = 27 : 125$     $\therefore x = 125$

따라서 원기둥 Q의 부피는 $125 \, \text{cm}^3$이다.

**07** (1) 두 입체도형 P, Q의 닮음비가 $2 : 6 = 1 : 3$이므로

겉넓이의 비는 $1^2 : 3^2 = 1 : 9$,

부피의 비는 $1^3 : 3^3 = 1 : 27$

(2) 두 입체도형 P, Q의 닮음비가 $6 : 8 = 3 : 4$이므로

겉넓이의 비는 $3^2 : 4^2 = 9 : 16$,

부피의 비는 $3^3 : 4^3 = 27 : 64$

(3) 두 입체도형 P, Q의 닮음비가 $18 : 12 = 3 : 2$이므로

겉넓이의 비는 $3^2 : 2^2 = 9 : 4$,

부피의 비는 $3^3 : 2^3 = 27 : 8$

**힘수 만점**

**01** 15 cm    **02** 45 cm²    **03** 45 cm²    **04** ④

**05** 216개

**01** $\triangle ABC$와 $\triangle DEF$의 닮음비는

$\overline{BC} : \overline{EF} = 6 : 10 = 3 : 5$

$\triangle ABC$와 $\triangle DEF$의 둘레의 길이의 비는 $3 : 5$이므로

$\triangle ABC$의 둘레의 길이를 $x \, \text{cm}$라 하면

$x : 25 = 3 : 5$, $5x = 75$    $\therefore x = 15$

따라서 $\triangle ABC$의 둘레의 길이는 $15 \, \text{cm}$이다.

**02** $\triangle ADE \backsim \triangle ABC$ (AA 닮음)이고 닮음비는 $2 : 8 = 1 : 4$이

므로 넓이의 비는 $1^2 : 4^2 = 1 : 16$이다.

따라서 $\triangle ADE : 48 = 1 : 16$, $16 \triangle ADE = 48$

$\therefore \triangle ADE = 3(\text{cm}^2)$

$\therefore \square BCED = \triangle ABC - \triangle ADE = 48 - 3 = 45(\text{cm}^2)$

**03** 두 삼각기둥 P, Q의 닮음비가 $4 : 3$이므로 겉넓이의 비는

$16 : 9$이다. 삼각기둥 Q의 겉넓이를 $x \, \text{cm}^2$라 하면

$80 : x = 16 : 9$

$16x = 720$    $\therefore x = 45$

따라서 삼각기둥 Q의 겉넓이는 $45 \, \text{cm}^2$이다.

**04** 두 사각뿔의 부피의 비가 $8 : 125$, 즉 $2^3 : 5^3$이므로 닮음비는

$2 : 5$

따라서 겉넓이의 비는 $2^2 : 5^2 = 4 : 25$

**05** 두 쇠구슬의 닮음비는 $12 : 2 = 6 : 1$이므로 부피의 비는

$6^3 : 1^3 = 216 : 1$

따라서 지름의 길이가 $12 \, \text{cm}$인 쇠구슬 1개를 녹이면 지름의

길이가 $2 \, \text{cm}$인 쇠구슬을 216개 만들 수 있다.

**01** (1) $\triangle ADE$, $3 : 8$   (2) $4 \, \text{m}$

**02** $5 \, \text{m}$    **03** $3 \, \text{m}$    **04** $125 \, \text{m}$    **05** $15 \, \text{m}$

**06** 5, 5, 10000, 2000

**07** (1) $\dfrac{1}{2000}$   (2) $\dfrac{1}{5000}$   (3) $\dfrac{1}{40000}$   (4) $\dfrac{1}{50000}$

**08** 2, 1000, 2, 1000, 2000, 20

**09** (1) $300 \, \text{m}$   (2) $1 \, \text{km}$   (3) $20 \, \text{cm}$   (4) $35 \, \text{cm}$

**10** $900 \, \text{m}$

**01** (1) $\triangle ABC$와 $\triangle ADE$에서

$\angle A$는 공통, $\angle ABC = \angle ADE$이므로

$\triangle ABC \backsim \triangle ADE$ (AA 닮음)

닮음비는 $\overline{AB} : \overline{AD} = 3 : (3+5) = 3 : 8$

(2) $3 : 8 = 1.5 : \overline{DE}$

$3\overline{DE} = 12$    $\therefore \overline{DE} = 4(\text{m})$

따라서 나무의 높이는 $4 \, \text{m}$이다.

**02** $\triangle ABC$와 $\triangle ADE$에서

$\angle A$는 공통, $\angle ABC = \angle ADE$이므로

$\triangle ABC \backsim \triangle ADE$ (AA 닮음)

닮음비는 $\overline{AB} : \overline{AD} = 2 : (2+8) = 1 : 5$이므로

$\overline{BC} : \overline{DE} = 1 : 5$, 즉 $1 : \overline{DE} = 1 : 5$

$\therefore \overline{DE} = 5(\text{m})$

따라서 시계탑의 높이는 $5 \, \text{m}$이다.

**03** $\triangle ABC$와 $\triangle DEF$에서

$\angle B = \angle E$, $\angle ACB = \angle DFE$이므로

$\triangle ABC \backsim \triangle DEF$ (AA 닮음)

닮음비는 $\overline{BC} : \overline{EF} = 0.8 : 4 = 1 : 5$이므로

$0.6 : \overline{DE} = 1 : 5$    $\therefore \overline{DE} = 3(\text{m})$

따라서 농구대의 높이는 $3 \, \text{m}$이다.

**04** $\triangle ABC$와 $\triangle DEF$에서

$\angle B = \angle E$, $\angle ACB = \angle DFE$이므로

$\triangle ABC \backsim \triangle DEF$ (AA 닮음)

닮음비는 $\overline{BC} : \overline{EF} = 100 : 0.8 = 125 : 1$이므로

$\overline{AC} : 1 = 125 : 1$    $\therefore \overline{AC} = 125(\text{m})$

따라서 전망대의 높이는 $125 \, \text{m}$이다.

**05** $\triangle ABC$와 $\triangle EDC$에서

$\angle B = \angle D$, $\angle ACB = \angle ECD$ (맞꼭지각)이므로

$\triangle ABC \backsim \triangle EDC$ (AA 닮음)

닮음비는 $\overline{BC} : \overline{DC} = 20 : 4 = 5 : 1$이므로

$\overline{AB} : 3 = 5 : 1$    $\therefore \overline{AB} = 15(\text{m})$

따라서 강의 폭 $\overline{AB}$의 길이는 $15 \, \text{m}$이다.

**07** (1) (축척)$=\dfrac{4\,\mathrm{cm}}{80\,\mathrm{m}}=\dfrac{4\,\mathrm{cm}}{8000\,\mathrm{cm}}=\dfrac{1}{2000}$

(2) (축척)$=\dfrac{3\,\mathrm{cm}}{150\,\mathrm{m}}=\dfrac{3\,\mathrm{cm}}{15000\,\mathrm{cm}}=\dfrac{1}{5000}$

(3) (축척)$=\dfrac{10\,\mathrm{cm}}{4\,\mathrm{km}}=\dfrac{10\,\mathrm{cm}}{400000\,\mathrm{cm}}=\dfrac{1}{40000}$

(4) (축척)$=\dfrac{6\,\mathrm{cm}}{3\,\mathrm{km}}=\dfrac{6\,\mathrm{cm}}{300000\,\mathrm{cm}}=\dfrac{1}{50000}$

**09** (1) (실제 거리)$=3(\mathrm{cm})\div\dfrac{1}{10000}=3(\mathrm{cm})\times10000$

$\qquad\qquad\quad =30000(\mathrm{cm})=300(\mathrm{m})$

(2) (실제 거리)$=10(\mathrm{cm})\div\dfrac{1}{10000}=10(\mathrm{cm})\times10000$

$\qquad\qquad\quad =100000(\mathrm{cm})=1(\mathrm{km})$

(3) (지도에서의 거리)$=2(\mathrm{km})\times\dfrac{1}{10000}$

$\qquad\qquad\qquad\quad =200000(\mathrm{cm})\times\dfrac{1}{10000}$

$\qquad\qquad\qquad\quad =20(\mathrm{cm})$

(4) (지도에서의 거리)$=3.5(\mathrm{km})\times\dfrac{1}{10000}$

$\qquad\qquad\qquad\quad =350000(\mathrm{cm})\times\dfrac{1}{10000}$

$\qquad\qquad\qquad\quad =35(\mathrm{cm})$

**10** (축척)$=\dfrac{1(\mathrm{cm})}{300(\mathrm{m})}=\dfrac{1(\mathrm{cm})}{30000(\mathrm{cm})}=\dfrac{1}{30000}$

따라서 집에서 학교까지의 실제 거리는

$3(\mathrm{cm})\div\dfrac{1}{30000}=3(\mathrm{cm})\times30000$

$\qquad\qquad\quad =90000(\mathrm{cm})=900(\mathrm{m})$

**96쪽**

| **01** 6 m | **02** 18 m | **03** ② | **04** 800 m |

**01** △ABC와 △DEC에서

∠B=∠E=90°, ∠ACB=∠DCE이므로

△ABC∽△DEC (AA 닮음)

닮음비는 $\overline{\mathrm{BC}}:\overline{\mathrm{EC}}=2:8=1:4$이므로

$\overline{\mathrm{AB}}:\overline{\mathrm{DE}}=1:4$, $1.5:\overline{\mathrm{DE}}=1:4$

$\therefore \overline{\mathrm{DE}}=6(\mathrm{m})$

따라서 나무의 높이는 6 m이다.

**02** △ABC와 △DEC에서

∠A=∠D=90°, ∠ACB=∠DCE (맞꼭지각)이므로

△ABC∽△DEC (AA 닮음)

닮음비는 $\overline{\mathrm{AC}}:\overline{\mathrm{DC}}=12:4=3:1$이므로

$\overline{\mathrm{AB}}:\overline{\mathrm{DE}}=3:1$, $\overline{\mathrm{AB}}:6=3:1$

$\therefore \overline{\mathrm{AB}}=18(\mathrm{m})$

따라서 두 지점 A, B 사이의 거리는 18 m이다.

**03** (지도에서의 거리)$=3(\mathrm{km})\times\dfrac{1}{60000}$

$\qquad\qquad\qquad\quad =300000(\mathrm{cm})\times\dfrac{1}{60000}$

$\qquad\qquad\qquad\quad =5(\mathrm{cm})$

**04** △ABC와 △ADE에서

∠A는 공통, ∠ACB=∠AED이므로

△ABC∽△ADE (AA 닮음)

닮음비는 $\overline{\mathrm{BC}}:\overline{\mathrm{DE}}=12:15=4:5$이므로

$\overline{\mathrm{AC}}=x\,\mathrm{cm}$라 하면

$\overline{\mathrm{AC}}:\overline{\mathrm{AE}}=4:5$이므로 $x:(x+2)=4:5$

$5x=4(x+2)$, $5x=4x+8$ $\quad\therefore x=8$

축도에서 8 cm인 실제 강의 폭은

$8(\mathrm{cm})\div\dfrac{1}{10000}=8(\mathrm{cm})\times10000$

$\qquad\qquad\qquad =80000(\mathrm{cm})=800(\mathrm{m})$

**26강 중단원 연산 마무리** ✦ **97~100쪽**

**01** (1) 4 : 3 (2) $\dfrac{15}{2}$ cm (3) 30° (4) 60°

**02** (1) 1 : 2 (2) 면 B′E′F′C′ (3) 10 cm

(4) $x=8$, $y=12$

**03** (1) △CAB∽△CED (SAS 닮음)

(2) △ABC∽△DAC (SSS 닮음)

**04** (1) ○ (2) × (3) × (4) ○ (5) ×

**05** (1) 22 (2) 8

**06** (1) ○ (2) ○ (3) × (4) ○

**07** (1) 2 (2) 5 **08** (1) 16 cm (2) 12 cm

**09** (1) 3 (2) $\dfrac{18}{5}$ (3) 25

**10** (1) ○ (2) ○ (3) ×

**11** (1) 8 cm (2) 16 cm (3) 12 cm

**12** (1) 8 cm (2) 5 cm (3) 3 cm

**13** (1) 9 (2) 6 **14** (1) 6 (2) 12

**15** (1) 8 cm (2) 8 cm (3) 4 cm (4) 5 cm

**16** 4 cm **17** (1) 16 cm² (2) 16 cm² (3) 8 cm²

**18** 18 cm² **19** (1) 2 : 3 (2) 27 cm (3) 81 cm²

**20** (1) 72 cm² (2) 24 cm³

**21** 4.5 m **22** 4 cm **23** $\dfrac{16}{5}$ cm

**24** $\dfrac{20}{7}$ cm **25** $x=9$, $y=8$ **26** $x=5$, $y=4$

**01** (1) △ABC와 △DFE의 닮음비는
$\overline{BC} : \overline{FE} = 20 : 15 = 4 : 3$
(2) $\overline{AC} : \overline{DE} = 4 : 3$이므로
$10 : \overline{DE} = 4 : 3$, $4\overline{DE} = 30$ ∴ $\overline{DE} = \dfrac{15}{2}$ (cm)
(3) $\angle B = \angle F = 30°$
(4) $\angle C = \angle E = 60°$

**02** (1) 두 삼각기둥 P, Q의 닮음비는
$\overline{DE} : \overline{D'E'} = 3 : 6 = 1 : 2$
(3) $\overline{AC} : \overline{A'C'} = 1 : 2$이므로
$5 : \overline{A'C'} = 1 : 2$ ∴ $\overline{A'C'} = 10$ (cm)
(4) $\overline{EF} : \overline{E'F'} = 1 : 2$이므로
$4 : x = 1 : 2$ ∴ $x = 8$
$\overline{CF} : \overline{C'F'} = 1 : 2$이므로
$6 : y = 1 : 2$ ∴ $y = 12$

**03** (1) △CAB와 △CED에서
$\overline{CA} : \overline{CE} = 6 : 9 = 2 : 3$,
$\overline{CB} : \overline{CD} = 4 : 6 = 2 : 3$,
$\angle ACB = \angle ECD$이므로
△CAB ∽ △CED (SAS 닮음)
(2) △ABC와 △DAC에서
$\overline{AB} : \overline{DA} = 4 : 8 = 1 : 2$,
$\overline{AC} : \overline{DC} = 4 : 8 = 1 : 2$,
$\overline{BC} : \overline{AC} = 2 : 4 = 1 : 2$이므로
△ABC ∽ △DAC (SSS 닮음)

**04** (1) $\angle B = \angle E = 45°$, $\angle C = \angle F = 65°$이므로
△ABC ∽ △DEF (AA 닮음)
(4) $\angle A = \angle D = 70°$이고,
△DEF에서 $\angle E = 180° - (70° + 65°) = 45°$이므로
$\angle B = \angle E = 45°$
∴ △ABC ∽ △DEF (AA 닮음)

**05** (1) △ABC와 △AED에서
$\angle A$는 공통, $\angle ABC = \angle AED$이므로
△ABC ∽ △AED (AA 닮음)
닮음비는 $\overline{AB} : \overline{AE} = (8+16) : 12 = 2 : 1$이므로
$\overline{BC} : \overline{ED} = 2 : 1$, $x : 11 = 2 : 1$ ∴ $x = 22$
(2) △ABC와 △BDC에서
$\overline{AC} : \overline{BC} = 9 : 6 = 3 : 2$,
$\overline{BC} : \overline{DC} = 6 : 4 = 3 : 2$,
$\angle C$는 공통이므로
△ABC ∽ △BDC (SAS 닮음)
닮음비는 3 : 2이므로
$\overline{AB} : \overline{BD} = 3 : 2$에서 $12 : x = 3 : 2$, $3x = 24$ ∴ $x = 8$

**07** (1) $\overline{AH}^2 = \overline{HB} \times \overline{HC}$이므로
$4^2 = x \times 8$ ∴ $x = 2$
(2) $\overline{AC}^2 = \overline{AH} \times \overline{AB}$이므로
$6^2 = 4 \times (4+x)$, $4+x = 9$ ∴ $x = 5$

**08** (1) $\overline{AC}^2 = \overline{CH} \times \overline{CB}$이므로
$15^2 = 9 \times (9+\overline{BH})$, $9+\overline{BH} = 25$ ∴ $\overline{BH} = 16$ (cm)
(2) $\overline{AH}^2 = \overline{HB} \times \overline{HC}$이므로
$\overline{AH}^2 = 16 \times 9 = 144 = 12^2$ ∴ $\overline{AH} = 12$ (cm)

**09** (1) $\overline{AD} : \overline{DB} = \overline{AE} : \overline{EC}$이므로
$6 : x = 8 : 4$, 즉 $6 : x = 2 : 1$
$2x = 6$ ∴ $x = 3$
(2) $\overline{AB} : \overline{AD} = \overline{BC} : \overline{DE}$이므로
$4 : (4+6) = x : 9$, 즉 $2 : 5 = x : 9$
$5x = 18$ ∴ $x = \dfrac{18}{5}$
(3) $\overline{AB} : \overline{AD} = \overline{AC} : \overline{AE}$이므로
$15 : (x-15) = 12 : 8$, 즉 $15 : (x-15) = 3 : 2$
$3(x-15) = 30$, $x-15 = 10$
∴ $x = 25$

**10** (1) $\overline{AB} : \overline{AD} = 3 : (3+9) = 1 : 4$
$\overline{AC} : \overline{AE} = 4 : (4+12) = 1 : 4$
따라서 $\overline{AB} : \overline{AD} = \overline{AC} : \overline{AE}$이므로
$\overline{BC}$와 $\overline{DE}$는 평행하다.
(2) $\overline{AB} : \overline{AD} = 9 : 15 = 3 : 5$
$\overline{AC} : \overline{AE} = 12 : 20 = 3 : 5$
따라서 $\overline{AB} : \overline{AD} = \overline{AC} : \overline{AE}$이므로
$\overline{BC}$와 $\overline{DE}$는 평행하다.
(3) $\overline{AB} : \overline{AD} = 5 : 15 = 1 : 3$
$\overline{AC} : \overline{AE} = 6 : 20 = 3 : 10$
따라서 $\overline{AB} : \overline{AD} \neq \overline{AC} : \overline{AE}$이므로
$\overline{BC}$와 $\overline{DE}$는 평행하지 않다.

**11** (1) △ADG에서 $\overline{AE} = \overline{ED}$, $\overline{EF} \parallel \overline{DG}$이므로
$\overline{DG} = 2\overline{EF} = 2 \times 4 = 8$ (cm)
(2) △BCF에서 $\overline{CD} = \overline{DB}$, $\overline{DG} \parallel \overline{BF}$이므로
$\overline{BF} = 2\overline{DG} = 2 \times 8 = 16$ (cm)
(3) $\overline{BE} = \overline{BF} - \overline{EF} = 16 - 4 = 12$ (cm)

**12** (1) $\overline{AD} \parallel \overline{BC}$, $\overline{AM} = \overline{MB}$, $\overline{DN} = \overline{NC}$이므로
$\overline{AD} \parallel \overline{MN} \parallel \overline{BC}$
△ABC에서 $\overline{AM} = \overline{MB}$, $\overline{MQ} \parallel \overline{BC}$이므로
$\overline{MQ} = \dfrac{1}{2}\overline{BC} = \dfrac{1}{2} \times 16 = 8$ (cm)
(2) △ABD에서 $\overline{BM} = \overline{MA}$, $\overline{MP} \parallel \overline{AD}$이므로

$$\overline{MP}=\frac{1}{2}\overline{AD}=\frac{1}{2}\times10=5(cm)$$

(3) $\overline{PQ}=\overline{MQ}-\overline{MP}=8-5=3(cm)$

**13** (1) $\overline{AB}:\overline{AC}=\overline{BD}:\overline{CD}$이므로

$12:8=x:(15-x)$, 즉 $3:2=x:(15-x)$

$2x=3(15-x)$, $2x=45-3x$

$5x=45$ ∴ $x=9$

(2) $\overline{AB}:\overline{AC}=\overline{BD}:\overline{CD}$이므로

$6:4=(x+12):12$, 즉 $3:2=(x+12):12$

$2(x+12)=36$, $x+12=18$ ∴ $x=6$

**14** (1) $4:(12-4)=3:x$, 즉 $1:2=3:x$

∴ $x=6$

(2) $15:5=x:4$, 즉 $3:1=x:4$

∴ $x=12$

**15** (1) $\overline{AD}$는 △ABC의 중선이므로

$$\overline{BD}=\frac{1}{2}\overline{BC}=\frac{1}{2}\times16=8(cm)$$

(2) 점 G가 △ABC의 무게중심이므로

$\overline{AG}:\overline{AD}=2:3$

$$\therefore \overline{AG}=\frac{2}{3}\overline{AD}=\frac{2}{3}\times12=8(cm)$$

(3) 점 G가 △ABC의 무게중심이므로

$\overline{AD}:\overline{GD}=3:1$

$$\therefore \overline{GD}=\frac{1}{3}\overline{AD}=\frac{1}{3}\times12=4(cm)$$

(4) 점 G가 △ABC의 무게중심이므로

$\overline{BG}:\overline{GE}=2:1$

$$\therefore \overline{GE}=\frac{1}{2}\overline{BG}=\frac{1}{2}\times10=5(cm)$$

**16** 점 G가 △ABC의 무게중심이므로

$\overline{AG}:\overline{GD}=2:1$

$$\therefore \overline{GD}=\frac{1}{2}\overline{AG}=\frac{1}{2}\times12=6(cm)$$

점 G′은 △GBC의 무게중심이므로

$\overline{GD}:\overline{GG'}=3:2$

$$\therefore \overline{GG'}=\frac{2}{3}\overline{GD}=\frac{2}{3}\times6=4(cm)$$

**17** (1) $\triangle ABG=\frac{1}{3}\triangle ABC=\frac{1}{3}\times48=16(cm^2)$

(2) $\square AFGE=\triangle AFG+\triangle AGE$

$$=\frac{1}{6}\triangle ABC+\frac{1}{6}\triangle ABC$$

$$=\frac{1}{3}\triangle ABC$$

$$=\frac{1}{3}\times48=16(cm^2)$$

(3) $\triangle EGC=\frac{1}{6}\triangle ABC=\frac{1}{6}\times48=8(cm^2)$

**18** 대각선 AC를 그어 $\overline{BD}$와의 교점을 O라 하면

$$\triangle ABC=\triangle ACD=\frac{1}{2}\square ABCD=\frac{1}{2}\times54=27(cm^2)$$

색칠한 부분의 넓이는

$$\square ANPO+\square AOQM=\frac{1}{3}\triangle ABC+\frac{1}{3}\triangle ACD$$

$$=\frac{2}{3}\triangle ABC=\frac{2}{3}\times27=18(cm^2)$$

**19** (1) △ABC와 △DEF의 닮음비는

$\overline{BC}:\overline{EF}=4:6=2:3$

(2) △ABC와 △DEF의 둘레의 길이의 비는 닮음비와 같으므로 △DEF의 둘레의 길이를 $x$ cm라 하면

$2:3=18:x$, $2x=54$ ∴ $x=27$

따라서 △DEF의 둘레의 길이는 27 cm이다.

(3) △ABC와 △DEF의 닮음비는 $2:3$이므로 넓이의 비는

$2^2:3^2=4:9$

$36:\triangle DEF=4:9$, $4\triangle DEF=324$

∴ $\triangle DEF=81(cm^2)$

**20** (1) 두 주사위 A, B의 닮음비가 $2:3$일 때,

겉넓이의 비는 $2^2:3^2=4:9$이므로

B 주사위의 겉넓이를 $x$ cm²라 하면

$32:x=4:9$, $4x=288$ ∴ $x=72$

따라서 B 주사위의 겉넓이는 72 cm²이다.

(2) 두 주사위 A, B의 닮음비가 $2:3$일 때,

부피의 비는 $2^3:3^3=8:27$이므로

A 주사위의 부피를 $x$ cm³라 하면

$x:81=8:27$, $27x=648$ ∴ $x=24$

따라서 A 주사위의 부피는 24 cm³이다.

**21** △ABC와 △ADE에서

∠A는 공통, ∠ACB=∠AED이므로

△ABC∽△ADE (AA 닮음)

닮음비는 $\overline{AC}:\overline{AE}=2:6=1:3$이므로

$\overline{BC}:\overline{DE}=1:3$, 즉 $1.5:\overline{DE}=1:3$

∴ $\overline{DE}=4.5(m)$

따라서 나무의 높이는 4.5 m이다.

**22** (지도에서의 거리)$=400(m)\times\dfrac{1}{10000}$

$$=40000(cm)\times\frac{1}{10000}$$

$$=4(cm)$$

**23** $\overline{AD}^2=\overline{DB}\times\overline{DC}$이므로

$\overline{AD}^2=8\times2=4^2$ ∴ $\overline{AD}=4(cm)$ $(∵\overline{AD}>0)$

점 M은 △ABC의 외심이므로

$\overline{AM}=\overline{BM}=\overline{CM}=\dfrac{1}{2}\times(8+2)=5(cm)$

△AMD에서 $\overline{AD}^2=\overline{AH}\times\overline{AM}$이므로

$4^2=\overline{AH}\times5$ ∴ $\overline{AH}=\dfrac{16}{5}(cm)$

**24** △AFE에서 $\overline{DC}/\!/\overline{FE}$이므로

$\overline{AC}:\overline{CE}=\overline{AD}:\overline{DF}=10:4=5:2$

△ADE에서 $\overline{BC}/\!/\overline{DE}$이므로 $\overline{BD}=x$ cm라 하면

$\overline{AB}:\overline{BD}=5:2$

$(10-x):x=5:2$

$5x=2(10-x), 5x=20-2x, 7x=20$

∴ $x=\dfrac{20}{7}$

따라서 $\overline{BD}$의 길이는 $\dfrac{20}{7}$ cm이다.

**25** $6:x=10:15$, 즉 $6:x=2:3$이므로

$2x=18$ ∴ $x=9$

$y:(20-y)=10:15$, 즉 $y:(20-y)=2:3$이므로

$3y=2(20-y), 3y=40-2y, 5y=40$ ∴ $y=8$

**26** 점 G는 △ABC의 무게중심이므로

$\overline{GQ}=\dfrac{1}{2}\overline{AG}=\dfrac{1}{2}\times10=5(cm)$ ∴ $x=5$

$\overline{AQ}$는 △ABC의 중선이므로

$\overline{BQ}=\overline{CQ}=6(cm)$

△ABQ에서 $\overline{PG}/\!/\overline{BQ}$이므로

$\overline{AG}:\overline{AQ}=\overline{PG}:\overline{BQ}$에서

$2:3=y:6$

$3y=12$ ∴ $y=4$

**27 강**  피타고라스 정리  101쪽

**01** 3, 25, 5  **02** (1) 17 (2) 15
**03** 13, $x$, 13, 25, 5
**04** (1) 6 (2) 10
**05** (1) $x=8, y=10$ (2) $x=12, y=13$
　　(3) $x=8, y=17$ (4) $x=8, y=25$

**02** (1) $x^2=15^2+8^2$이므로 $x^2=289$ ∴ $x=17$ $(∵x>0)$
　　(2) $x^2=12^2+9^2$이므로 $x^2=225$ ∴ $x=15$ $(∵x>0)$

**04** (1) $10^2=8^2+x^2$이므로 $x^2=36$ ∴ $x=6$ $(∵x>0)$
　　(2) $26^2=24^2+x^2$이므로 $x^2=100$ ∴ $x=10$ $(∵x>0)$

**05** (1) △ABD에서 $15^2+x^2=17^2$이므로 $x^2=64$

∴ $x=8$ $(∵x>0)$

△ADC에서 $y^2=8^2+6^2$, $y^2=100$

∴ $y=10$ $(∵y>0)$

(2) △ABD에서 $9^2+x^2=15^2$이므로 $x^2=144$

∴ $x=12$ $(∵x>0)$

△ADC에서 $y^2=12^2+5^2$, $y^2=169$

∴ $y=13$ $(∵y>0)$

(3) △ABD에서 $x^2+6^2=10^2$이므로 $x^2=64$

∴ $x=8$ $(∵x>0)$

△ABC에서 $y^2=8^2+15^2$, $y^2=289$

∴ $y=17$ $(∵y>0)$

(4) △ABD에서 $15^2+x^2=17^2$이므로 $x^2=64$

∴ $x=8$ $(∵x>0)$

△ABC에서 $y^2=15^2+20^2$, $y^2=625$

∴ $y=25$ $(∵y>0)$

**힘수 만점**  102쪽

**01** 54 cm²  **02** ③  **03** $x=5, y=15$  **04** 17

**01** $\overline{AC}^2+9^2=15^2$이므로 $\overline{AC}^2=144$

∴ $\overline{AC}=12(cm)$ $(∵\overline{AC}>0)$

따라서 △ABC의 넓이는

$\dfrac{1}{2}\times9\times12=54(cm^2)$

**02** △ADC에서 $12^2+\overline{DC}^2=13^2$이므로 $\overline{DC}^2=25$

∴ $\overline{DC}=5(cm)$ $(∵\overline{DC}>0)$

$\overline{BD}=\overline{BC}-\overline{DC}=21-5=16(cm)$이므로 △ABD에서

$\overline{AB}^2=12^2+16^2$, $\overline{AB}^2=400$

∴ $\overline{AB}=20(cm)$ $(∵\overline{AB}>0)$

**03** △ADC에서 $x^2+12^2=13^2$이므로 $x^2=25$

∴ $x=5$ $(∵x>0)$

△ABC에서 $y^2=9^2+12^2$이므로 $y^2=225$

∴ $y=15$ $(∵y>0)$

**04** △OAB에서 $\overline{OB}^2=2^2+3^2$이므로 $\overline{OB}^2=13$

△OBC에서 $\overline{OC}^2=2^2+13$이므로 $\overline{OC}^2=17$

∴ $x^2=17$

## 28강 ✦ 피타고라스 정리의 확인　103~104쪽

**01** $\overline{CA}$, $\overline{AF}$, SAS, JAF, AFKJ

**02** (1) 25 cm² (2) 20 cm² (3) 30 cm² (4) 18 cm²
　　(5) 32 cm²

**03** 6, 100, 10, 10, $\dfrac{32}{5}$

**04** (1) $\dfrac{64}{5}$ (2) $\dfrac{36}{5}$

**05** 3, 25, 25

**06** (1) 169 cm² (2) 400 cm²

**07** (1) $x=15$, $y=9$ (2) $x=17$, $y=15$

**02** (1) $\square AFGB = \square ACDE + \square BHIC$
　　　　　　　$= 9+16 = 25(\text{cm}^2)$
　　(2) $\square BHIC = \square AFGB - \square ACDE$
　　　　　　　$= 96-76 = 20(\text{cm}^2)$
　　(3) $\square JKGB = \square BHIC = 30(\text{cm}^2)$
　　(4) $\triangle ABH = \triangle CBH = \dfrac{1}{2}\square BHIC$
　　　　　　　$= \dfrac{1}{2}\times 6\times 6 = 18(\text{cm}^2)$
　　(5) $\triangle AFC = \triangle ACE = \dfrac{1}{2}\square ACDE$
　　　　　　　$= \dfrac{1}{2}\times 8\times 8 = 32(\text{cm}^2)$

**04** (1) $\triangle ABC$에서 $\overline{BC}^2 = 12^2+16^2$, $\overline{BC}^2 = 400$
　　　$\therefore \overline{BC} = 20(\text{cm})$ $(\because \overline{BC} > 0)$
　　　$\overline{AC}^2 = \overline{CH}\times\overline{CB}$이므로
　　　$16^2 = x\times 20$　$\therefore x = \dfrac{64}{5}$
　　(2) $\triangle ABC$에서 $\overline{BC}^2 = 9^2+12^2$이므로 $\overline{BC}^2 = 225$
　　　$\therefore \overline{BC} = 15(\text{cm})$ $(\because \overline{BC} > 0)$
　　　$\overline{AB}\times\overline{AC} = \overline{AH}\times\overline{BC}$이므로
　　　$9\times 12 = x\times 15$　$\therefore x = \dfrac{36}{5}$

**06** (1) $\overline{BE} = \overline{CF} = 12$ cm이므로 $\triangle EBF$에서
　　　$\overline{EF}^2 = 12^2+5^2$, $\overline{EF}^2 = 169$
　　　$\square EFGH$는 정사각형이므로
　　　$\square EFGH = \overline{EF}^2 = 169(\text{cm}^2)$
　　(2) $\overline{BE} = \overline{AH} = 16$ cm이므로 $\triangle EBF$에서
　　　$\overline{EF}^2 = 16^2+12^2$, $\overline{EF}^2 = 400$
　　　$\square EFGH$는 정사각형이므로
　　　$\square EFGH = \overline{EF}^2 = 400(\text{cm}^2)$

**07** (1) $\square EFGH$는 정사각형이므로 $\overline{EH}^2 = 225$
　　　$\therefore \overline{EH} = 15(\text{cm})$ $(\because \overline{EH} > 0)$　$\therefore x = 15$
　　　$\triangle AEH$에서 $y^2+12^2 = 15^2$, $y^2 = 81$
　　　$\therefore y = 9$ $(\because y > 0)$
　　(2) $\square EFGH$는 정사각형이므로 $\overline{EH}^2 = 289$
　　　$\therefore \overline{EH} = 17(\text{cm})$ $(\because \overline{EH} > 0)$　$\therefore x = 17$
　　　$\triangle AEH$에서 $y^2+8^2 = 17^2$, $y^2 = 225$
　　　$\therefore y = 15$ $(\because y > 0)$

## 힘수 만점　105쪽

**01** ② **02** 100 cm² **03** $\dfrac{225}{8}$ **04** 24 cm²
**05** 9 cm²

**01** $\overline{DB} /\!/ \overline{EA}$이므로 $\triangle EAC = \triangle EAB$
　　$\triangle EAB$와 $\triangle CAF$에서
　　$\overline{EA} = \overline{CA}$, $\overline{AB} = \overline{AF}$, $\angle EAB = \angle CAF$이므로
　　$\triangle EAB \equiv \triangle CAF$ (SAS 합동)
　　$\therefore \triangle EAB = \triangle CAF$
　　$\overline{AF} /\!/ \overline{CK}$이므로 $\triangle CAF = \triangle JAF$
　　따라서 $\triangle EAC = \triangle EAB = \triangle CAF = \triangle JAF$이므로 넓이가
　　나머지 넷과 다른 하나는 ② $\triangle ABH$이다.

**02** $\square AFKJ = \square ACDE = 100(\text{cm}^2)$

**03** $\triangle AHC$에서 $\overline{AH}^2+15^2 = 17^2$이므로 $\overline{AH}^2 = 64$
　　$\therefore \overline{AH} = 8(\text{cm})$ $(\because \overline{AH} > 0)$
　　$\overline{CH}^2 = \overline{AH}\times\overline{BH}$이므로
　　$15^2 = 8x$에서 $x = \dfrac{225}{8}$

**04** $\square EFGH$는 정사각형이므로
　　$\overline{EF}^2 = 100$
　　직각삼각형 $EBF$에서 $\overline{BF}^2+8^2 = 100$
　　$\overline{BF}^2 = 100-64 = 36$　$\therefore \overline{BF} = 6(\text{cm})$ $(\because \overline{BF} > 0)$
　　$\therefore \triangle EBF = \dfrac{1}{2}\times 8\times 6 = 24(\text{cm}^2)$

**05** 직각삼각형 $ABE$에서
　　$\overline{BE}^2+9^2 = 15^2$
　　$\overline{BE}^2 = 144$　$\therefore \overline{BE} = 12(\text{cm})$ $(\because \overline{BE} > 0)$
　　$\overline{AH} = \overline{BE} = 12(\text{cm})$이므로
　　$\overline{EH} = \overline{AH} - \overline{AE} = 3(\text{cm})$
　　이때 $\square EFGH$는 정사각형이므로
　　$\square EFGH = 3^2 = 9(\text{cm}^2)$

**29 강 + 피타고라스 정리의 활용**　　　　106~108쪽

01 (1) × (2) × (3) × (4) ○ (5) × (6) ○
02 (1) 5 (2) 17 (3) 25 (4) 20
03 (1) 둔 (2) 예 (3) 둔 (4) 직 (5) 예 (6) 직
04 (1) 89 (2) 221
05 (1) 205 (2) 106
06 (1) 52 (2) 19
07 (1) 208 (2) 130 (3) 136 (4) 117
08 (1) 45 (2) 32
09 (1) 45 (2) 74 (3) 80 (4) 117
10 (1) 40 (2) 61

01 (1) $3^2 \neq 2^2 + 2^2$이므로 직각삼각형이 아니다.
　(2) $6^2 \neq 3^2 + 5^2$이므로 직각삼각형이 아니다.
　(3) $8^2 \neq 4^2 + 5^2$이므로 직각삼각형이 아니다.
　(4) $10^2 = 6^2 + 8^2$이므로 직각삼각형이다.
　(5) $12^2 \neq 7^2 + 9^2$이므로 직각삼각형이 아니다.
　(6) $15^2 = 9^2 + 12^2$이므로 직각삼각형이다.

02 (1) $x^2 = 3^2 + 4^2$이어야 하므로 $x^2 = 25$　∴ $x = 5$ ($\because x > 0$)
　(2) $x^2 = 8^2 + 15^2$이어야 하므로 $x^2 = 289$
　　∴ $x = 17$ ($\because x > 0$)
　(3) $x^2 = 7^2 + 24^2$이어야 하므로 $x^2 = 625$
　　∴ $x = 25$ ($\because x > 0$)
　(4) $x^2 = 12^2 + 16^2$이어야 하므로 $x^2 = 400$
　　∴ $x = 20$ ($\because x > 0$)

03 (1) $3^2 + 4^2 < 6^2$이므로 둔각삼각형이다.
　(2) $4^2 + 6^2 > 7^2$이므로 예각삼각형이다.
　(3) $5^2 + 7^2 < 10^2$이므로 둔각삼각형이다.
　(4) $10^2 + 24^2 = 26^2$이므로 직각삼각형이다.
　(5) $11^2 + 12^2 > 14^2$이므로 예각삼각형이다.
　(6) $15^2 + 20^2 = 25^2$이므로 직각삼각형이다.

04 (1) $\overline{DE}^2 + \overline{BC}^2 = \overline{BE}^2 + \overline{CD}^2$이므로
　　$\overline{DE}^2 + \overline{BC}^2 = 8^2 + 5^2 = 89$
　(2) $\overline{DE}^2 + \overline{BC}^2 = \overline{BE}^2 + \overline{CD}^2$이므로
　　$\overline{DE}^2 + \overline{BC}^2 = 10^2 + 11^2 = 221$

05 (1) $\overline{BE}^2 + \overline{CD}^2 = \overline{DE}^2 + \overline{BC}^2$이므로
　　$\overline{BE}^2 + \overline{CD}^2 = 6^2 + 13^2 = 205$
　(2) $\overline{BE}^2 + \overline{CD}^2 = \overline{DE}^2 + \overline{BC}^2$이므로
　　$\overline{BE}^2 + \overline{CD}^2 = 5^2 + 9^2 = 106$

06 (1) $\overline{DE}^2 + \overline{BC}^2 = \overline{BE}^2 + \overline{CD}^2$이므로
　　$3^2 + x^2 = 6^2 + 5^2$　∴ $x^2 = 52$

　(2) $\overline{DE}^2 + \overline{BC}^2 = \overline{BE}^2 + \overline{CD}^2$이므로
　　$2^2 + 8^2 = x^2 + 7^2$　∴ $x^2 = 19$

07 (1) $\overline{AB}^2 + \overline{CD}^2 = \overline{AD}^2 + \overline{BC}^2$이므로
　　$x^2 + y^2 = 8^2 + 12^2$　∴ $x^2 + y^2 = 208$
　(2) $\overline{AB}^2 + \overline{CD}^2 = \overline{AD}^2 + \overline{BC}^2$이므로
　　$x^2 + y^2 = 7^2 + 9^2$　∴ $x^2 + y^2 = 130$
　(3) $\overline{AB}^2 + \overline{CD}^2 = \overline{AD}^2 + \overline{BC}^2$이므로
　　$x^2 + y^2 = 6^2 + 10^2$　∴ $x^2 + y^2 = 136$
　(4) $\overline{AB}^2 + \overline{CD}^2 = \overline{AD}^2 + \overline{BC}^2$이므로
　　$x^2 + y^2 = 9^2 + 6^2$　∴ $x^2 + y^2 = 117$

08 (1) $\overline{AB}^2 + \overline{CD}^2 = \overline{AD}^2 + \overline{BC}^2$이므로
　　$6^2 + 5^2 = 4^2 + x^2$　∴ $x^2 = 45$
　(2) $\overline{AB}^2 + \overline{CD}^2 = \overline{AD}^2 + \overline{BC}^2$이므로
　　$4^2 + 5^2 = x^2 + 3^2$　∴ $x^2 = 32$

09 (1) $\overline{AP}^2 + \overline{CP}^2 = \overline{BP}^2 + \overline{DP}^2$이므로
　　$x^2 + y^2 = 6^2 + 3^2$　∴ $x^2 + y^2 = 45$
　(2) $\overline{AP}^2 + \overline{CP}^2 = \overline{BP}^2 + \overline{DP}^2$이므로
　　$x^2 + y^2 = 5^2 + 7^2$　∴ $x^2 + y^2 = 74$
　(3) $\overline{AP}^2 + \overline{CP}^2 = \overline{BP}^2 + \overline{DP}^2$이므로
　　$4^2 + 8^2 = y^2 + x^2$　∴ $x^2 + y^2 = 80$
　(4) $\overline{AP}^2 + \overline{CP}^2 = \overline{BP}^2 + \overline{DP}^2$이므로
　　$9^2 + 6^2 = y^2 + x^2$　∴ $x^2 + y^2 = 117$

10 (1) $\overline{AP}^2 + \overline{CP}^2 = \overline{BP}^2 + \overline{DP}^2$이므로
　　$x^2 + 7^2 = 5^2 + 8^2$　∴ $x^2 = 40$
　(2) $\overline{AP}^2 + \overline{CP}^2 = \overline{BP}^2 + \overline{DP}^2$이므로
　　$9^2 + 4^2 = x^2 + 6^2$　∴ $x^2 = 61$

**힘수 만점**　　　　109쪽

01 ⑤　02 ③, ④　03 5　04 19　05 32

01 ① $3^2 + 5^2 \neq 7^2$이므로 직각삼각형이 아니다.
　② $4^2 + 6^2 \neq 8^2$이므로 직각삼각형이 아니다.
　③ $6^2 + 7^2 \neq 10^2$이므로 직각삼각형이 아니다.
　④ $6^2 + 8^2 \neq 12^2$이므로 직각삼각형이 아니다.
　⑤ $8^2 + 15^2 = 17^2$이므로 직각삼각형이다.

02 ① $3^2 + 4^2 < 6^2$이므로 둔각삼각형이다.
　② $4^2 + 8^2 < 10^2$이므로 둔각삼각형이다.
　③ $5^2 + 8^2 > 9^2$이므로 예각삼각형이다.
　④ $6^2 + 10^2 > 11^2$이므로 예각삼각형이다.
　⑤ $9^2 + 12^2 = 15^2$이므로 직각삼각형이다.

**03** $\overline{DE}^2+\overline{BC}^2=\overline{BE}^2+\overline{CD}^2$이므로

$x^2+6^2=5^2+4^2$ $\quad\therefore x^2=5$

**04** $\overline{AB}^2+\overline{CD}^2=\overline{AD}^2+\overline{BC}^2$이므로

$y^2+9^2=x^2+10^2$ $\quad\therefore y^2-x^2=19$

**05** $\overline{AP}^2+\overline{CP}^2=\overline{BP}^2+\overline{DP}^2$이므로

$9^2+y^2=7^2+x^2$ $\quad\therefore x^2-y^2=32$

---

**30강** **직각삼각형에서 세 반원 사이의 관계** 110~111쪽

**01** (1) 43 cm² (2) 34 cm² (3) 15 cm² (4) 7 cm²
(5) 32π cm² (6) 72π cm² (7) 26π cm² (8) 33π cm²

**02** (1) 20 cm² (2) 45 cm² (3) 28 cm² (4) 23 cm²
(5) 12 cm² (6) 8 cm² (7) 24 cm² (8) 60 cm²

**01** (1) (색칠한 부분의 넓이)$=28+15=43(\text{cm}^2)$

(2) (색칠한 부분의 넓이)$=14+20=34(\text{cm}^2)$

(3) (색칠한 부분의 넓이)$=25-10=15(\text{cm}^2)$

(4) (색칠한 부분의 넓이)$=18-11=7(\text{cm}^2)$

(5) (색칠한 부분의 넓이)$=\dfrac{1}{2}\times\pi\times8^2=32\pi(\text{cm}^2)$

(6) (색칠한 부분의 넓이)$=\dfrac{1}{2}\times\pi\times12^2=72\pi(\text{cm}^2)$

(7) (색칠한 부분의 넓이)$=8\pi+\dfrac{1}{2}\times\pi\times6^2$
$\qquad\qquad\qquad\qquad\quad=8\pi+18\pi=26\pi(\text{cm}^2)$

(8) (색칠한 부분의 넓이)$=\dfrac{1}{2}\times\pi\times4^2+25\pi$
$\qquad\qquad\qquad\qquad\quad=8\pi+25\pi=33\pi(\text{cm}^2)$

**02** (1) (색칠한 부분의 넓이)$=\dfrac{1}{2}\times8\times5=20(\text{cm}^2)$

(2) (색칠한 부분의 넓이)$=\dfrac{1}{2}\times9\times10=45(\text{cm}^2)$

(3) (색칠한 부분의 넓이)$=20+8=28(\text{cm}^2)$

(4) (색칠한 부분의 넓이)$=7+16=23(\text{cm}^2)$

(5) (색칠한 부분의 넓이)$=27-15=12(\text{cm}^2)$

(6) (색칠한 부분의 넓이)$=40-32=8(\text{cm}^2)$

(7) △ABC에서 $\overline{AB}^2+6^2=10^2$
$\overline{AB}^2=64$ $\quad\therefore \overline{AB}=8(\text{cm})\ (\because \overline{AB}>0)$
$\therefore$ (색칠한 부분의 넓이)$=\dfrac{1}{2}\times8\times6=24(\text{cm}^2)$

(8) △ABC에서 $\overline{AB}^2+15^2=17^2$
$\overline{AB}^2=64$ $\quad\therefore \overline{AB}=8(\text{cm})\ (\because \overline{AB}>0)$
$\therefore$ (색칠한 부분의 넓이)$=\dfrac{1}{2}\times8\times15=60(\text{cm}^2)$

---

**함수 만점** 112쪽

**01** 23 cm² **02** 100π cm² **03** 30 cm² **04** 10 cm

**01** (색칠한 부분의 넓이)$=35-12=23(\text{cm}^2)$

**02** (색칠한 부분의 넓이)$=2\times\dfrac{1}{2}\times\pi\times10^2=100\pi(\text{cm}^2)$

**03** △ABC에서 $\overline{AC}^2+5^2=13^2$
$\overline{AC}^2=144$
$\therefore \overline{AC}=12(\text{cm})\ (\because \overline{AC}>0)$
$\therefore$ (색칠한 부분의 넓이)$=\dfrac{1}{2}\times5\times12=30(\text{cm}^2)$

**04** 색칠한 부분의 넓이가 24 cm²이므로
△ABC의 넓이는 24 cm²이다.
$\dfrac{1}{2}\times6\times\overline{AC}=24$
$\therefore \overline{AC}=8(\text{cm})$
△ABC에서
$\overline{BC}^2=6^2+8^2,\ \overline{BC}^2=100$
$\therefore \overline{BC}=10(\text{cm})\ (\because \overline{BC}>0)$

---

**31강 중단원 연산 마무리** 113~114쪽

**01** (1) 13 (2) 15

**02** (1) $x=9,\ y=7$ (2) $x=8,\ y=15$

**03** (1) 84 cm² (2) 25 cm² (3) 72 cm²

**04** (1) $\dfrac{225}{8}$ (2) $\dfrac{60}{13}$

**05** 65 cm² **06** $x=10,\ y=6$

**07** (1) 둔 (2) 직 (3) 예 (4) 둔

**08** (1) 130 (2) 52 (3) 34

**09** (1) 38π cm² (2) 32 cm²

**10** 4 cm **11** 50 cm² **12** ③ **13** 50π cm²

**01** (1) $x^2=5^2+12^2$이므로 $x^2=169$
$\therefore x=13\ (\because x>0)$

(2) $8^2+x^2=17^2$이므로 $x^2=225$
$\therefore x=15\ (\because x>0)$

**02** (1) △ABD에서 $12^2+x^2=15^2$
$x^2=81$ $\quad\therefore x=9\ (\because x>0)$
△ABC에서 $12^2+\overline{BC}^2=20^2$

---

$$\overline{BC}^2=256$$

$$\therefore \overline{BC}=16(cm)\ (\because \overline{BC}>0)$$

$$\therefore y=16-9=7$$

(2) $\triangle ABD$에서 $6^2+x^2=10^2$

$$x^2=64 \qquad \therefore x=8\ (\because x>0)$$

$\triangle ADC$에서 $8^2+y^2=17^2$

$$y^2=225 \qquad \therefore y=15\ (\because y>0)$$

**03** (1) $\square AFGB=\square ACDE+\square BHIC$

$$=36+48=84(cm^2)$$

(2) $\square JKGB=\square BHIC=25(cm^2)$

(3) $\triangle ABC$에서 $\overline{AC}^2+9^2=15^2$이므로

$$\overline{AC}^2=144$$

$$\therefore \overline{AC}=12(cm)\ (\because \overline{AC}>0)$$

$$\therefore \triangle AFC=\triangle ACE=\frac{1}{2}\square ACDE$$

$$=\frac{1}{2}\times12\times12=72(cm^2)$$

**04** (1) $\triangle AHC$에서 $\overline{CH}^2+15^2=17^2$이므로 $\overline{CH}^2=64$

$$\therefore \overline{CH}=8(cm)\ (\because \overline{CH}^2>0)$$

$\overline{AH}^2=\overline{BH}\times\overline{CH}$이므로

$$15^2=8x에서 x=\frac{225}{8}$$

(2) $\triangle ABC$에서 $\overline{BC}^2=12^2+5^2$이므로 $\overline{BC}^2=169$

$$\therefore \overline{BC}=13(cm)\ (\because \overline{BC}>0)$$

$\overline{AB}\times\overline{AC}=\overline{AH}\times\overline{BC}$이므로

$$12\times5=x\times13$$

$$\therefore x=\frac{60}{13}$$

**05** $\overline{AE}=\overline{DH}=4\,cm$이므로 $\triangle AEH$에서

$$\overline{EH}^2=7^2+4^2,\ \overline{EH}^2=65$$

$\square EFGH$는 정사각형이므로

$$\square EFGH=\overline{EH}^2=65(cm^2)$$

**06** $\square EFGH$는 정사각형이므로

$$\overline{EH}^2=100$$

$$\therefore \overline{EH}=10(cm)\ (\because \overline{EH}>0)$$

$$\therefore x=10$$

직각삼각형 $AEH$에서 $y^2+8^2=100$

$$y^2=100-64=36$$

$$\therefore y=6\ (\because y>0)$$

**07** (1) $2^2+4^2<5^2$이므로 둔각삼각형이다.

(2) $3^2+4^2=5^2$이므로 직각삼각형이다.

(3) $4^2+6^2>7^2$이므로 예각삼각형이다.

(4) $5^2+8^2<12^2$이므로 둔각삼각형이다.

**08** (1) $\overline{DE}^2+\overline{BC}^2=\overline{BE}^2+\overline{CD}^2$이므로

$$x^2+y^2=9^2+7^2$$

$$\therefore x^2+y^2=130$$

(2) $\overline{AB}^2+\overline{CD}^2=\overline{AD}^2+\overline{BC}^2$이므로

$$6^2+4^2=x^2+y^2$$

$$\therefore x^2+y^2=52$$

(3) $\overline{AP}^2+\overline{CP}^2=\overline{BP}^2+\overline{DP}^2$이므로

$$x^2+y^2=5^2+3^2$$

$$\therefore x^2+y^2=34$$

**09** (1) (색칠한 부분의 넓이)$=40\pi-\frac{1}{2}\times\pi\times2^2$

$$=40\pi-2\pi$$

$$=38\pi(cm^2)$$

(2) (색칠한 부분의 넓이)$=56-24=32(cm^2)$

**10** $\triangle AOB$에서 $\overline{OB}^2=2^2+2^2=8$

$\triangle BOC$에서 $\overline{OC}^2=2^2+8=12$

$\triangle COD$에서 $\overline{OD}^2=2^2+12=16$

$$\therefore \overline{OD}=4(cm)\ (\because \overline{OD}>0)$$

**11** $\triangle ABC$와 $\triangle DEB$가 합동이므로 $\triangle CBE$는 $\angle CBE=90°$인 직각이등변삼각형이다.

$\overline{AB}=\overline{DE}=6\,cm$이므로 $\triangle ABC$에서

$$\overline{BC}^2=8^2+6^2,\ \overline{BC}^2=100$$

$$\therefore \overline{BC}=10(cm)\ (\because \overline{BC}>0)$$

$$\therefore \triangle CBE=\frac{1}{2}\times10\times10=50(cm^2)$$

**12** ㄱ. $6^2+8^2\neq12^2$이므로 직각삼각형이 아니다.

ㄴ. $8^2+15^2=17^2$이므로 직각삼각형이다.

ㄷ. $9^2+12^2=15^2$이므로 직각삼각형이다.

ㄹ. $12^2+14^2\neq20^2$이므로 직각삼각형이 아니다.

따라서 직각삼각형인 것은 ㄴ, ㄷ이다.

**13** 색칠한 부분의 넓이는 $\overline{BC}$를 지름으로 하는 반원의 넓이와 같으므로

$$\frac{1}{2}\times\pi\times10^2=50\pi(cm^2)$$

## VI 확률과 그 기본 성질

**힘수 점검** 117쪽

1. (1) $\dfrac{3}{4}$ (2) $\dfrac{3}{5}$

2. 30, 10

3. (1) $\dfrac{1}{2}$ (2) $\dfrac{3}{10}$

4. 0.1, 0.3, 0.4, 0.2, 1

**32강 ✦ 사건과 경우의 수** 118~120쪽

01 (1) 3 (2) 2 (3) 3 (4) 4
02 (1) 5 (2) 2 (3) 4 (4) 3
03 (1) (뒷면, 앞면), (뒷면, 뒷면) (2) 2 (3) 2
04 (1) 풀이 참조 (2) 5 (3) 8 (4) 4
05 (1) 4, 3, 4, 3, 7 (2) 7 (3) 8 (4) 5
06 (1) 9 (2) 13 (3) 6, 4, 6, 4, 9 (4) 7
07 (1) 9 (2) 8 (3) 10 (4) 6
08 (1) 5, 3, 5, 3, 15 (2) 20 (3) 9 (4) 6
09 (1) 12 (2) 3 (3) 4
10 (1) 36 (2) 9 (3) 6 (4) 9 (5) 9

01 (1) 짝수가 나오는 경우는 2, 4, 6의 3가지
 (2) 3의 배수가 나오는 경우는 3, 6의 2가지
 (3) 소수가 나오는 경우는 2, 3, 5의 3가지
 (4) 6의 약수가 나오는 경우는 1, 2, 3, 6의 4가지

02 (1) 4 이상 8 이하의 수가 나오는 경우는 4, 5, 6, 7, 8의 5가지
 (2) 5의 배수가 나오는 경우는 5, 10의 2가지
 (3) 소수가 나오는 경우는 2, 3, 5, 7의 4가지
 (4) 9의 약수가 나오는 경우는 1, 3, 9의 3가지

03 (2) 앞면이 한 개만 나오는 경우는 (앞면, 뒷면), (뒷면, 앞면)의 2가지
 (3) 서로 같은 면이 나오는 경우는 (앞면, 앞면), (뒷면, 뒷면)의 2가지

04 (1)

| A \ B | 1 | 2 | 3 | 4 | 5 | 6 |
|---|---|---|---|---|---|---|
| 1 | (1, 1) | (1, 2) | (1, 3) | (1, 4) | (1, 5) | (1, 6) |
| 2 | (2, 1) | (2, 2) | (2, 3) | (2, 4) | (2, 5) | (2, 6) |
| 3 | (3, 1) | (3, 2) | (3, 3) | (3, 4) | (3, 5) | (3, 6) |
| 4 | (4, 1) | (4, 2) | (4, 3) | (4, 4) | (4, 5) | (4, 6) |
| 5 | (5, 1) | (5, 2) | (5, 3) | (5, 4) | (5, 5) | (5, 6) |
| 6 | (6, 1) | (6, 2) | (6, 3) | (6, 4) | (6, 5) | (6, 6) |

 (2) 두 눈의 수의 합이 6인 경우는 (1, 5), (2, 4), (3, 3), (4, 2), (5, 1)의 5가지
 (3) 두 눈의 수의 차가 2인 경우는 (1, 3), (2, 4), (3, 1), (3, 5), (4, 2), (4, 6), (5, 3), (6, 4)의 8가지
 (4) 두 눈의 수의 곱이 12인 경우는 (2, 6), (3, 4), (4, 3), (6, 2)의 4가지

05 (2) 소설을 빌리는 경우는 5가지, 시집을 빌리는 경우는 2가지이므로 구하는 경우의 수는 5＋2＝7
 (3) 김밥을 주문하는 경우는 5가지, 라면을 주문하는 경우는 3가지이므로 구하는 경우의 수는 5＋3＝8
 (4) 버스를 이용하는 경우는 3가지, 지하철을 이용하는 경우는 2가지이므로 구하는 경우의 수는 3＋2＝5

06 (1) 5 이하의 수가 적힌 공이 나오는 경우는 1, 2, 3, 4, 5의 5가지, 17 이상의 수가 적힌 공이 나오는 경우는 17, 18, 19, 20의 4가지이므로 구하는 경우의 수는 5＋4＝9
 (2) 소수가 적힌 공이 나오는 경우는 2, 3, 5, 7, 11, 13, 17, 19의 8가지, 4의 배수가 적힌 공이 나오는 경우는 4, 8, 12, 16, 20의 5가지이므로 구하는 경우의 수는 8＋5＝13
 (4) 4의 배수가 적힌 공이 나오는 경우는 4, 8, 12, 16, 20의 5가지, 6의 배수가 나오는 경우는 6, 12, 18의 3가지이다. 그런데 12는 두 가지 경우에 모두 포함되므로 구하는 경우의 수는 5＋3－1＝7

07 (1) 두 개의 주사위에서 나오는 눈의 수를 순서쌍으로 나타내면 두 눈의 수의 합이 4인 경우는 (1, 3), (2, 2), (3, 1)의 3가지, 두 눈의 수의 합이 7인 경우는 (1, 6), (2, 5), (3, 4), (4, 3), (5, 2), (6, 1)의 6가지이므로 구하는 경우의 수는 3＋6＝9
 (2) 두 눈의 수의 차가 3인 경우는 (1, 4), (2, 5), (3, 6), (4, 1), (5, 2), (6, 3)의 6가지, 두 눈의 수의 차가 5인 경우는 (1, 6), (6, 1)의 2가지이므로 구하는 경우의 수는 6＋2＝8
 (3) 두 눈의 수의 차가 0인 경우는 (1, 1), (2, 2), (3, 3), (4, 4), (5, 5), (6, 6)의 6가지, 두 눈의 수의 차가 4인 경우는 (1, 5), (2, 6), (5, 1), (6, 2)의 4가지이므로 구하는 경우의 수는 6＋4＝10
 (4) 두 눈의 수의 합이 2인 경우는 (1, 1)의 1가지, 두 눈의 수의 합이 3인 경우는 (1, 2), (2, 1)의 2가지, 두 눈의 수의 합이 4인 경우는 (1, 3), (2, 2), (3, 1)의 3가지이므로 구하는 경우의 수는 1＋2＋3＝6

**08** (2) 자음을 고르는 경우의 수는 5, 모음을 고르는 경우의 수는 4이므로 구하는 경우의 수는 $5 \times 4 = 20$

(3) 지원이가 낼 수 있는 모든 경우는 가위, 바위, 보의 3가지, 현준이가 낼 수 있는 모든 경우는 가위, 바위, 보의 3가지이므로 구하는 경우의 수는 $3 \times 3 = 9$

(4) 집에서 서점까지 가는 길은 2가지, 서점에서 학교까지 가는 길은 3가지이므로 구하는 경우의 수는 $2 \times 3 = 6$

**09** (1) 한 개의 동전을 던질 때 나올 수 있는 모든 경우의 수는 2, 한 개의 주사위를 던질 때 나올 수 있는 모든 경우의 수는 6이므로 구하는 경우의 수는 $2 \times 6 = 12$

(2) 동전의 앞면이 나오는 경우는 1가지, 주사위에서 소수의 눈이 나오는 경우는 2, 3, 5의 3가지이므로 구하는 경우의 수는 $1 \times 3 = 3$

(3) 동전의 뒷면이 나오는 경우는 1가지, 주사위에서 6의 약수의 눈이 나오는 경우는 1, 2, 3, 6의 4가지이므로 구하는 경우의 수는 $1 \times 4 = 4$

**10** (1) 한 개의 주사위에서 나올 수 있는 모든 경우의 수는 6이므로 구하는 경우의 수는 $6 \times 6 = 36$

(2) 주사위에서 홀수의 눈이 나오는 경우는 1, 3, 5의 3가지이므로 $3 \times 3 = 9$

(3) 3 이하인 수의 눈이 나오는 경우는 1, 2, 3의 3가지, 5 이상인 수의 눈이 나오는 경우는 5, 6의 2가지이므로 구하는 경우의 수는 $3 \times 2 = 6$

(4) 짝수의 눈이 나오는 경우는 2, 4, 6의 3가지, 4의 약수의 눈이 나오는 경우는 1, 2, 4의 3가지이므로 구하는 경우의 수는 $3 \times 3 = 9$

(5) 두 눈의 수의 곱이 홀수이려면 두 주사위 모두 홀수의 눈이 나와야 한다.
홀수의 눈이 나오는 경우는 1, 3, 5의 3가지이므로 구하는 경우의 수는 $3 \times 3 = 9$

 **힘수 만점**

**121쪽**

| **01** 5 | **02** 4 | **03** 8 | **04** 12 | **05** 6 |

**01** 두 개의 주사위에서 나오는 눈의 수를 순서쌍으로 나타내면 두 눈의 수의 합이 8인 경우는
$(2, 6), (3, 5), (4, 4), (5, 3), (6, 2)$의 5가지이다.

**02** 2600원을 지불하는 방법을 표로 나타내면 다음과 같다.

| 500원(개) | 5 | 4 | 3 | 2 |
|---|---|---|---|---|
| 100원(개) | 1 | 6 | 11 | 16 |

따라서 구하는 방법의 수는 4이다.

**03** 짝수가 나오는 경우는 2, 4, 6, 8, 10의 5가지, 소수가 나오는 경우는 2, 3, 5, 7의 4가지이다.
그런데 2는 두 가지 경우에 모두 포함되므로 구하는 경우의 수는 $5 + 4 - 1 = 8$

**04** 집에서 문구점까지 가는 길은 4가지, 문구점에서 학교까지 가는 길은 3가지이므로 구하는 경우의 수는
$4 \times 3 = 12$

**05** 동전에서 서로 다른 면이 나오는 경우는 (앞, 뒤), (뒤, 앞)의 2가지, 주사위에서 4의 약수의 눈이 나오는 경우는 1, 2, 4의 3가지이므로 구하는 경우의 수는
$2 \times 3 = 6$

**33강 + 한 줄로 세우는 경우의 수, 정수를 만드는 경우의 수** 122~124쪽

**01** (1) 6  (2) 24  (3) 120
**02** (1) 12  (2) 24  (3) 20  (4) 60
**03** (1) 3, 2, 1, 6  (2) 2  (3) 2, 2, 2, 4
**04** (1) 24  (2) 6  (3) 12
**05** (1) 48  (2) 48  (3) 3, 2, 1, 6, 3, 2, 1, 6, 6, 6, 36  (4) 36
**06** (1) 48  (2) 36  **07** (1) 20  (2) 60
**08** (1) 30  (2) 120
**09** (1) 3, 5, 4, 4, 4, 4, 4, 12  (2) 8  (3) 11  (4) 8
**10** (1) 16  (2) 48  **11** (1) 25  (2) 100
**12** (1) 6  (2) 10  (3) 4  (4) 8

**01** (1) $3 \times 2 \times 1 = 6$

(2) 4권을 한 줄로 세우는 경우의 수와 같으므로
$4 \times 3 \times 2 \times 1 = 24$

(3) 5명을 한 줄로 세우는 경우의 수와 같으므로
$5 \times 4 \times 3 \times 2 \times 1 = 120$

**02** (1) $4 \times 3 = 12$

(2) $4 \times 3 \times 2 = 24$

(3) $5 \times 4 = 20$

(4) $5 \times 4 \times 3 = 60$

**03** (2) A, B를 제외한 2명이 한 줄로 서고 A가 맨 앞에, B가 맨 뒤에 서면 되므로 구하는 경우의 수는
$2 \times 1 = 2$

**04** (1) 어머니를 제외한 4명이 한 줄로 서고 어머니가 맨 앞에 서면 되므로 구하는 경우의 수는
$4 \times 3 \times 2 \times 1 = 24$

(2) 아버지와 어머니를 제외한 3명이 한 줄로 서고 아버지가 맨 앞에, 어머니가 세 번째에 서면 되므로 구하는 경우의 수는
$3 \times 2 \times 1 = 6$

(3) 아버지, 어머니를 제외한 3명이 한 줄로 서는 경우의 수는
$3 \times 2 \times 1 = 6$,
부모님끼리 양 끝에서 서로 자리를 바꾸는 경우의 수는
$2 \times 1 = 2$이므로 구하는 경우의 수는
$6 \times 2 = 12$

**05** (1) A, B를 하나로 묶어 (A, B), C, D, E를 한 줄로 세우는 경우의 수는 $4 \times 3 \times 2 \times 1 = 24$,
A, B가 자리를 바꾸는 경우의 수는 $2 \times 1 = 2$이므로
구하는 경우의 수는 $24 \times 2 = 48$

(2) C, D를 하나로 묶어 A, B, (C, D), E를 한 줄로 세우는 경우의 수는 $4 \times 3 \times 2 \times 1 = 24$,
C, D가 자리를 바꾸는 경우의 수는 $2 \times 1 = 2$이므로
구하는 경우의 수는 $24 \times 2 = 48$

(4) C, D, E를 하나로 묶어 A, B, (C, D, E)를 한 줄로 세우는 경우의 수는 $3 \times 2 \times 1 = 6$,
C, D, E가 자리를 바꾸는 경우의 수는 $3 \times 2 \times 1 = 6$이므로 구하는 경우의 수는 $6 \times 6 = 36$

**06** (1) 소설책 2권을 하나로 묶어 4권을 나란히 꽂는 경우의 수는
$4 \times 3 \times 2 \times 1 = 24$,
소설책끼리 자리를 바꾸는 경우의 수는 $2 \times 1 = 2$이므로 구하는 경우의 수는 $24 \times 2 = 48$

(2) 시집 3권을 하나로 묶어 3권을 나란히 꽂는 경우의 수는
$3 \times 2 \times 1 = 6$,
시집끼리 자리를 바꾸는 경우의 수는 $3 \times 2 \times 1 = 6$이므로 구하는 경우의 수는 $6 \times 6 = 36$

**07** (1) 십의 자리에 올 수 있는 숫자는 5가지, 일의 자리에 올 수 있는 숫자는 4가지이므로 구하는 자연수의 개수는
$5 \times 4 = 20$

(2) 백의 자리에 올 수 있는 숫자는 5가지, 십의 자리에 올 수 있는 숫자는 4가지, 일의 자리에 올 수 있는 숫자는 3가지 이므로 구하는 자연수의 개수는 $5 \times 4 \times 3 = 60$

**08** (1) 십의 자리에 올 수 있는 숫자는 6가지, 일의 자리에 올 수 있는 숫자는 5가지이므로 구하는 자연수의 개수는
$6 \times 5 = 30$

(2) 백의 자리에 올 수 있는 숫자는 6가지, 십의 자리에 올 수 있는 숫자는 5가지, 일의 자리에 올 수 있는 숫자는 4가지 이므로 구하는 자연수의 개수는 $6 \times 5 \times 4 = 120$

**09** (2) 일의 자리에 올 수 있는 숫자는 2, 4의 2가지,
십의 자리에 올 수 있는 숫자는 일의 자리의 숫자를 제외한 4가지이므로 구하는 짝수의 개수는 $2 \times 4 = 8$

(3) (ⅰ) 십의 자리의 숫자가 1, 2일 때
일의 자리에 올 수 있는 숫자는 십의 자리의 숫자를 제외한 4가지이므로 구하는 경우의 수는 $2 \times 4 = 8$

(ⅱ) 십의 자리의 숫자가 3일 때
일의 자리에 올 수 있는 숫자는 1, 2, 4의 3가지이므로
구하는 경우의 수는 3이다.

(ⅰ), (ⅱ)에서 구하는 경우의 수는 $8 + 3 = 11$

(4) 십의 자리에 올 수 있는 숫자는 4, 5의 2가지, 일의 자리에 올 수 있는 숫자는 십의 자리의 숫자를 제외한 4가지이므로 구하는 경우의 수는 $2 \times 4 = 8$

**10** (1) 십의 자리에 올 수 있는 숫자는 0을 제외한 4가지, 일의 자리에 올 수 있는 숫자는 십의 자리 숫자를 제외한 4가지이 므로 구하는 자연수의 개수는 $4 \times 4 = 16$

(2) 백의 자리에 올 수 있는 숫자는 0을 제외한 4가지, 십의 자리에 올 수 있는 숫자는 십의 자리 숫자를 제외한 4가지, 일의 자리에 올 수 있는 숫자는 3가지이므로 구하는 자연수의 개수는 $4 \times 4 \times 3 = 48$

**11** (1) 십의 자리에 올 수 있는 숫자는 0을 제외한 5가지, 일의 자리에 올 수 있는 숫자는 십의 자리 숫자를 제외한 5가지이 므로 구하는 자연수의 개수는 $5 \times 5 = 25$

(2) 백의 자리에 올 수 있는 숫자는 0을 제외한 5가지, 십의 자리에 올 수 있는 숫자는 십의 자리 숫자를 제외한 5가지, 일의 자리에 올 수 있는 숫자는 4가지이므로 구하는 자연수의 개수는 $5 \times 5 \times 4 = 100$

**12** (1) 일의 자리에 올 수 있는 숫자는 1, 3의 2가지,
십의 자리에 올 수 있는 숫자는 일의 자리의 숫자와 0을 제외한 3가지이므로 구하는 홀수의 개수는 $2 \times 3 = 6$

(2) 일의 자리에 올 수 있는 숫자는 0, 2, 4
(ⅰ) 일의 자리의 숫자가 0일 때, 십의 자리에 올 수 있는 숫자는 4가지이므로 구하는 경우의 수는 4

(ⅱ) 일의 자리의 숫자가 2, 4일 때, 십의 자리에 올 수 있는 숫자는 일의 자리의 숫자와 0을 제외한 3가지이므로 구하는 경우의 수는 $2 \times 3 = 6$

(ⅰ), (ⅱ)에서 구하는 경우의 수는 $4 + 6 = 10$

(3) 일의 자리에 올 수 있는 숫자는 0의 1가지, 십의 자리에 올 수 있는 숫자는 0을 제외한 4가지이므로 구하는 경우의 수는 $1 \times 4 = 4$

(4) (ⅰ) 십의 자리의 숫자가 3일 때
일의 자리에 올 수 있는 숫자는 3을 제외한 4가지

(ii) 십의 자리의 숫자가 4일 때
　일의 자리에 올 수 있는 숫자는 4를 제외한 4가지
(i), (ii)에서 구하는 경우의 수는 $4+4=8$

 힘수 만점　　　　　　　　　　125쪽

| **01** 12 | **02** 48 | **03** 144 | **04** 9 | **05** 17 |

**01** 4개 중 2개를 뽑아 한 줄 세우는 경우의 수와 같으므로
$4\times3=12$

**02** A, F를 제외한 4명이 한 줄로 서는 경우의 수는
$4\times3\times2\times1=24$,
A, F가 양 끝에서 자리를 바꾸는 경우의 수는 $2\times1=2$이므로 구하는 경우의 수는 $24\times2=48$

**03** (d, e, f)를 묶어서 a, b, c, (d, e, f)를 한 줄로 나열하는 경우의 수는 $4\times3\times2\times1=24$,
d, e, f가 자리를 바꾸는 경우의 수는 $3\times2\times1=6$이므로 구하는 경우의 수는 $24\times6=144$

**04** (i) 백의 자리의 숫자가 3일 때, 만들 수 있는 321보다 큰 세 자리 자연수는 324, 341, 342로 3가지이다.
(ii) 백의 자리의 숫자가 4일 때, 십의 자리에 올 수 있는 수는 4를 제외한 3가지, 일의 자리에 올 수 있는 수는 4와 십의 자리의 숫자를 제외한 2가지이므로 $3\times2=6$
(i), (ii)에서 구하는 경우의 수는 $3+6=9$

**05** 일의 자리의 숫자가 0일 때, 십의 자리에 올 수 있는 숫자는 9가지, 일의 자리의 숫자가 5일 때, 십의 자리에 올 수 있는 숫자는 0과 일의 자리의 숫자를 제외한 8가지이므로 구하는 경우의 수는 $9+8=17$

**34**강 ✛ 대표를 뽑는 경우의 수　　　126~127쪽

| **01** (1) 12 (2) 24 (3) 3 |
| **02** (1) 20 (2) 60 (3) 12 |
| **03** (1) 20 (2) 60 (3) 24 |
| **04** (1) 6 (2) 4 (3) 3 |
| **05** (1) 10 (2) 10 (3) 6 (4) 30 |
| **06** (1) 10 (2) 10 (3) 6 |
| **07** (1) 4, 3, 6 (2) 4, 3, 2, 4 |
| **08** (1) 10 (2) 10 |

**01** (1) 구하는 경우의 수는 4명 중 2명을 뽑아 한 줄로 세우는 경우의 수와 같으므로
$4\times3=12$
(2) 구하는 경우의 수는 4명 중 3명을 뽑아 한 줄로 세우는 경우의 수와 같으므로
$4\times3\times2=24$
(3) A를 제외한 3명 중 부회장 1명을 뽑는 경우의 수는 3

**02** (1) 구하는 경우의 수는 5명 중 2명을 뽑아 한 줄로 세우는 경우의 수와 같으므로
$5\times4=20$
(2) 구하는 경우의 수는 5명 중 3명을 뽑아 한 줄로 세우는 경우의 수와 같으므로
$5\times4\times3=60$
(3) 지민이를 제외한 4명 중 대표 1명과 총무 1명을 뽑는 경우의 수와 같으므로
$4\times3=12$

**03** (1) 5명 중에서 회장 1명과 부회장 1명을 뽑는 경우의 수는
$5\times4=20$
(2) 5명 중에서 회장 1명, 부회장 1명, 총무 1명을 뽑는 경우의 수는 $5\times4\times3=60$
(3) 여학생 중 회장 1명을 뽑는 경우의 수는 2,
회장으로 뽑힌 여학생 1명을 제외한 4명 중에서 부회장 1명과 총무 1명을 뽑는 경우의 수는 $4\times3=12$이므로
구하는 경우의 수는 $2\times12=24$

**04** (1) $\dfrac{4\times3}{2}=6$
(2) $\dfrac{4\times3\times2}{3\times2\times1}=4$
(3) 구하는 경우의 수는 3명 중 대표 2명을 뽑는 경우의 수와 같으므로
$\dfrac{3\times2}{2}=3$

**05** (1) $\dfrac{5\times4}{2}=10$
(2) $\dfrac{5\times4\times3}{3\times2\times1}=10$
(3) 구하는 경우의 수는 4명 중 대표 2명을 뽑는 경우의 수와 같으므로
$\dfrac{4\times3}{2}=6$
(4) 대표 1명을 뽑는 경우의 수는 5, 남은 4명 중 부대표 2명을 뽑는 경우의 수는 $\dfrac{4\times3}{2}=6$이므로 구하는 경우의 수는
$5\times6=30$

**06** (1) $\dfrac{5\times4}{2}=10$

(2) $\dfrac{5\times4\times3}{3\times2\times1}=10$

(3) 남학생 2명 중 대표 1명을 뽑는 경우의 수는 2, 여학생 3명 중 대표 2명을 뽑는 경우의 수는 $\dfrac{3\times2}{2}=3$이므로 구하는 경우의 수는

$2\times3=6$

**08** (1) 5개의 점 중에서 순서에 관계없이 2개의 점을 뽑아 선분을 그으면 되므로

$\dfrac{5\times4}{2}=10$(개)

(2) 5개의 점 중에서 순서에 관계없이 3개의 점을 뽑아 삼각형을 만들면 되므로

$\dfrac{5\times4\times3}{3\times2\times1}=10$(개)

**힘수 만점** 128쪽

**01** 120  **02** 15  **03** 35  **04** 10  **05** 35

**01** $6\times5\times4=120$

**02** $\dfrac{6\times5}{2}=15$

**03** $\dfrac{7\times6\times5}{3\times2\times1}=35$

**04** 수혁이를 제외한 5명 중에서 대표 2명을 뽑는 경우의 수와 같으므로

$\dfrac{5\times4}{2}=10$

**05** 6개의 점 중에서 순서에 관계없이 2개의 점을 뽑아 선분을 그으면 되므로 $\dfrac{6\times5}{2}=15$(개)에서

$a=15$

6개의 점 중에서 순서에 관계없이 3개의 점을 뽑아 삼각형을 만들면 되므로 $\dfrac{6\times5\times4}{3\times2\times1}=20$(개)에서

$b=20$

$\therefore a+b=15+20=35$

---

**35강 ✦ 확률의 뜻과 성질** 129~131쪽

**01** (1) 5, 3, $\dfrac{3}{5}$  (2) $\dfrac{2}{5}$

**02** (1) $\dfrac{1}{2}$  (2) $\dfrac{3}{10}$  (3) $\dfrac{2}{5}$

**03** (1) $\dfrac{1}{2}$  (2) $\dfrac{1}{4}$  (3) $\dfrac{3}{4}$  (4) $\dfrac{1}{2}$

**04** (1) $\dfrac{1}{5}$  (2) $\dfrac{1}{10}$  (3) $\dfrac{2}{5}$

**05** (1) $\dfrac{3}{5}$  (2) $\dfrac{2}{5}$

**06** (1) $\dfrac{13}{25}$  (2) $\dfrac{9}{25}$

**07** (1) $\dfrac{1}{4}$  (2) $\dfrac{3}{5}$

**08** (1) $\dfrac{2}{5}$  (2) 0  (3) 1

**09** (1) $\dfrac{1}{2}$  (2) 0  (3) 1

**10** (1) $\dfrac{2}{3}$  (2) $\dfrac{1}{5}$  (3) $\dfrac{3}{10}$  (4) $\dfrac{5}{8}$

**11** (1) $\dfrac{8}{9}$  (2) $\dfrac{35}{36}$  (3) $\dfrac{5}{6}$

**12** (1) $\dfrac{1}{4}$  (2) $\dfrac{3}{4}$

**13** (1) $\dfrac{5}{7}$  (2) $\dfrac{3}{4}$  (3) $\dfrac{6}{7}$  (4) $\dfrac{3}{4}$

**01** (2) 모든 경우의 수는 5이고, 파란 공을 꺼내는 경우의 수는 2이므로 구하는 확률은 $\dfrac{2}{5}$

**02** (1) 모든 경우의 수는 10이고, 짝수가 나오는 경우는 2, 4, 6, 8, 10의 5가지이므로 구하는 확률은 $\dfrac{5}{10}=\dfrac{1}{2}$

(2) 모든 경우의 수는 10이고, 3의 배수가 나오는 경우는 3, 6, 9의 3가지이므로 구하는 확률은 $\dfrac{3}{10}$

(3) 모든 경우의 수는 10이고, 8의 약수가 나오는 경우는 1, 2, 4, 8의 4가지이므로 $\dfrac{4}{10}=\dfrac{2}{5}$

**03** (1) 모든 경우의 수는 $2\times2=4$이고, 앞면이 한 개 나오는 경우는 (앞면, 뒷면), (뒷면, 앞면)의 2가지이므로 구하는 확률은 $\dfrac{2}{4}=\dfrac{1}{2}$

(2) 모든 경우의 수는 4이고, 모두 뒷면이 나오는 경우는 (뒷면, 뒷면)의 1가지이므로 구하는 확률은 $\dfrac{1}{4}$

(3) 모든 경우의 수는 4이고, 앞면이 한 개 이상 나오는 경우는 (앞면, 뒷면), (뒷면, 앞면), (앞면, 앞면)의 3가지이므로 구하는 확률은 $\dfrac{3}{4}$

(4) 모든 경우의 수는 4이고, 서로 같은 면이 나오는 경우는
(앞면, 앞면), (뒷면, 뒷면)의 2가지이므로 구하는 확률
은 $\dfrac{2}{4}=\dfrac{1}{2}$

**04** (1) 모든 경우의 수는 $5\times4\times3\times2\times1=120$, A가 맨 앞에 서
는 경우의 수는 A를 제외한 4명을 한 줄로 세우는 경우의
수와 같으므로 $4\times3\times2\times1=24$이다.

따라서 구하는 확률은 $\dfrac{24}{120}=\dfrac{1}{5}$

(2) 모든 경우의 수는 120이고, A, B가 양 끝에 서는 경우의
수는 $(3\times2\times1)\times(2\times1)=12$이므로 구하는 확률은

$\dfrac{12}{120}=\dfrac{1}{10}$

(3) 모든 경우의 수는 120이고, C, D가 이웃하여 서는 경우의
수는 $(4\times3\times2\times1)\times2=48$이므로 구하는 확률은

$\dfrac{48}{120}=\dfrac{2}{5}$

**05** (1) 모든 경우의 수는 $5\times4=20$이고, 두 자리 자연수가 홀수
인 경우의 수는 $3\times4=12$이므로 구하는 확률은 $\dfrac{12}{20}=\dfrac{3}{5}$

(2) 모든 경우의 수는 20이고, 두 자리 자연수가 40 이상인 경
우는 십의 자리의 숫자가 4, 5일 때 일의 자리의 숫자가 십
의 자리의 숫자를 제외한 4가지이므로 $2\times4=8$이다.

따라서 구하는 확률은 $\dfrac{8}{20}=\dfrac{2}{5}$

**06** (1) 모든 경우의 수는 $5\times5=25$이고,
두 자리 자연수가 짝수인 경우는
일의 자리의 숫자가 0일 때 5가지, 일의 자리의 숫자가 2일
때 4가지, 일의 자리의 숫자가 4일 때 4가지이므로 모두 13
가지이다.

따라서 구하는 경우의 수는 $\dfrac{13}{25}$

(2) 모든 경우의 수는 25이고,
두 자리 자연수가 5의 배수인 경우는 일의 자리의 숫자가 0
일 때 십의 자리의 숫자는 5가지, 일의 자리의 숫자가 5일
때 십의 자리의 숫자는 4가지이므로 9가지이다.

따라서 구하는 확률은 $\dfrac{9}{25}$

**07** (1) 모든 경우의 수는 $4\times3=12$이고,
A가 회장으로 뽑히는 경우의 수는 A를 제외한 3명 중 부
회장 1명을 뽑는 경우의 수와 같으므로 3이다. 따라서 구하
는 확률은 $\dfrac{3}{12}=\dfrac{1}{4}$

(2) 모든 경우의 수는 $\dfrac{5\times4\times3}{3\times2\times1}=10$이고,
대표 3명을 뽑을 때 우주가 대표로 뽑히는 경우의 수는 우
주를 제외한 4명 중 대표 2명을 뽑는 경우의 수와 같으므로

$\dfrac{4\times3}{2}=6$이다. 따라서 구하는 확률은 $\dfrac{6}{10}=\dfrac{3}{5}$

**08** (1) 모든 경우의 수는 5이고, 한 개를 꺼낼 때 빨간 공이 나오는
경우의 수는 2이므로 구하는 확률은 $\dfrac{2}{5}$

(2) 모든 경우의 수는 5이고, 노란 공이 나오는 경우의 수는 0
이므로 구하는 확률은 $\dfrac{0}{5}=0$

(3) 모든 경우의 수는 5이고, 공이 나오는 경우의 수는 5이므로
구하는 확률은 $\dfrac{5}{5}=1$

**09** (1) 모든 경우의 수는 10이고, 짝수인 경우는 2, 4, 6, 8, 10의
5가지이므로 구하는 확률은 $\dfrac{5}{10}=\dfrac{1}{2}$

(2) 모든 경우의 수는 10이고, 카드에 적힌 수가 20 이상인 경
우의 수는 0이므로 구하는 확률은 $\dfrac{0}{10}=0$

(3) 모든 경우의 수는 10이고, 카드에 적힌 수가 10 이하의 자
연수인 경우의 수는 10이므로 구하는 확률은 $\dfrac{10}{10}=1$

**10** (1) $1-\dfrac{1}{3}=\dfrac{2}{3}$

(2) $1-\dfrac{4}{5}=\dfrac{1}{5}$

(3) $1-\dfrac{7}{10}=\dfrac{3}{10}$

(4) $1-\dfrac{3}{8}=\dfrac{5}{8}$

**11** (1) 모든 경우의 수는 $6\times6=36$이고, 두 눈의 수의 합이 5인
경우는 $(1, 4), (2, 3), (3, 2), (4, 1)$의 4가지이므로 두
눈의 수의 합이 5일 확률은 $\dfrac{4}{36}=\dfrac{1}{9}$이다.

따라서 두 눈의 수의 합이 5가 아닐 확률은

$1-\dfrac{1}{9}=\dfrac{8}{9}$

(2) 모든 경우의 수는 36이고, 두 눈의 수의 합이 3 미만인 경
우는 $(1, 1)$의 1가지이므로 두 눈의 수의 합이 3 미만일 확
률은 $\dfrac{1}{36}$이다. 따라서 두 눈의 수의 합이 3 이상일 확률은

$1-\dfrac{1}{36}=\dfrac{35}{36}$

(3) 모든 경우의 수는 36이고, 두 눈의 수가 서로 같은 경우의
수는 6이므로 두 눈의 수가 서로 같을 확률은 $\dfrac{6}{36}=\dfrac{1}{6}$이다.

따라서 두 눈의 수가 서로 다를 확률은

$1-\dfrac{1}{6}=\dfrac{5}{6}$

**12** (1) 모든 경우의 수는 $2\times2=4$이고, 두 개 모두 앞면이 나오는
경우는 (앞, 앞)의 1가지이므로 구하는 확률은 $\dfrac{1}{4}$

(2) (적어도 하나는 뒷면이 나올 확률)

= 1 − (모두 앞면이 나올 확률)

= $1 - \frac{1}{4} = \frac{3}{4}$

**13** (1) 모든 경우의 수는 $\frac{7 \times 6}{2} = 21$이고, 대표 2명이 모두 여학생인 경우의 수는 $\frac{4 \times 3}{2} = 6$이므로 대표 2명이 모두 여학생일 확률은 $\frac{6}{21} = \frac{2}{7}$이다.

따라서 구하는 확률은 $1 - \frac{2}{7} = \frac{5}{7}$

(2) 모든 경우의 수는 $6 \times 6 = 36$이고, 두 개 모두 홀수의 눈이 나오는 경우는 $3 \times 3 = 9$이므로 두 개 모두 홀수일 확률은 $\frac{9}{36} = \frac{1}{4}$이다. 따라서 구하는 확률은 $1 - \frac{1}{4} = \frac{3}{4}$

(3) 모든 경우의 수는 $\frac{7 \times 6}{2} = 21$이고, 두 개 모두 파란 공인 경우의 수는 $\frac{3 \times 2}{2} = 3$이므로 두 개 모두 파란 공일 확률은 $\frac{3}{21} = \frac{1}{7}$이다. 따라서 구하는 확률은 $1 - \frac{1}{7} = \frac{6}{7}$

(4) 모든 경우의 수는 $2 \times 2 = 4$이고, 두 개 모두 맞히지 못하는 경우의 수는 1이므로 두 개 모두 맞히지 못할 확률은 $\frac{1}{4}$이다.

따라서 구하는 확률은 $1 - \frac{1}{4} = \frac{3}{4}$

**힘수 만점** 132쪽

**01** $\frac{1}{9}$ **02** $\frac{2}{5}$ **03** ②, ③ **04** $\frac{4}{5}$ **05** $\frac{7}{8}$

**01** 모든 경우의 수는 $6 \times 6 = 36$이고, 두 눈의 수의 합이 5인 경우는 $(1, 4), (2, 3), (3, 2), (4, 1)$의 4가지이므로 구하는 확률은 $\frac{4}{36} = \frac{1}{9}$

**02** 모든 경우의 수는 $5 \times 4 \times 3 \times 2 \times 1 = 120$이고, 모음 I, E를 이웃하게 나열하는 경우의 수는 $(4 \times 3 \times 2 \times 1) \times (2 \times 1) = 48$

따라서 구하는 확률은 $\frac{48}{120} = \frac{2}{5}$

**03** ① $0 \le p \le 1$

④ $q = 1$이면 사건 $A$는 일어나지 않는다.

⑤ 사건 $A$가 반드시 일어나는 사건이면 $p = 1$이다.

**04** 모든 경우의 수는 20이고, 5의 배수가 나오는 경우는 5, 10, 15, 20의 4가지이므로 5의 배수가 나올 확률은 $\frac{4}{20} = \frac{1}{5}$이다. 따라서 구하는 확률은 $1 - \frac{1}{5} = \frac{4}{5}$

**05** 모든 경우의 수는 $2 \times 2 \times 2 = 8$이고, 모두 뒷면이 나오는 경우의 수는 1이므로 모두 뒷면이 나올 확률은 $\frac{1}{8}$이다. 따라서 구하는 확률은 $1 - \frac{1}{8} = \frac{7}{8}$

**36강 + 확률의 계산** 133~135쪽

**01** (1) $\frac{4}{9}$ (2) $\frac{1}{3}$ (3) $\frac{2}{9}$ (4) $\frac{7}{9}$ (5) $\frac{5}{9}$

**02** (1) $\frac{1}{3}$ (2) $\frac{1}{6}$ (3) $\frac{1}{2}$

**03** (1) $\frac{1}{12}$ (2) $\frac{5}{36}$ (3) $\frac{2}{9}$

**04** (1) $\frac{2}{3}$ (2) $\frac{1}{2}$ (3) $\frac{13}{25}$

**05** (1) $\frac{2}{5}$ (2) $\frac{3}{4}$ (3) $\frac{3}{10}$

**06** (1) $\frac{1}{2}$ (2) $\frac{2}{3}$ (3) $\frac{1}{3}$

**07** (1) $\frac{1}{2}$ (2) $\frac{1}{3}$ (3) $\frac{1}{6}$

**08** (1) $\frac{9}{16}$ (2) $\frac{1}{16}$ (3) $\frac{15}{16}$

**09** (1) $\frac{1}{3}$ (2) $\frac{1}{3}$ (3) $\frac{2}{3}$

**10** (1) $\frac{1}{20}$ (2) $\frac{3}{5}$ (3) $\frac{2}{5}$

**11** (1) $\frac{23}{24}$ (2) $\frac{11}{20}$ (3) $\frac{3}{10}$

**01** (4) $\frac{4}{9} + \frac{1}{3} = \frac{7}{9}$

(5) $\frac{1}{3} + \frac{2}{9} = \frac{5}{9}$

**02** (1) 모든 경우의 수는 12이고, 3의 배수가 적힌 공이 나오는 경우는 3, 6, 9, 12의 4가지이므로 구하는 확률은 $\frac{4}{12} = \frac{1}{3}$

(2) 모든 경우의 수는 12이고, 5의 배수가 나오는 경우는 5, 10의 2가지이므로 구하는 확률은 $\frac{2}{12} = \frac{1}{6}$

(3) 두 사건은 동시에 일어나지 않으므로 $\frac{1}{3} + \frac{1}{6} = \frac{1}{2}$

**03** (1) 모든 경우의 수는 $6 \times 6 = 36$이고, 두 눈의 수의 합이 4인 경우는 $(1, 3), (2, 2), (3, 1)$의 3가지이므로 구하는 확률은 $\frac{3}{36} = \frac{1}{12}$

(2) 모든 경우의 수는 36이고, 두 눈의 수의 합이 8인 경우는 $(2, 6), (3, 5), (4, 4), (5, 3), (6, 2)$의 5가지이므로 구하는 확률은 $\frac{5}{36}$

(3) 두 사건은 동시에 일어나지 않으므로

$\frac{1}{12} + \frac{5}{36} = \frac{8}{36} = \frac{2}{9}$

**04** (1) 모든 경우의 수는 6이고, 수학 공책이 나오는 경우의 수는 3이므로 수학 공책이 나올 확률은 $\frac{3}{6}=\frac{1}{2}$

과학 공책이 나오는 경우의 수는 1이므로 과학 공책이 나올 확률은 $\frac{1}{6}$

따라서 구하는 확률은 $\frac{1}{2}+\frac{1}{6}=\frac{4}{6}=\frac{2}{3}$

(2) 모든 경우의 수는 $4\times3\times2\times1=24$이고, A 또는 B가 맨 앞에 오는 경우의 수는 $2\times(3\times2\times1)=12$이므로 구하는 확률은 $\frac{12}{24}=\frac{1}{2}$

(3) 한 명을 뽑을 때 논술반일 확률은 $\frac{4}{25}$, 줄넘기반일 확률은 $\frac{9}{25}$이므로 구하는 확률은 $\frac{4}{25}+\frac{9}{25}=\frac{13}{25}$

**05** (1) A 주머니에서 흰 공이 나올 확률은 $\frac{2}{5}$

(2) B 주머니에서 흰 공이 나올 확률은 $\frac{3}{4}$

(3) 두 주머니에서 모두 흰 공이 나올 확률은 $\frac{2}{5}\times\frac{3}{4}=\frac{3}{10}$

**06** (1) 모든 경우의 수는 2이고, 앞면이 나오는 경우의 수는 1이므로 구하는 확률은 $\frac{1}{2}$

(2) 모든 경우의 수는 6이고, 주사위에서 6의 약수의 눈이 나오는 경우의 수는 1, 2, 3, 6의 4가지이므로 구하는 확률은 $\frac{4}{6}=\frac{2}{3}$

(3) $\frac{1}{2}\times\frac{2}{3}=\frac{1}{3}$

**07** (1) 모든 경우의 수는 6이고, 주사위에서 4의 약수의 눈이 나오는 경우의 수는 1, 2, 4의 3가지이므로 그 확률은 $\frac{3}{6}=\frac{1}{2}$

(2) 모든 경우의 수는 6이고, 주사위에서 3의 배수의 눈이 나오는 경우의 수는 3, 6의 2가지이므로 그 확률은 $\frac{2}{6}=\frac{1}{3}$

(3) $\frac{1}{2}\times\frac{1}{3}=\frac{1}{6}$

**08** (1) $\frac{3}{4}\times\frac{3}{4}=\frac{9}{16}$

(2) $\left(1-\frac{3}{4}\right)\left(1-\frac{3}{4}\right)=\frac{1}{16}$

(3) (적어도 한 번은 성공할 확률)
= 1 − (두 번 모두 실패할 확률)
= $1-\frac{1}{16}=\frac{15}{16}$

**09** (1) A 상자에서 소수가 적힌 카드를 뽑을 확률은 $\frac{2}{3}$, B 상자에서 소수가 적힌 카드를 뽑을 확률은 $\frac{2}{4}=\frac{1}{2}$이므로 구하는 확률은 $\frac{2}{3}\times\frac{1}{2}=\frac{1}{3}$

(2) 두 수의 곱이 홀수이려면 두 수 모두 홀수이어야 한다.

A 상자에서 홀수가 적힌 카드를 뽑을 확률은 $\frac{2}{3}$, B 상자에서 홀수가 적힌 카드를 뽑을 확률은 $\frac{2}{4}=\frac{1}{2}$이므로 구하는 확률은 $\frac{2}{3}\times\frac{1}{2}=\frac{1}{3}$

(3) (두 수의 곱이 짝수일 확률)
= 1 − (두 수의 곱이 홀수일 확률)
= $1-\frac{1}{3}=\frac{2}{3}$

**10** (1) 준수가 남학생 대표로 뽑힐 확률은 $\frac{1}{4}$, 수진이가 여학생 대표로 뽑힐 확률은 $\frac{1}{5}$이므로 구하는 확률은 $\frac{1}{4}\times\frac{1}{5}=\frac{1}{20}$

(2) 남학생 대표로 준수가 뽑히지 않을 확률은 $\frac{3}{4}$, 여학생 대표로 수진이가 뽑히지 않을 확률은 $\frac{4}{5}$이므로 구하는 확률은 $\frac{3}{4}\times\frac{4}{5}=\frac{3}{5}$

(3) (준수와 수진이 중 적어도 한 명이 대표로 뽑힐 확률)
= 1 − (둘 다 뽑히지 않을 확률)
= $1-\frac{3}{5}=\frac{2}{5}$

**11** (1) (두 선수 모두 명중하지 못할 확률)
= $\left(1-\frac{3}{4}\right)\left(1-\frac{5}{6}\right)=\frac{1}{4}\times\frac{1}{6}=\frac{1}{24}$

∴ (적어도 한 선수는 명중할 확률)
= 1 − (두 선수 모두 명중하지 못할 확률)
= $1-\frac{1}{24}=\frac{23}{24}$

(2) (오늘과 내일 모두 비가 오지 않을 확률)
= $\left(1-\frac{2}{5}\right)\left(1-\frac{1}{4}\right)=\frac{3}{5}\times\frac{3}{4}=\frac{9}{20}$

∴ (오늘과 내일 중 적어도 하루는 비가 올 확률)
= 1 − (오늘과 내일 모두 비가 오지 않을 확률)
= $1-\frac{9}{20}=\frac{11}{20}$

(3) (두 사람 모두 지각하지 않을 확률)
= $\left(1-\frac{1}{10}\right)\left(1-\frac{2}{9}\right)=\frac{9}{10}\times\frac{7}{9}=\frac{7}{10}$

∴ (두 사람 중 적어도 한 명은 지각할 확률)
= 1 − (두 사람 모두 지각하지 않을 확률)
= $1-\frac{7}{10}=\frac{3}{10}$

136쪽

01 $\dfrac{5}{18}$  02 $\dfrac{5}{12}$  03 $\dfrac{6}{25}$  04 $\dfrac{4}{5}$  05 $\dfrac{22}{25}$

---

**01** 모든 경우의 수는 $6 \times 6 = 36$

나오는 눈의 수의 차가 2인 경우는 $(1, 3)$, $(2, 4)$, $(3, 1)$, $(3, 5)$, $(4, 2)$, $(4, 6)$, $(5, 3)$, $(6, 4)$의 8가지이므로 그 확률은 $\dfrac{8}{36} = \dfrac{2}{9}$

나오는 눈의 수의 차가 5인 경우는 $(1, 6)$, $(6, 1)$의 2가지이므로 그 확률은 $\dfrac{2}{36} = \dfrac{1}{18}$

따라서 구하는 확률은 $\dfrac{2}{9} + \dfrac{1}{18} = \dfrac{5}{18}$

**02** 모든 경우의 수는 $4 \times 3 = 12$

두 자리 자연수가 7의 배수인 경우는 14, 21, 42의 3가지이므로 그 확률은 $\dfrac{3}{12} = \dfrac{1}{4}$

두 자리 자연수가 8의 배수인 경우는 24, 32의 2가지이므로 그 확률은 $\dfrac{2}{12} = \dfrac{1}{6}$

따라서 구하는 확률은 $\dfrac{1}{4} + \dfrac{1}{6} = \dfrac{5}{12}$

**03** 첫 번째에 홀수가 나올 확률은 $\dfrac{3}{5}$, 두 번째에 2의 배수가 나올 확률은 $\dfrac{2}{5}$이므로 구하는 확률은 $\dfrac{3}{5} \times \dfrac{2}{5} = \dfrac{6}{25}$

**04** A, B 두 사람 모두 약속 장소에 나올 확률은 $\dfrac{1}{3} \times \dfrac{3}{5} = \dfrac{1}{5}$

∴ (두 사람이 만나지 못할 확률)

= 1 − (두 사람 모두 약속 장소에 나올 확률)

= $1 - \dfrac{1}{5} = \dfrac{4}{5}$

**05** A가 10점을 맞히지 못할 확률은 $1 - \dfrac{7}{10} = \dfrac{3}{10}$

B가 10점을 맞히지 못할 확률은 $1 - \dfrac{3}{5} = \dfrac{2}{5}$

따라서 두 선수 모두 10점을 맞히지 못할 확률은

$\dfrac{3}{10} \times \dfrac{2}{5} = \dfrac{3}{25}$

∴ (적어도 한 명은 10점을 맞힐 확률)

= 1 − (두 사람 모두 10점을 맞히지 못할 확률)

= $1 - \dfrac{3}{25} = \dfrac{22}{25}$

---

**37강** 연속하여 뽑는 경우의 확률

137~138쪽

**01** (1) 3, $\dfrac{3}{5}$, 3, $\dfrac{3}{5}$, $\dfrac{3}{5}$, $\dfrac{3}{5}$, $\dfrac{9}{25}$  (2) $\dfrac{4}{25}$  (3) $\dfrac{6}{25}$  (4) $\dfrac{21}{25}$

**02** (1) $\dfrac{4}{25}$  (2) $\dfrac{1}{25}$  (3) $\dfrac{2}{25}$  (4) $\dfrac{16}{25}$

**03** (1) $\dfrac{9}{100}$  (2) $\dfrac{49}{100}$  (3) $\dfrac{21}{100}$  (4) $\dfrac{51}{100}$

**04** (1) 3, $\dfrac{3}{5}$, 2, $\dfrac{1}{2}$, $\dfrac{3}{5}$, $\dfrac{1}{2}$, $\dfrac{3}{10}$  (2) $\dfrac{1}{10}$  (3) $\dfrac{3}{10}$  (4) $\dfrac{9}{10}$

　　(5) $\dfrac{3}{5}$

**05** (1) $\dfrac{2}{15}$  (2) $\dfrac{1}{45}$  (3) $\dfrac{4}{45}$  (4) $\dfrac{2}{3}$

**06** (1) $\dfrac{1}{15}$  (2) $\dfrac{7}{15}$  (3) $\dfrac{7}{30}$  (4) $\dfrac{8}{15}$  (5) $\dfrac{3}{10}$

---

**01** (2) $\dfrac{2}{5} \times \dfrac{2}{5} = \dfrac{4}{25}$

(3) $\dfrac{3}{5} \times \dfrac{2}{5} = \dfrac{6}{25}$

(4) (적어도 한 번은 흰 공이 나올 확률)

= 1 − (두 번 모두 검은 공이 나올 확률)

= $1 - \dfrac{4}{25} = \dfrac{21}{25}$

**02** (1) 소수인 경우는 2, 3, 5, 7의 4가지이므로 구하는 확률은

$\dfrac{4}{10} \times \dfrac{4}{10} = \dfrac{4}{25}$

(2) 4의 배수인 경우는 4, 8의 2가지이므로 구하는 확률은

$\dfrac{2}{10} \times \dfrac{2}{10} = \dfrac{1}{25}$

(3) $\dfrac{4}{10} \times \dfrac{2}{10} = \dfrac{2}{25}$

(4) 두 번 모두 소수가 아닌 카드를 꺼낼 확률은

$\dfrac{6}{10} \times \dfrac{6}{10} = \dfrac{9}{25}$이므로 구하는 확률은

$1 - \dfrac{9}{25} = \dfrac{16}{25}$

**03** (1) $\dfrac{3}{10} \times \dfrac{3}{10} = \dfrac{9}{100}$

(2) $\dfrac{7}{10} \times \dfrac{7}{10} = \dfrac{49}{100}$

(3) $\dfrac{3}{10} \times \dfrac{7}{10} = \dfrac{21}{100}$

(4) (적어도 한 명은 당첨 제비를 뽑을 확률)

= 1 − (둘 다 당첨 제비를 뽑지 못할 확률)

= $1 - \dfrac{49}{100} = \dfrac{51}{100}$

**04** (2) $\dfrac{2}{5} \times \dfrac{1}{4} = \dfrac{1}{10}$

(3) $\dfrac{3}{5} \times \dfrac{2}{4} = \dfrac{3}{10}$

(4) (적어도 하나는 흰 공이 나올 확률)

= 1 − (두 번 모두 검은 공이 나올 확률)

---

$$=1-\frac{1}{10}=\frac{9}{10}$$

(5) 첫 번째에 흰 공이 나오고 두 번째에도 흰 공이 나올 확률은 $\frac{3}{5}\times\frac{2}{4}=\frac{3}{10}$, 첫 번째에 검은 공이 나오고 두 번째에는 흰 공이 나올 확률은 $\frac{2}{5}\times\frac{3}{4}=\frac{3}{10}$

따라서 구하는 확률은 $\frac{3}{10}+\frac{3}{10}=\frac{3}{5}$

**05** (1) 소수가 나오는 경우는 2, 3, 5, 7의 4가지이므로 구하는 확률은 $\frac{4}{10}\times\frac{3}{9}=\frac{2}{15}$

(2) 4의 배수가 나오는 경우는 4, 8의 2가지이므로 구하는 확률은 $\frac{2}{10}\times\frac{1}{9}=\frac{1}{45}$

(3) $\frac{4}{10}\times\frac{2}{9}=\frac{4}{45}$

(4) 두 번 모두 소수가 아닌 카드를 꺼낼 확률은 $\frac{6}{10}\times\frac{5}{9}=\frac{1}{3}$

이므로 구하는 확률은 $1-\frac{1}{3}=\frac{2}{3}$

**06** (1) $\frac{3}{10}\times\frac{2}{9}=\frac{1}{15}$

(2) $\frac{7}{10}\times\frac{6}{9}=\frac{7}{15}$

(3) $\frac{3}{10}\times\frac{7}{9}=\frac{7}{30}$

(4) $1-\frac{7}{15}=\frac{8}{15}$

(5) A가 당첨 제비를 뽑고 B도 당첨 제비를 뽑을 확률은 $\frac{3}{10}\times\frac{2}{9}=\frac{1}{15}$, A는 당첨 제비를 뽑지 못하고 B만 당첨 제비를 뽑을 확률은 $\frac{7}{10}\times\frac{3}{9}=\frac{7}{30}$

따라서 구하는 확률은 $\frac{1}{15}+\frac{7}{30}=\frac{3}{10}$

 **만점**

139쪽

| **01** $\frac{4}{9}$ | **02** $\frac{20}{81}$ | **03** $\frac{8}{33}$ | **04** $\frac{8}{45}$ |

**01** $\frac{4}{6}\times\frac{4}{6}=\frac{4}{9}$

**02** 홀수가 나오는 경우는 1, 3, 5, 7, 9의 5가지이고, 6의 약수가 나오는 경우는 1, 2, 3, 6의 4가지이므로 구하는 확률은

$$\frac{5}{9}\times\frac{4}{9}=\frac{20}{81}$$

**03** $\frac{8}{12}\times\frac{4}{11}=\frac{8}{33}$

**04** $\frac{2}{10}\times\frac{8}{9}=\frac{8}{45}$

---

**38강 중단원 연산 마무리** 140~143쪽

**01** (1) 6 (2) 6 (3) 4 (4) 8 　**02** (1) 6 (2) 9 (3) 8 (4) 11

**03** (1) 9 (2) 12 (3) 6

**04** (1) 120 (2) 24 (3) 12 (4) 48 (5) 24

**05** (1) 100 (2) 52 (3) 36 (4) 60

**06** (1) 60 (2) 12 (3) 10 (4) 6 　**07** (1) $\frac{8}{15}$ (2) $\frac{1}{5}$ (3) $\frac{2}{5}$

**08** (1) $\frac{1}{10}$ (2) $\frac{3}{10}$ 　**09** (1) 0 (2) 0 (3) 1 (4) 1

**10** (1) $\frac{4}{5}$ (2) $\frac{1}{2}$ (3) $\frac{7}{8}$ (4) $\frac{5}{9}$

**11** (1) $\frac{2}{5}$ (2) $\frac{3}{5}$ 　**12** (1) $\frac{3}{16}$ (2) $\frac{3}{4}$

**13** (1) $\frac{23}{49}$ (2) $\frac{26}{49}$ (3) $\frac{34}{49}$ (4) $\frac{41}{49}$

**14** (1) $\frac{1}{16}$ (2) $\frac{9}{16}$ (3) $\frac{7}{16}$ (4) $\frac{3}{16}$

**15** (1) $\frac{1}{5}$ (2) $\frac{3}{7}$ (3) $\frac{1}{14}$ (4) $\frac{13}{35}$

**16** 7 　**17** 56 　**18** $\frac{1}{2}$ 　**19** $\frac{2}{3}$

**01** (1) 두 개의 주사위에서 나오는 눈의 수를 순서쌍으로 나타내면 두 눈의 수의 합이 7인 경우는
(1, 6), (2, 5), (3, 4), (4, 3), (5, 2), (6, 1)의 6가지이다.

(2) 두 눈의 수의 차가 3인 경우는
(1, 4), (2, 5), (3, 6), (4, 1), (5, 2), (6, 3)의 6가지이다.

(3) 두 눈의 수의 곱이 6인 경우는
(1, 6), (2, 3), (3, 2), (6, 1)의 4가지이다.

(4) 두 눈의 수의 곱이 20 이상인 경우는
(4, 5), (4, 6), (5, 4), (5, 5), (5, 6), (6, 4), (6, 5),
(6, 6)의 8가지이다.

**02** (1) 5의 배수가 나오는 경우는 5, 10, 15, 20의 4가지, 7의 배수가 나오는 경우는 7, 14의 2가지이므로 구하는 경우의 수는 4+2=6

(2) 6의 배수가 나오는 경우는 6, 12, 18의 3가지, 20의 약수가 나오는 경우는 1, 2, 4, 5, 10, 20의 6가지이므로 구하는 경우의 수는 3+6=9

(3) 4의 배수가 나오는 경우는 4, 8, 12, 16, 20의 5가지, 5의 배수가 나오는 경우는 5, 10, 15, 20의 4가지이다. 그런데 20은 두 가지 경우에 모두 포함되므로 구하는 경우의 수는 5+4-1=8

(4) 짝수가 나오는 경우는 2, 4, 6, 8, 10, 12, 14, 16, 18, 20의 10가지, 9의 배수가 나오는 경우는 9, 18의 2가지이다. 그런데 18은 두 가지 경우에 모두 포함되므로 구하는 경우의 수는 10+2-1=11

03 (1) 첫 번째에서 짝수의 눈이 나오는 경우는 2, 4, 6의 3가지,
두 번째에서 짝수의 눈이 나오는 경우의 수는 3이므로 구하
는 경우의 수는 $3 \times 3 = 9$

(2) 첫 번째에서 소수의 눈이 나오는 경우는 2, 3, 5의 3가지,
두 번째에서 6의 약수의 눈이 나오는 경우는 1, 2, 3, 6의 4
가지이므로 구하는 경우의 수는 $3 \times 4 = 12$

(3) 첫 번째에서 홀수의 눈이 나오는 경우는 1, 3, 5의 3가지,
두 번째에서 3의 배수의 눈이 나오는 경우는 3, 6의 2가지
이므로 구하는 경우의 수는 $3 \times 2 = 6$

04 (1) $5 \times 4 \times 3 \times 2 \times 1 = 120$

(2) 가현이를 제외한 4명을 한 줄로 세우는 경우의 수와 같으므
로 $4 \times 3 \times 2 \times 1 = 24$

(3) 다솜이와 상진이를 제외한 3명을 한 줄로 세우는 경우의 수
는 $3 \times 2 \times 1 = 6$
다솜이와 상진이가 양 끝에서 서로 자리를 바꾸어 서는 경
우의 수는 2이므로 구하는 경우의 수는
$6 \times 2 = 12$

(4) 미영이와 기진이를 하나로 묶어 4명을 한 줄로 세우는 경우
의 수는 $4 \times 3 \times 2 \times 1 = 24$
미영이와 기진이가 자리를 바꾸는 경우의 수는 $2 \times 1 = 2$이
므로 구하는 경우의 수는 $24 \times 2 = 48$

(5) 상진이와 기진이를 하나로 묶어 4명을 한 줄로 세우는 경우
의 수는 $4 \times 3 \times 2 \times 1 = 24$
이때 상진이와 기진이의 자리는 정해져 있으므로 구하는
경우의 수는 24

05 (1) 백의 자리에 올 수 있는 숫자는 0을 제외한 5가지, 십의 자
리에 올 수 있는 숫자는 십의 자리 숫자를 제외한 5가지, 일
의 자리에 올 수 있는 숫자는 4가지이므로 구하는 자연수의
개수는 $5 \times 5 \times 4 = 100$

(2) 일의 자리에 올 수 있는 숫자는 0, 2, 4
(ⅰ) 일의 자리의 숫자가 0일 때, 백의 자리에 올 수 있는 숫
자는 5가지, 십의 자리에 올 수 있는 숫자는 4가지이므
로 구하는 경우의 수는 $5 \times 4 = 20$
(ⅱ) 일의 자리의 숫자가 2, 4일 때, 백의 자리에 올 수 있
는 숫자는 일의 자리의 숫자와 0을 제외한 4가지, 십의
자리에 올 수 있는 숫자는 일의 자리의 숫자와 백의 자
리의 숫자를 제외한 4가지이므로 구하는 경우의 수는
$2 \times 4 \times 4 = 32$
(ⅰ), (ⅱ)에서 구하는 경우의 수는 $20 + 32 = 52$

(3) 일의 자리에 올 수 있는 숫자는 0, 5
(ⅰ) 일의 자리의 숫자가 0일 때
백의 자리에 올 수 있는 숫자는 5가지, 십의 자리에 올 수
있는 숫자는 4가지이므로 구하는 경우의 수는 $5 \times 4 = 20$

(ⅱ) 일의 자리의 숫자가 5일 때
백의 자리에 올 수 있는 숫자는 5와 0을 제외한 4가지,
십의 자리에 올 수 있는 숫자는 5와 백의 자리의 숫자를
제외한 4가지이므로 구하는 경우의 수는 $4 \times 4 = 16$
(ⅰ), (ⅱ)에서 구하는 경우의 수는 $20 + 16 = 36$

(4) (ⅰ) 200 이하인 경우는 백의 자리의 숫자가 1일 때, 십의 자
리에 올 수 있는 숫자는 5가지, 일의 자리에 올 수 있는
숫자는 4가지이므로 구하는 경우의 수는 $5 \times 4 = 20$
(ⅱ) 400 이상인 경우는 백의 자리의 숫자가 4 또는 5일 때,
십의 자리에 올 수 있는 숫자는 백의 자리의 숫자를 제
외한 5가지, 일의 자리에 올 수 있는 숫자는 백의 자리
의 숫자와 십의 자리의 숫자를 제외한 4가지이므로 경
우의 수는 $2 \times 5 \times 4 = 40$
(ⅰ), (ⅱ)에서 구하는 경우의 수는 $20 + 40 = 60$

06 (1) $5 \times 4 \times 3 = 60$

(2) 주현이를 제외한 4명 중에서 부회장 1명, 총무 1명을 뽑는
경우의 수와 같으므로 $4 \times 3 = 12$

(3) $\dfrac{5 \times 4 \times 3}{3 \times 2 \times 1} = 10$

(4) 예나를 제외한 4명 중에서 대표 2명을 뽑는 경우의 수와 같
으므로
$\dfrac{4 \times 3}{2} = 6$

07 (1) 모든 경우의 수는 15
홀수가 적힌 카드를 뽑는 경우의 수는 1, 3, 5, 7, 9, 11,
13, 15의 8
따라서 구하는 확률은 $\dfrac{8}{15}$

(2) 모든 경우의 수는 15
4의 배수가 적힌 카드를 뽑는 경우의 수는 4, 8, 12의 3
따라서 구하는 확률은 $\dfrac{3}{15} = \dfrac{1}{5}$

(3) 모든 경우의 수는 15
12의 약수가 적힌 카드를 뽑는 경우의 수는 1, 2, 3, 4, 6,
12의 6
따라서 구하는 확률은 $\dfrac{6}{15} = \dfrac{2}{5}$

08 (1) 모든 경우의 수는 $5 \times 4 \times 3 \times 2 \times 1 = 120$
여학생 3명을 한 줄로 세우는 경우의 수는 $3 \times 2 \times 1 = 6$이
고, 남학생 2명이 양 끝에서 서로 자리를 바꾸는 경우의 수
는 2이므로 그 경우의 수는 $6 \times 2 = 12$
따라서 구하는 확률은 $\dfrac{12}{120} = \dfrac{1}{10}$

(2) 모든 경우의 수는 120
여학생을 하나로 묶어서 3명을 한 줄로 세우는 경우의 수는
$3 \times 2 \times 1 = 6$이고, 여학생끼리 자리를 바꾸는 경우의 수는

$3 \times 2 \times 1 = 6$이므로 그 경우의 수는 $6 \times 6 = 36$

따라서 구하는 확률은 $\dfrac{36}{120} = \dfrac{3}{10}$

**09** (1) 모든 경우의 수는 $6 \times 6 = 36$

두 눈의 수의 합이 2 미만인 경우의 수는 0이므로 구하는

확률은 $\dfrac{0}{36} = 0$

(2) 모든 경우의 수는 36

두 눈의 수의 차가 6 이상인 경우의 수는 0이므로 구하는

확률은 $\dfrac{0}{36} = 0$

(3) 모든 경우의 수는 36

두 눈의 수의 합이 12 이하인 경우의 수는 36이므로 구하는

확률은 $\dfrac{36}{36} = 1$

(4) 모든 경우의 수는 36

두 눈의 수의 곱이 36 이하인 경우의 수는 36이므로 구하는

확률은 $\dfrac{36}{36} = 1$

**10** (1) 모든 경우의 수는 20

5의 배수가 나오는 경우는 5, 10, 15, 20의 4가지이므로

그 확률은 $\dfrac{4}{20} = \dfrac{1}{5}$

따라서 5의 배수가 나오지 않을 확률은

$1 - \dfrac{1}{5} = \dfrac{4}{5}$

(2) 모든 경우의 수는 $\dfrac{4 \times 3}{2 \times 1} = 6$

A가 대표로 뽑히는 경우의 수는 A를 제외한 3명 중에서

대표 1명을 뽑는 경우의 수와 같으므로 3이다. 따라서 그

확률은 $\dfrac{3}{6} = \dfrac{1}{2}$

따라서 A가 뽑히지 않을 확률은 $1 - \dfrac{1}{2} = \dfrac{1}{2}$

(3) 모든 경우의 수는 $2 \times 2 \times 2 = 8$

세 문제 모두 맞히지 못하는 경우의 수는 1이므로 그 확률

은 $\dfrac{1}{8}$

따라서 구하는 확률은 $1 - \dfrac{1}{8} = \dfrac{7}{8}$

(4) 모든 경우의 수는 $6 \times 6 = 36$

두 개의 주사위에서 모두 3의 배수가 나오지 않는 경우의

수는 $4 \times 4 = 16$이므로 그 확률은 $\dfrac{16}{36} = \dfrac{4}{9}$

따라서 구하는 확률은 $1 - \dfrac{4}{9} = \dfrac{5}{9}$

**11** (1) 모든 경우의 수는 $5 \times 4 = 20$

4의 배수인 경우는 12, 24, 32, 52의 4가지이므로 그 확률

은 $\dfrac{4}{20} = \dfrac{1}{5}$

5의 배수인 경우는 15, 25, 35, 45의 4가지이므로 그 확률

은 $\dfrac{4}{20} = \dfrac{1}{5}$

따라서 구하는 확률은 $\dfrac{1}{5} + \dfrac{1}{5} = \dfrac{2}{5}$

(2) 모든 경우의 수는 $5 \times 4 = 20$

20보다 작은 경우는 12, 13, 14, 15의 4가지이므로 그 확

률은 $\dfrac{4}{20} = \dfrac{1}{5}$

35보다 큰 경우는 십의 자리의 숫자가 4 또는 5일 때 일의

자리에 올 수 있는 숫자는 십의 자리의 숫자를 제외한 4가

지이므로 그 경우의 수는 $2 \times 4 = 8$

그 확률은 $\dfrac{8}{20} = \dfrac{2}{5}$

따라서 구하는 확률은 $\dfrac{1}{5} + \dfrac{2}{5} = \dfrac{3}{5}$

**12** (1) 첫 번째 나온 눈의 수가 홀수인 경우는 1, 3, 5, 7의 4가지

이므로 그 확률은 $\dfrac{4}{8} = \dfrac{1}{2}$

두 번째 나온 눈의 수가 4의 약수인 경우는 1, 2, 4의 3가지

이므로 그 확률은 $\dfrac{3}{8}$

따라서 구하는 확률은 $\dfrac{1}{2} \times \dfrac{3}{8} = \dfrac{3}{16}$

(2) (두 눈의 수의 곱이 짝수일 확률)

$= 1 - $ (두 눈의 수의 곱이 홀수일 확률)

$= 1 - \dfrac{1}{2} \times \dfrac{1}{2} = \dfrac{3}{4}$

**13** (1) 모두 빨간 공을 꺼낼 확률은 $\dfrac{4}{7} \times \dfrac{2}{7} = \dfrac{8}{49}$

모두 파란 공을 꺼낼 확률은 $\dfrac{3}{7} \times \dfrac{5}{7} = \dfrac{15}{49}$

따라서 구하는 확률은 $\dfrac{8}{49} + \dfrac{15}{49} = \dfrac{23}{49}$

(2) A 주머니에서 빨간 공을, B 주머니에서 파란 공을 꺼낼 확

률은 $\dfrac{4}{7} \times \dfrac{5}{7} = \dfrac{20}{49}$

A 주머니에서 파란 공을, B 주머니에서 빨간 공을 꺼낼 확

률은 $\dfrac{3}{7} \times \dfrac{2}{7} = \dfrac{6}{49}$

따라서 구하는 확률은 $\dfrac{20}{49} + \dfrac{6}{49} = \dfrac{26}{49}$

(3) (적어도 한 개는 빨간 공일 확률)

$= 1 - $ (둘 다 파란 공일 확률)

$= 1 - \dfrac{3}{7} \times \dfrac{5}{7} = 1 - \dfrac{15}{49} = \dfrac{34}{49}$

(4) (적어도 한 개는 파란 공일 확률)

$= 1 - $ (둘 다 빨간 공일 확률)

$= 1 - \dfrac{4}{7} \times \dfrac{2}{7} = 1 - \dfrac{8}{49} = \dfrac{41}{49}$

**14** (1) $\dfrac{5}{20} \times \dfrac{5}{20} = \dfrac{1}{4} \times \dfrac{1}{4} = \dfrac{1}{16}$

(2) $\dfrac{15}{20} \times \dfrac{15}{20} = \dfrac{3}{4} \times \dfrac{3}{4} = \dfrac{9}{16}$

(3) $1 - \dfrac{9}{16} = \dfrac{7}{16}$

(4) $\dfrac{5}{20} \times \dfrac{15}{20} = \dfrac{1}{4} \times \dfrac{3}{4} = \dfrac{3}{16}$

**15** (1) $\dfrac{7}{15} \times \dfrac{6}{14} = \dfrac{1}{5}$

(2) $\dfrac{10}{15} \times \dfrac{9}{14} = \dfrac{3}{7}$

(3) $\dfrac{5}{15} \times \dfrac{3}{14} = \dfrac{1}{14}$

(4) 두 개 모두 오렌지 맛 사탕이 나오지 않을 확률은

$\dfrac{12}{15} \times \dfrac{11}{14} = \dfrac{22}{35}$ 이므로

적어도 하나는 오렌지 맛 사탕이 나올 확률은

$1 - \dfrac{22}{35} = \dfrac{13}{35}$

**16** 1200원을 지불하는 방법을 표로 나타내면 다음과 같다.

| 500원(개) | 2 | 2 | 2 | 1 | 1 | 1 | 0 |
|---|---|---|---|---|---|---|---|
| 100원(개) | 2 | 1 | 0 | 7 | 6 | 5 | 10 |
| 50원(개) | 0 | 2 | 4 | 0 | 2 | 4 | 4 |

따라서 구하는 방법의 수는 7이다.

**17** 7개의 점 중에서 순서에 관계없이 2개의 점을 뽑아 선분을 그으면 되므로

$\dfrac{7 \times 6}{2} = 21$(개)에서 $a = 21$

7개의 점 중에서 순서에 관계없이 3개의 점을 뽑아 삼각형을 만들면 되므로

$\dfrac{7 \times 6 \times 5}{3 \times 2 \times 1} = 35$(개)에서 $b = 35$

$\therefore a + b = 21 + 35 = 56$

**18** 민성이만 맞힐 확률은 $\dfrac{1}{2} \times \left(1 - \dfrac{3}{5}\right) = \dfrac{1}{5}$

하연이만 맞힐 확률은 $\left(1 - \dfrac{1}{2}\right) \times \dfrac{3}{5} = \dfrac{3}{10}$

따라서 구하는 확률은 $\dfrac{1}{5} + \dfrac{3}{10} = \dfrac{1}{2}$

**19** (ⅰ) 처음에 흰 구슬을 꺼내 상자에 다시 넣고, 흰 구슬 한 개를 더 넣은 후 흰 구슬을 꺼낼 확률은

$\dfrac{10}{15} \times \dfrac{11}{16} = \dfrac{11}{24}$

(ⅱ) 처음에 검은 구슬을 꺼내 상자에 다시 넣고, 검은 구슬 한 개를 더 넣은 후 흰 구슬을 꺼낼 확률은

$\dfrac{5}{15} \times \dfrac{10}{16} = \dfrac{5}{24}$

(ⅰ), (ⅱ)에서 구하는 확률은 $\dfrac{11}{24} + \dfrac{5}{24} = \dfrac{2}{3}$

| 날짜 | | 단원명 | | 자기평가 |
|---|---|---|---|---|
| 강의 구분 | | 강의명 | | |

| 난이도 | 상 / 중 / 하 | 틀린 이유 | ☐ 문제를 잘못 읽음 | ☐ 계산 실수 | ☐ 문제를 이해 못함 |
|---|---|---|---|---|---|
| | | | ☐ 개념 이해 부족 | ☐ 기타( | ) |

**틀린 문제**

**핵심 개념 및 Key Point**

**바른 풀이**

자기평가

완전이해　　오답이해　　다시하기

| 날짜 | | 단원명 | | 자기평가 | |
|---|---|---|---|---|---|
| 강의 구분 | | 강의명 | | 완전이해 | 오답이해 |

| 난이도 | 상 / 중 / 하 | 틀린 이유 | ☐ 문제를 잘못 읽음　　☐ 계산 실수　　☐ 문제를 이해 못함 |
|---|---|---|---|
| | | | ☐ 개념 이해 부족　　☐ 기타(　　　　　　　　　　) |

**틀린 문제**

**핵심 개념 및 Key Point**

**바른 풀이**

자기평가

완전이해

오답이해

다시하기

# 푸르넷 에듀 E-learning 사이트 학습 System

## On-Off 라인 통합학습 관리 System

**On-Off 라인 통합학습**

| 푸르넷 에듀 개인별 맞춤학습 | + | 학생 | + | 푸르넷 에듀 선생님 개인별 학습지도 및 관리 |

- 지도교사가 학습 스케줄 작성, 동영상 학습지도, 학습관리 및 평가를 실시합니다.
- 회원은 푸르넷 에듀 사이트에서 동영상 학습 및 여러 평가 학습을 진행합니다.
- 회원의 학습 과정 및 결과는 회원관리 프로그램을 통해 지도교사가 확인 및 점검합니다.
- 이를 바탕으로 학생 개개인에 맞는 체계적인 수업을 진행합니다.

## 내신 만점 학습 전략

### 국어 · 영어

출판사별 교과서 맞춤 강의 제공
교과서의 핵심 개념 파악 및 학교 시험대비 3단계 학습 전략

**Step1** 교과서 단원별 필수 개념 다지기 > **Step2** 교과서 작품 및 지문 완전 분석 > **Step3** 단원별 문제풀이 학습

### 수학 · 사회 · 역사 · 과학

**1. 단계별 내신대비 학습:** 주제별/유형별로 기본 개념부터 보충·심화 강의까지 개념별·유형별 연계 학습이 가능

**Step1** 개념 강의 (리더스/ 진도플러스) > **Step2** 문제풀이 강의 (내신플러스) > **Step3** 단원별 보충·심화 강의

**2. 수준별 수학 학습:** 개인별 학습 능력 수준에 맞는 학습

**Step1** 입문 쉽고 재미있는 입문 개념 학습 > **Step2** 기본 기본 개념의 핵심 개념 학습 > **Step3** 심화 고난도 문제 유형 학습 > **Step4** 유형 핵심 유형별 문제 트레이닝 학습

힘이 붙는 **수학** 연산 중등 **2-2**
# 정답과 해설